S0-AJN-878

夢三生——著　陳漢玲——繪

目錄

序章

天使，是為了拯救世界而存在的！

茉伊拉始終堅信著這一點，並且一直向著拯救世界這個偉大而崇高的目標努力。作為天界第五重天的看守天使，茉伊拉的職責是看守因犯下重罪而被關押在這裡的天使同行。

天界有七重，綜上所述，第五重天即是天使的牢獄所在，而茉伊拉，則是一名牢頭。

與眾不同的是，她是天界的牢頭。

雖然第五重天一片荒涼，用人界的話來說，就是一處鳥不生蛋狗不拉屎的地方，可是這一點都沒有影響到茉伊拉對工作的熱情。她勤勤懇懇、一絲不苟地看守著第五重天，她敬愛天父，熱愛工作，是天界標準的好青年。

「不要害怕，不要徬徨，屏棄黑暗，向著光明前行，因為天父在指引著我們……」溫柔的聲音在長長的廊道裡響起。因為廊道極寬敞，產生了陣陣回音，使那溫柔的聲音帶了某種震懾人心的效果。

「吵死了！」

「有完沒完！」

「滾開！」

一連串憤怒的咆哮聲從廊道兩旁傳出，夾帶著無數的火焰球、冰劍以及不明物體，同時襲向

站在廊道中央的某個嬌小身影。

「不要憤怒，仇恨只會蒙蔽你們的雙眼，阻礙你們的思維，請靜下心來……」溫柔的說教絲毫沒有被打斷，那嬌小的身影靈巧地躲開攻擊，極其熟練的樣子。

廊道兩旁是用特殊結界設置的牢房，此時，幾個被關押在裡面的半魔正處於抓狂狀態，那個溫柔的聲音卻依然在喋喋不休地說教。

「喂！妳一個低等的下級天使，到底在跩什麼！」一個抓狂的半魔揮舞著手中的火焰魔棒，嘶吼起來。

「你錯了，第一，我沒有在跩，我只是希望引導你們向善；第二，在天父面前，萬物皆平等，沒有高等與低等之分，下級天使也只是一個職稱，只要心懷偉大的理想，一切皆有可能。」那道嬌小的身影「咻」的一下靠近那隻半魔，雙手交握，溫柔地微笑，「來，讓我們感謝天父。」

「……」半魔們全體崩潰。

「今天就到這裡，明天我會再來看望你們。」

「不要再來了！」

回答她的，是萬年不變的怒吼。

作為一個稱職的看守天使，茉伊拉每天都會帶著天父仁慈的光輝去看望每一個被關押在第五重天的罪天使，並且引導他們棄惡從善，投向天父的懷抱。

多麼有意義的事情，茉伊拉以此為榮。

「茉伊拉，妳好厲害，這一次完全沒有受傷耶。」剛走出廊道，便看到守在外面不敢進去的魯那一臉的崇拜。

「習慣就好了。」驕傲使人落後，於是茉伊拉一點也沒有驕傲，她只是十分謙遜地道。

經過第九道走廊的時候，茉伊拉習慣性地停下了腳步。從她升職到第五重天擔任看守天使的那一天起，她常常會忍不住在這裡停下腳步。

「妳……妳該不會是想進去吧！」魯那回頭看了看茉伊拉，又看了看那黑漆漆陰森森的第九道走廊。

「嗯，你不好奇為什麼大天使從來都不准許我們進去嗎？」茉伊拉向著那黑漆漆的通道走了幾步，便覺得有一股寒氣撲面而來。她經常從這裡經過，卻一直沒有進去過，因為大天使下了禁止通行的命令。

「據……據說裡面關了一個可怕的妖獸！已經關了幾千萬年了，只要靠近它就會被吃掉哦！」魯那瑟瑟發抖。

茉伊拉依然渴望地看著那道黑漆漆的走廊，「天父說萬物平等，它一個人被關了幾千萬年，一定很寂寞吧，如果可以導它向善……」

魯那不雅地翻了個白眼，知道她氾濫的責任感又開始無限度地蔓延了，而這個時候，只有一句話可以止住她的腳步。

「難道妳忘記大天使的命令了？」魯那淡然地道。

果然，茉伊拉立刻一言不發了，她是遵紀守法的好孩子。魯那滿意地拉著茉伊拉離開了危險而又神祕的第九道走廊。

天界沒有黑夜，是永恆的白晝，幾千幾萬年都感覺不到時間的變化。

走過長長的階梯，魯那遠遠地便看到茉伊拉抱著一顆蛋，坐在樹下打瞌睡，他走到她身邊，彎腰看她，「妳在幹什麼？」

以他的經驗來看，茉伊拉絕對不只是在打瞌睡那麼簡單，因為作為一個以拯救世界為己任的好青年來說，她是絕對不會允許自己單純地打瞌睡的。

「孵蛋。」茉伊拉睜開眼睛，認真地道。

果然……

魯那嘆了一口氣。

「這是……什麼蛋？」

「不知道。」茉伊拉低頭看了看抱在懷裡的蛋，很大顆，白色的蛋殼上有黑色的斑紋。她小心翼翼地舉起蛋，像獻寶一樣，「很漂亮吧？我孵了好久，可是一直孵不出來。」

魯那撫了撫額，「妳在哪裡撿到的？」

「南邊的樹林裡呀。在水裡發現的，它一顆蛋孤零零的，很可憐，我打算把它孵出來，看看是什麼。」

孵出來看看是什麼……

「妳是天使，不是它媽媽。」魯那決定曉之以理。

「你錯了，魯那，為拯救世界而存在的天使，怎麼能連一顆蛋都孵不出來呢？」茉伊拉瞪大眼睛，很認真地道。

拯救世界和孵蛋……有什麼共通之處嗎？

「可是妳就這樣把它撿來，萬一它媽媽回去找不到它怎麼辦？」魯那試圖動之以情。

茉伊拉想了一下，然後嚴肅地點頭，「你說得有道理，是我疏忽了。」然後抱著蛋站起身，「我送它回去找媽媽，今天就不去看望他們了，你一個人去吧。」

他們？魯那回頭，看了看關押著眾多半魔和罪天使的大殿，大汗，「啊喂，茉伊拉……」

再回頭時，茉伊拉已經不見了。

拜託了魯那之後，茉伊拉單獨由北向南，飛往第五重天南面的森林。許久之前她曾來過這裡，那個時候她因為治癒術不到家，需要一種極珍貴罕見的藥材作輔助，而那種藥材恰巧只有這個森林裡才有。

就是那一次，她撿到了這顆蛋。

沿著森林的小徑往裡面走，直走進森林深處，才看到一片湖水，茉伊拉眼睛猛地一亮，就是這裡！四下打量一番，一個背對著她坐在湖裡的背影引起了她的注意，是牠嗎？蛋的媽媽？

戀戀不捨地摸了摸懷裡的蛋，她走上前。

「請問……妳是它的媽媽嗎？」小心翼翼走上前，茉伊拉極有禮貌地問。

背影沒動。

「那個……對不起，我看它太可愛，就忍不住抱走了，您不要生氣，我這就還給您……」誇牠寶寶可愛一定沒錯，茉伊拉暗自點頭，覺得自己太聰明了。

「嘩」的一聲水響，那個背影站了起來，然後轉過身，看著她。

「我看起來像它媽？」水裡的人問。

茉伊拉抱著蛋，傻傻站在原地，目瞪口呆地看著那一張被水浸潤過的臉龐，淡淡的光華籠罩他的全身。

「沙……沙利葉大人……」茉伊拉開始顫抖。

以拯救世界為己任的好青年茉伊拉平生只有一點小小的私心，那就是她十分崇拜月之天使沙利葉，那偉大而華麗的存在啊……

可是……她剛剛冒犯了這偉大而華麗的存在，而且，罪證還在她懷裏，她居然說沙利葉大人是她懷裡這顆蛋的媽！

「我在幫它找媽媽。」鎮定了一下，茉伊拉低下頭，決定為自己解釋，「我是在這裡撿到它的……」

寂靜。

「剛剛看到您的背影……誤以為……所以……」

依然寂靜。

「冒犯您了！」閉上眼睛，茉伊拉深深地懺悔。

還是寂靜。

小心翼翼地抬起頭，茉伊拉冒死睜開一隻眼睛，悄悄看了一下，原先站著沙利葉大人的地方空空如也，什麼都沒有。

是錯覺？她低頭，看到湖面上飄著一根潔白的羽毛，嘆氣。

不是錯覺……

撿起那根羽毛，她垂頭喪氣地走出森林，還暗自安慰自己。也好，至少得到了沙利葉大人的羽毛當紀念。

回到大殿的時候，魯那不在那裡。

再一次經過第九道走廊，茉伊拉停下腳步，望向黑洞洞的、彷彿深不見底的走廊。恍惚間，聽到裡面有什麼奇怪的聲音傳出來。

沒有魯那苦口婆心的勸阻，她在門口遲疑了很久，終於還是忍不住走了進去，打算一探究竟。

廊道裡的光線很暗，以她的力量，竟然無法讓這裡亮起來。一直走到廊道的盡頭，她才看到三道強大的結界。

隔著一扇鐵門，隱約可以看到裡面有一團黑影。

「你還好嗎？」茉伊拉小心地問。

回答她的，是低低的喘息聲。

茉伊拉試著推了推，鐵門竟然是開著的。她剛走進鐵門，腳上便感覺溼漉漉的，一股濃重的血腥味撲鼻而來。稍稍吃了一驚，她看到那團黑影蜷縮在對面的牆角處，似乎在微微顫抖著，鎖住它的鎖鏈因為它的顫抖而發出聲響。

「別怕，我不會傷害你。」茉伊拉盡量放輕聲音，試圖安撫它。

因為腳下一片黏膩，她乾脆騰空而起，直接飛到那團黑影身邊，小心翼翼地接近它。那團蜷縮著的黑影似乎顫抖得更加厲害了。

想起魯那說它已經在這裡被關了幾千萬年，茉伊拉伸出手，輕輕碰觸它，一邊溫柔地撫摸

它，一邊輕聲表明立場：「看，我不會傷害你。」

鐵鏈猛地「嘩啦」一響，待茱伊拉反應過來時，已經被它緊緊鉗制住了。

「呵……呵呵呵呵……呵……」它低低地笑了起來，彷彿不可抑制一般，顫抖得更加厲害了。

黑暗中，它的眼睛亮得妖異非常。

茱伊拉這才徹底看清了它的樣子。

這隻妖獸竟然是人形的，黑色的翅膀被血跡斑斑的鐵鏈穿過，釘在它身後的牆上，雙手雙足皆被鐵鎖鎖住，全身上下都沾著血汙，幾乎辨認不出它的樣子。

定定地看了她一會兒，它忽然咧開嘴巴，「呵……呵呵……瞧我捉到了什麼好東西……」聲音帶著神經質的興奮。

「你……很痛吧？」一點也不在意自己的脖子正被人家掐在手裡，茱伊拉伸手撫上它的臉，沾到一手的血。

它瞇了瞇眼睛，忽然湊近了她，在她身上嗅了嗅，然後伸出另一隻手，從茱伊拉的手中拿走那根羽毛。

「啊！這可不行！」茱伊拉見她冒犯偶像才得來的羽毛被拿走，掙扎起來。

「呵呵呵……」看著那根羽毛，它的眼睛更亮了，發出令人毛骨悚然的笑聲。

「我是第五天的看守天使茱伊拉，把羽毛還給我！」茱伊拉試圖擺出官威。

它看了她一眼，將那羽毛放在脣邊親吻了一下。它脣上髒汙的血跡沾到雪白的羽毛上，只一瞬，血汙便消失不見，羽毛重新變回純淨無瑕的樣子。然後，它竟然真的將羽毛交還到她手中。

茱伊拉稍稍愣了一下，忙伸手接過，讚許地摸了摸它的臉頰。

「妳不怕嗎？」它舔了舔唇，聲音喑啞。

「為什麼要怕？」

「妳不知道我是誰？」它嗤笑。

「眾生平等，不管你是什麼，我都不會懼怕你。」她抬手，捧起它的下巴，替它擦去臉上的血汙，雖然它的臉依舊是黑漆漆的辨不清樣子，「相信我，我會引導你走出困境的。」

「虛偽的嘴臉。」它不耐煩地推開她，坐回原地。

她說，相信我，我會引導你。

茉伊拉從來都是說到做到的，於是她又多了一個祕密——每天都會留下一小段時間躲開魯那，獨自一個人去第九道走廊的盡頭，履行她的職責。

第一天，看到茉伊拉再次走進這裡，被鎖在第九道走廊深處的它是很詫異的，它以為，她會嚇得再也不敢來；它以為，她之前對它說的都不過是冠冕堂皇的場面話。

可是，她真的來了。

第二天，第三天，第四天，第五天，第六天……

「仁慈的天父教導我們……」

「有沒有人說妳很煩？」N天之後，一直保持沉默的它終於開了口。

「咦？」有點驚訝它終於願意跟她交流了，她高興地回答，「有啊，好多。」

「……」它不能理解這個愚蠢的傢伙為什麼一臉高興的樣子。

「放心，我不會難過的。」

「……」誰管妳是不是難過。

「其實你很善良。」

「……」這個笨蛋到底是從哪裡得出這個愚蠢結論的？說它善良，是在汙辱它嗎？

「天地萬物，初生之始，都是純淨的，所以你一定可以恢復天使的身分……」茉伊拉再次開始說教。

不過，幸虧她這麼愚蠢。它這樣想。

「送給你。」她忽然伸手拉起它的手，將一根白色的羽毛放入它滿是血汙的掌心，可是那根羽毛依然潔白，一點都沒有被它的血汙染髒。

它愣了一下，然後皺眉，「這是什麼東西？」

「天使之羽啊，上次你看起來很喜歡的樣子，可是那一根不能送給你，所以把這一根送給你。」茉伊拉微笑，「這可不是普通的羽毛哦，今天有一個天使成功從半魔體質轉化為純淨體，離開了第五天，這是他臨別送給我的禮物，你看，被關押在這裡並不是絕境。」

「那一根為什麼不能給我？」

「因為是沙利葉大人的啊。」她回答得理所當然。

「那又怎麼樣？」

「因為我最崇拜他了！」茉伊拉捧著臉頰作星星眼狀，「我要努力變得像他那樣。」

「呵……」它嗤笑，「變成他那樣，有什麼好！」

「不許你用這樣不屑的口吻講沙利葉大人！這是褻瀆！」

它繼續嗤笑。

「好吧，我們回到原來的話題繼續講……」

「……」

「對了，我一直忘記自我介紹，我叫茉伊拉，你叫什麼？」臨走，茉伊拉微笑著詢問。

它斜眼看她，忽而咧嘴一笑，陰森森吐出三個字，「沙利葉。」

茉伊拉呆滯半晌，然後恍然大悟，自動自發地對這詭異的狀況給出了解釋，「哦！同名。」

它瞇了瞇眼睛看她，還是那副似笑非笑的德性，不反駁也不承認。

結束了談心，茉伊拉恍恍惚惚地走出第九道走廊，正在思考關於同名的問題，迎面便撞上了魯那。

「哎呀，茉伊拉，妳去哪兒了？沙利葉大人找妳。」魯那拉了她，急匆匆便走，剛走幾步，又回過頭來，狐疑地看了看她，又看了看黑洞洞的第九道走廊，「妳不會是從那裡出來的吧？」

「唔……」茉伊拉支吾了一下，然後眼睛猛地大亮，「沙利葉大人？找我？在哪兒？」

「就在殿外。」魯那被她打了岔，想起沙利葉還在殿外等，忙拉了她繼續走。

走出大殿，便看到站在殿外的沙利葉，他一襲白袍，全身都籠罩在淡淡的光華中，異常耀眼。

感覺到他的視線掃過來，茉伊拉有些慌亂地低下頭，不敢直視他的眼睛。

「沙利葉大人。」她規規矩矩地走到離他約五步的距離，低頭行禮。

長時間的沉默。

正當茉伊拉想要抬頭的時候，一個淡淡的聲音在她耳邊響起。

「還給我。」他說。

「什麼？」茉伊拉疑惑地抬頭，看到一雙極淡的銀灰色眼眸，痴呆半晌，她忽然一臉恍然大悟地從懷裡掏出那顆一直貼身帶著、試圖孵化的蛋，然後托在掌心恭恭敬敬地遞給他。

沙利葉沉默了一下，「妳果然覺得我像它媽？」

茉伊拉傻住，忙抱著蛋後退一步，鞠躬認錯，「對不起！沙利葉大人！」

「羽毛，還我。」他終於好心地提點。

羽毛？茉伊拉想了一下，終於想起她的確在湖裡撿了他的羽毛，忙將蛋塞進口袋裡，然後掏出一根潔白的羽毛，雙手奉上。

他們都沒有注意到，羽毛的根部，有一點鮮豔的紅色。

沙利葉接過羽毛，那一點鮮豔的紅色忽然以驚人的速度蔓延開來，他吃了一驚，眼睜睜看著羽毛在掌心消失。

「咦？」茉伊拉驚訝。

沙利葉有些複雜地看了她一眼，轉身化作一道光，消失在原地。

看著他消失時的強大氣場，茉伊拉嘆為觀止。正當她如痴如醉的時候，懷裡的蛋忽然動了一下，她好奇地低頭去看，那枚蛋果然在她懷裡動了動，明明很堅硬的蛋殼忽然變得很軟，軟軟地貼著她。

茉伊拉好奇地伸出手指戳戳，那枚蛋乖乖地軟了軟，極乖巧極聽話的樣子。

「你要出殼了嗎？」她驚喜莫名。

等了許久，那枚蛋依然沒動靜。

「沒關係，你慢慢來，不急。」她輕輕地撫摸安慰。

雲淡淡的，風輕輕將她金色的長髮揚起，白羽的天使微笑而立，一切靜謐而安詳。

「噹！噹！噹！」

突然，遠處有鐘聲響起。

震耳的鐘聲響徹第五重天，茉伊拉驚了一下，這是警鐘，當鐘聲響起的時候，只有一種可能。

有罪天使逃獄了！

「茉伊拉！茉伊拉！」魯那的聲音遠遠地傳來。

茉伊拉忙張開翅膀飛到他身邊，急問，「是誰逃了？」

「沒有。我清點過，沒有少。」

茉伊拉沉思了一下，猛地想到一個可能，「會不會是……」

「不會！」魯那似乎猜到她在想什麼，忙一臉驚慌地否認，「第九道走廊是由大天使親自設下三重結界，那妖獸不可能逃出來！」

茉伊拉沉默了一下，「我進去過。」

「什麼……」魯那瞪了她半晌，終於嘆氣，「先去看看吧。」

「嗯。」

第九道走廊的盡頭處，三道結界還在，可是那個被鎖在鐵門裡的妖獸，不見了。

很快地，大天使降臨了第五重天。

大天使降臨第五重天的時候，茉伊拉正抱著蛋懺悔。聽到魯那傳來的消息，她立刻將蛋藏到樹上，因為那是她不務正業的證據。

藏好蛋，她恭恭敬敬地等待處罰。

畢竟，放走關押了幾千萬年的妖獸，這是天界從來沒有發生過的事情。

魯那不知道大天使跟茉伊拉說了什麼，只是從那天開始，第五重天的看守天使便由魯那獨自擔任，茉伊拉跟著大天使一起離開了第五重天。

他甚至……連跟她道別的機會，都沒有。

斷翼

01 無瞳之子

金碧輝煌的房間裡，來來去去的僕傭忙碌而安靜，彷彿連空氣都透著壓抑。

「啊——」躺在床上的婦人尖叫，聲嘶力竭。

透過紗幔，隱約可以看到婦人美麗的輪廓和高高隆起的腹部，她已經陣痛整整一天了。孕婦的聲音已經嘶啞無力，站在一旁的醫生也是一頭的汗珠，照這樣的情形看來，即使孩子落地，怕也是沒用了。

銀製的燭臺上，燭火輕輕搖曳，一串燭淚沿著白色的蠟燭緩緩滑下，拖出一條長長的痕跡，像一道傷疤。

沒有人看到半空中忽然多了兩個天使。

正是大天使和犯了錯的茉伊拉。

「這是哪裡？」茉伊拉好奇地四下打量，然後發現房間裡有好多小天使，忙高高興興地和他們打招呼，卻發現沒有一個天使願意搭理她。

「人界。」大天使拉住準備上前套交情的茉伊拉，「他們不會跟妳交談的。」

「為什麼？」初到人界的茉伊拉好奇不已。

「因為他們都是守護天使。」

「守護天使？」

「守護天使是天父在人界的恩澤，每個人類都會有一個屬於自己的守護天使，他們的職責就是守護自己命定的人類。」

「哦！」茉伊拉一臉茅塞頓開的樣子，然後又疑惑了，「可是為什麼帶我來這裡？」

「從今天開始，妳就是守護天使了。」大天使宣布。

「哎？」茉伊拉一臉茫然，一時無法消化這麼震撼的消息。

這是什麼意思？她被降職了？

看著茉伊拉微微垮下的小臉，大天使笑了起來，「等妳守護的人類生命走到盡頭，妳就可以重回天界了。」

「真的？」茉伊拉的眼睛立刻又閃亮起來，據她所知，一個人類的壽命不過百年而已。百年的時間於她而言，不過是眨眼之間。

「我要守護的人類在哪裡？」茉伊拉很快接受了她的新工作，興奮地問。

大天使看向紗幔裡痛苦呻吟的婦人，「還在她腹中，時間好像有點久，妳去帶他出來。」

「嗯！」對於工作，茉伊拉是從來都不含糊的。化作一道透明的光，她穿過紗幔，覆上那圓滾滾的腹部。然後，「哇」的一聲，嬰兒響亮的啼哭聲終於響起。面色蒼白的婦人有些困難地扭過頭，拉過離她最近的侍女，顫抖著唇，卻再沒有力氣吐出一個字。

「是男孩。」乖巧的侍女立刻心領神會。

聽到這句話，那婦人才如釋重負地閉上眼睛，吁了一口氣。

沒有人能夠發現，這個孩子落地的一剎那，周圍其他人類的守護天使都退避三舍。

「恭喜公爵大人，是個小少爺！」

門口走進一群人，然後周圍漸漸熱鬧起來，茉伊拉卻一點都不在意，她只是目不轉睛地盯著那一團剛出生的、粉粉的小東西。他正閉著眼睛，啼哭不止，小嘴張得大大的，彷彿受了天大的委屈一般。

這，就是她要守護的人類？她忍不住好奇地用手指戳戳他粉嫩嫩的臉蛋。唔，手感不錯。

啼哭聲戛然而止，小小的嬰兒睜開了眼睛，他的眼瞳竟然是很淡的銀灰色，因為是很淡的顏色，初生的嬰兒看起來像是沒有眼瞳一般。

茉伊拉愣了一下，在她的記憶裡，只有沙利葉大人有這樣的眼瞳。

在看到嬰兒的眼睛時，周圍忽然又安靜下來，安靜得連茉伊拉都察覺出了異樣。

「天啊……是個無瞳的孩子！」不知道是誰驚呼出聲，然後一陣可怕的靜寂，公爵大人甩手離開，床上的婦人痛哭失聲。

「惡魔……是惡魔之子……」

「好可怕……」

茉伊拉被那些惡意的私語聲驚擾到，有些不知所措地回頭去找大天使，大天使卻早已經不見了。

於是，茉伊拉就這樣接手了她擔任守護天使以後第一個要守護的人類。

在很久很久之後，茉伊拉才明白，在這個叫做約特帝國的國土上，無瞳者會被視為惡魔之子。

到那個時候，她才明白那些又驚懼又厭惡的眼神是為了什麼。

只是現在，她還不明白。

在眾人的竊竊私語中，一隊鐵甲的護衛闖了進來，粗糙的大手毫不憐惜地抱起新生的嬰兒，大步走出這奢華的房間。小小的嬰兒觸到冰冷的鎧甲，大聲啼哭起來，茉伊拉只得寸步不離地跟著。

一直走進一座高塔，沿著石階向上走了很久，隨行的侍衛推開一扇很大的鐵門，這樣的鐵門讓茉伊拉想起了第九道走廊盡頭處，那扇關著妖獸的大門。

推開門，潮溼陰冷的感覺撲面而來，將那一團小小的嬰兒放在長滿青苔的木板床上，侍衛們帶上門，快速離開了。

「那孩子是誰啊，把他一個人丟在這裡不如直接殺了還比較痛快。」

「是啊，為何如此大費周章？只不過是個剛出生的孩子而已，還要我們專程送進這『死亡之塔』裡來。」

隨著鐵門落鎖的聲音，交談聲漸漸遠去，蜷在床上的小小嬰兒睡著了，一點也沒有危機意識。

史上最小的囚徒就這樣誕生了。

十年的光陰如流沙般悄無聲息地從時間巨人的指縫間滑過……直到這座號稱「死亡之塔」的監牢大門再一次被打開，故事才翻開新的一頁。

「啊？」已經生了鏽的大鐵鎖掉在地上，門被打開，押著囚犯的侍衛驚懼地看著坐在窗臺上的纖瘦少年，不由得驚叫出聲。

據說這「死亡之塔」的監牢頂層十年來一直閒置著，從未囚禁過任何犯人，這次是因為囚犯特別棘手，公爵大人親自要求，才將犯人送到這裡來的。

事情得倒轉回兩天之前，伊里亞德公爵府來了一個可怕的男人，他有著強大而非人的力量，甩甩袖子就能十分輕鬆地把堅固的房屋變成一片廢墟，這個可怕的男人一直念叨著「東方曉」，非說「東方曉」藏在公爵府裡不可。

天可憐見，他們從來都沒有聽過這個名字。可是好說歹說，這個毫不講理的男人就是不信，非要親自搜府不可。堂堂約特帝國的公爵府，怎麼能容他放肆，公爵大人親自出面，請出神教的祭司大人納斯加，才勉強制住他。

坐在窗臺上的少年忽然慢吞吞地轉過頭來，大概是因為長年不見陽光的關係，他的膚色顯得十分蒼白。

「啊喂，東方曉呢？你們不是說東方曉在這裡嗎？她在哪兒？」一個聲音打破了這詭異的安靜。

開口說話的，正是被侍衛押著的那個「囚犯」。

那是一個留著長頭髮的男人，穿著奇怪的衣服，手上腳上都戴著沉重的枷鎖，臉上卻笑嘻嘻的。看到窗臺上的少年時，他似乎愣了一下，然後左顧右盼一番，嘴裡繼續念叨，「東方曉呢？東方曉呢？她在哪兒呀？」

押著他的侍衛這才回過神來，不自然地輕咳了一下，「進去就知道了。」

「真的？」戴著枷鎖的人顯得十分雀躍。

「真的。」侍衛點頭。

然後，那個戴著枷鎖的奇怪男人就興高采烈地跑了進來。

「蠢貨。」侍衛長低罵了一句，然後有些謹慎地看了窗臺上的少年一眼，見他老老實實地坐著，並沒有異樣的動作，這才鬆了一口氣，快速退了出去，將門鎖上。

鎖上門的一剎那，侍衛長的手忽然抖了一下，後知後覺地想起，那少年的眼瞳……是銀灰色的！他曾經聽人講過，十年前，伊里亞德公爵大人將剛剛出生的兒子送入了這座「死亡之塔」，原因就是那個孩子擁有邪眼！

莫非這個孩子就是……

當一個已經被所有人遺忘的孩子再一次出現在眾人的視線裡，大家也許會驚訝；當一個所有人都以為已經死去的孩子再一次出現在眾人的視線裡，大家也許會驚恐；可是……當一個剛剛出生便被丟進塔裡任其自生自滅，沒有任何人照看養育的孩子奇跡般長大……那便是驚悚了！

侍衛長的手抖得越發厲害了，走下石階的時候差點被絆倒。低咒了一句，他加快腳步，匆匆走出了「死亡之塔」。

聽見房門被鎖上，少年扭頭，看向那個戴著枷鎖的男人。

「嗨！」戴著枷鎖的男人笑咪咪的，一臉和善地跑上來跟少年打招呼。

少年一臉木然地看著他。

「你見過東方曉嗎？」他問。

少年依然一臉木然。

「東方曉，你見過嗎？」他一點也沒有氣餒，繼續問。

少年繼續木然。

「奇怪，他們說到這裡就讓我見她的啊。」他摸了摸腦袋，又四下打量了一番，彷彿他嘴巴裡的那個「東方曉」會在哪裡藏著一般。

少年終於有了點反應，他跳下窗臺，沿著屋子走了一圈，然後轉身，看向那個奇怪的男人。戴著枷鎖的男人愣了一下，然後亮晶晶的眼睛裡染了一絲失望，「你想告訴我，這裡除了你沒有別人嗎？」

少年點頭。

「又被騙了啊。」他一屁股坐了下來，毫不在意自己的衣服沾到地上的青苔和灰塵。

一直站在少年身後的茉伊拉從那個奇怪的男人一出現就很警惕，因為他的身邊沒有守護天使。

換句話說，眼前的這個男人不是人類。

「算了，」拍拍手，那個奇怪的男人又站了起來，「我要走了。」

少年奇怪地看了他一眼，這麼高的塔，他怎麼走？

「你要一起走嗎？我可以帶你一起走哦。」奇怪的男人笑盈盈地邀請著。

少年愣了一下，然後搖頭，他從有記憶開始就一直一個人在這個地方，他總覺得有些事情只有這裡才能給他答案。

「不走的話，你會死哦。」那個奇怪的男人欺近了他，神祕兮兮地道，一臉的詭祕。

少年還是木然，也不知道有沒有聽懂。

「好吧，那我走了。」那個奇怪的男人走到窗邊，甩甩手，身上的枷鎖就全都掉在地上，然後他翻身坐上窗臺，一躍而下。

少年愣了一下，急急地走到窗邊，看著那一道身影瀟灑地乘風而去。看著他離開的身影，少年低頭看了看自己，第一次覺得自己光著身子有點不妥。

在此之前，他都沒有過這樣的感覺。

天黑的時候，門鎖再一次有了響動，少年機警地跳了起來，看向門口。比起過去的十年，今天這裡確實是有點熱鬧過了頭。

門「鏘」的一聲被推開了，幾十名持劍的侍衛湧了進來，站不下的都在門口排排站。

「惡魔……是惡魔……怎麼會有人不吃不喝十年還不死！」看到少年銀灰色的眼睛時，有人驚叫出聲。

即使不懂，少年也明白自己絕對是不受歡迎的，可是他究竟做錯了什麼？他甚至不認識他們。利刃閃著寒光刺向少年，少年驚得連連後退，卻躲不過那些刺來的刀劍。在劍刺來的那一刻，少年是迷惘的，他不明白這些人為什麼要殺他。

然而，奇異的事情發生了……

所有的劍都被定格在距離少年三步開外的地方，再也刺不進一分。茉伊拉瞪圓了眼睛，撐起一道結界護住少年。她辛苦守護了十年的人，怎麼可以就這樣輕易被殺掉！

看著那些無法傷害他的劍，銀灰色的眼眸有了一絲波動，少年看向身旁，明明那裡什麼都沒有，可不知道為什麼，只是看著那裡，竟然就讓他有了溫暖和安心的感覺。

侍衛們開始面露懼色。

「惡魔……果然……」

「是惡魔……」

一聲響亮的口哨打斷了那些驚懼的叫聲，眾人回頭，才發現窗臺上不知道什麼時候站了一個人。

正是白天離開的那個奇怪男人。

此時，他站在窗臺上，寬大的衣袖隨著夜風輕輕揚起，在月色的掩映下，袍衫上繡著的九尾白狐彷彿活了一般令人目眩。

「呀，你果然有幫手。」那奇怪的男人看到那些劍被定格在半空中，居然也不覺得奇怪，只是拊掌大笑，彷彿猜中了什麼謎底一般開心。

少年疑惑，幫手？

他從來都是一個人。

……可是，又彷彿真的有誰從生命初始就陪伴著他一般。

「是他！那個逃走的妖怪！」不知道是哪個侍衛喊了一聲，大家都更加驚慌起來。

那個奇怪的男人輕笑了一下，「我最討厭人家騙我了。」

那樣的口吻，明明像是在撒嬌，卻令聽者心生寒意。

「最不可饒恕的，是拿曉曉來騙我。」他的聲音忽地變得很輕，說「曉曉」那兩個字的時候，彷彿是從心底深處，從最貼近心臟的地方輕輕吐出一般。

黑暗的監牢猛地安靜下來，安靜得令人心慌。

「所以，你們去死吧。」他說。

然後所有的侍衛都無聲無息地倒下，再也沒有人能夠爬起來。

「走吧。」奇怪的男人側頭，看向一直站在一旁沒有動過的少年。

少年猶豫了一下。

「留在這裡，你會死哦。」奇怪的男人微笑，「雖然有人幫你，可是那個幫你的人看起來也很累呢。」

聽到這句話，茉伊拉更加警惕地看向那個奇怪的男人，雖然他也看不到她，可是他顯然可以感覺到她的存在。剛剛為了抵抗那些人類，她的確損耗不少，畢竟這十年她一直在用靈力餵養那個孩子。

——可憐的茉伊拉不知道自己的所作所為已經全然不像一個守護天使，倒更像一個保母，而且身兼父母兩職……

「我想知道，我是誰。」少年忽然開口，語速很慢，顯然並不習慣說話。

是的，他是誰呢？

到這一刻為止，他還很想知道自己是誰。因為這個時候，他還不知道有些事情其實不知道會比較幸福。

走出塔樓的時候，街上已經連一個行人都沒有了，周圍是黑漆漆的房屋，彎彎的月牙兒掛在半空，和在塔中看到的一樣。少年跟著那個奇怪的男人一路慢慢地走，銀灰色的眼睛好奇地打量著周圍的一切。

「不問我要帶你去哪兒嗎？」走在前頭的奇怪男人忽然開口。

少年看了他一眼，沒有吭聲。

「你叫什麼名字？」他繼續問。

少年還是沒有吭聲，只是默默地跟著他走。

「真不可愛。」奇怪的男人嘟噥了一句，然後偏過頭，嫣然一笑，「我叫聞人霜哦。」真的是嫣然一笑，可以笑得風情萬種的男人。

「聞人霜。」少年低低地重複了一句，然後想了想，「我沒有名字。」

「這樣啊……」聞人霜隨口應了一句，忽然停下腳步，抬起頭，雙手叉腰，「啊，到了！」

少年一時收不住腳，一頭撞上了聞人霜，聞人霜紋風不動，他倒是把鼻子撞得很痛。摸了摸鼻子，少年抬頭，便看到了一座很漂亮的房子，大得有些誇張，像宮殿一樣。

「不問我這是哪裡嗎？」聞人霜又一臉神祕兮兮地湊近少年。

少年看了他一眼。

「是伊里亞德公爵的府邸哦。」少年的冷淡一點也沒有澆滅某人的熱情，聞人霜自問自答，不亦樂乎。

「不問我為什麼要帶你來這裡嗎？」

少年繼續沉默。

「好吧好吧，我在這裡懲罰欺騙我的人時，聽到了一點關於你身世的祕密。」

少年的神情終於有了變化。

「進去吧。」聞人霜笑咪咪地回頭，領著他走上高高的白色臺階。

「站住，什麼人？」守門的侍衛拔劍相向。

少年警惕地看向那些人，卻見聞人霜只閒閒一揮袖，所有人便都僵在原地，再也動彈不得。茉伊拉再一次見識了這個男人強大的力量。

「公爵大人，他們來了。」伊里亞德公爵府的書房裡，管家壓低了聲音。

「一群廢物。」站在窗邊的伊里亞德公爵冷哼，「把費羅拉夫人叫來。」

「是。」

管家剛離開，門就被推開了。

穿著奇裝異服的美貌男子站在門口，他身後跟著一個光著身子、野人一般的少年，不知道有多久沒有洗澡，也不知道有多久沒有理髮了。

不，也許從他出生起就沒有洗過澡，也許從他出生起就沒有理過髮了。

伊里亞德公爵卻沒有透露出一點的不快，只是淡淡地看著站在門口的奇怪二人組，神色有些冷漠。

「看到他，公爵大人一點也不驚訝嗎？」揮了揮衣袖，聞人霜笑吟吟地道。

公爵大人沒有開口。

「呀，見到自己的親生兒子，你這副表情還真是冷淡呢。」聞人霜聳肩。

少年怔住，看向那個十分威嚴的中年男人，那是他的……

茉伊拉在看到伊里亞德公爵的第一眼，便認出這個男人就是在那個孩子出生時出現過的男人，也是下令將他關入高塔的男人。

「孩子！我的孩子！」一個金髮碧眸的美婦人忽然從走廊外衝進來，把少年抱入懷中。

少年呆住，一時有些反應不過來。

那美婦人卻是一逕抱著他，哭得渾身發抖。

「我可憐的孩子……」見少年一臉的茫然，美婦人哭得更厲害了，已經有了細紋的眼角閃著淚光，「我是你的母親啊。」

「母親……」少年下意識地重複。

美婦人連連點頭，抱著他再也不肯放手。

茉伊拉站在一邊，看著那個哭得涕淚滿面的美婦人，正是那一日產下少年的女人。

「自求多福。」耳邊響起那個奇怪男人的聲音，少年回過頭，聞人霜卻已經不見了。

02 守護天使

雕花木椅上鋪著柔軟的坐墊，少年乖乖地端坐在梳妝鏡前，乖乖地由著那美婦人擺弄，因為她是母親。

「真漂亮。」費羅拉夫人放下象牙梳子，笑著摸了摸他已經修剪過的頭髮，讚許道。

少年看著鏡子裡的自己，有些羞澀地笑了一下，這是第一次有人如此溫柔地誇讚他。

茉伊拉也看著鏡子裡皮膚白淨、身材纖長的少年，像模像樣地連連點頭。

少年看著鏡子，然後下意識地看向自己的左側，那裡明明什麼都沒有，可是他卻覺得有人在看著他。

——被那樣注視著，有一種很熟悉、很溫暖的感覺。

晚餐很豐盛，少年卻愣愣地看著滿桌的美食，無從下手。因為是第一次吃飯，他甚至不會使用刀叉，幸好他很聰明，很快就學會了，並且因此得到了母親的讚賞。

站在一旁的茱伊拉大開眼界，原來這就是食物啊，人類賴以生存的東西。

吃過晚餐，女傭幫他換上睡袍，少年躺在柔軟的大床上，拉住了母親的手。

「怎麼了？」正要離開的費羅拉夫人有些詫異地回頭。

少年沉默了一下，帶著一點羞澀，輕聲說，「母親……」

「嗯？」費羅拉彎腰，溫柔地注視他。

「我……有名字嗎？」

費羅拉稍稍愣了一下，眼神閃爍，有些尷尬的樣子，然後低頭吻了吻他的額頭，「乖乖睡一覺，明天起床告訴你。」

少年快樂地應了一聲，然後閉上眼睛。

茱伊拉坐在床頭，透明的手輕輕撫過少年的頭髮，十年來她第一次不必用自己的靈力餵養他，十年來她第一次看到少年露出那樣快樂的神情。

果然，人類還是以食物維生比較好。

十年空白的生命裡，少年第一次做夢，是一個美夢。

夢裡，母親對他微笑，並且給他一個名字，還溫柔地教他學會很多以前被關在高塔裡時從來不知道的東西。

睡夢中，身體感覺到灼熱。

少年睜開眼睛時，四周已經是一片火海。那些火來得那樣快，那樣急，無數條火舌吞噬著周圍的一切。少年的視線落在掛在床頭的新衣上，他赤著腳不顧一切地衝過去，救下已經被燒了一半的衣服。

——那是母親給的。

衣架挾捲著一團火倒向他，少年緊緊將那被燒焦半邊的衣服抱在懷中，閃躲不及；燃燒著的衣架卻被定格在半空，沒有再倒下，少年匆匆衝向門口的方向。門框已經燒成一個火圈，感覺到襲來的熱浪，少年被逼著後退，退入火的包圍之中。

被修短的頭髮在火中變得更加乾燥，已經冒出點點火星，十歲的少年困在烈火中，驚惶失措，無處逃生。

茉伊拉拚命替他擋下那些不斷倒下的梁柱，一時間手忙腳亂。揮開一團掉下的火球，她焦急地回頭看向少年。烈火的掩映下，他長年不見陽光的膚色更顯蒼白，銀灰色的眼眸裡是跳動的火苗，他倔強地抿著唇，一次又一次試圖衝出火場。

立志要拯救世界的茉伊拉怎麼可能眼睜睜看著自己守護了十年的人就這樣葬身火場！握緊小小的拳頭，茉伊拉給自己鼓了鼓勁，抬手奮力撐開一道結界。

「別害怕，往前走，不要回頭，那些火傷不了你。」倉皇中，少年聽到耳邊有一個溫柔的聲音在低低地囑咐。

很熟悉的聲音，彷彿曾聽到過無數次一般，那是值得依賴的聲音。少年義無反顧地衝向大火，那些肆虐的火舌竟然向兩邊分開，沒有什麼可以傷得了那瘦弱的少年。

直到感覺有清涼的風吹來，少年才停下腳步。

繁星滿天，皓月當空，少年回頭看向已經快要被燒成灰燼的屋子，才發現那竟然是一間獨立的小木屋，火勢絲毫沒有影響到周圍其他的房子。

「你……」一個顫抖的聲音。

劫後餘生的少年欣喜地扭頭看向站在對面走廊上的婦人，「母親……」

親眼看到少年從烈火中衝出，並且毫髮無傷的樣子，費羅拉的眼裡滿是驚恐。

「衣服……」少年捧起懷裡被燒了一半的衣服，走向她。

費羅拉搖頭後退，驚恐萬分，彷彿站在她面前的不是她的親生兒子，而是什麼可怕的魔物一般。

「殺了他。」走廊的陰影處，有人沉著地下令。

一枝箭平空射出，射中少年的胸膛，他並沒有感覺到痛，只是不敢置信地瞪大眼睛，看向從黑暗中走出的中年男人。

——那是他的父親！

所有劫後餘生的欣喜剎那間破碎……

「上帝啊，我親眼看到他從火場中走出來……居然毫髮無傷……」費羅拉撲入公爵大人的懷中，含淚哭訴，「好可怕的孩子……」

她說他可怕。

他的母親，說他可怕。

少年捏緊了那件被燒焦了半邊的衣服。

「都是假的嗎？」縱然少年再笨，也察覺出來了，他低低地喚，「母親……」

那些溫柔是假的，那些笑臉是假的，那些溫言軟語也是假的……

全都是假的。

少年低頭，拿下那枝懸空在他胸前的箭。如往常一樣，這並沒有傷害到他。

「不！你不是我的兒子！你是惡魔！你是惡魔！」看到少年的動作，費羅拉驚恐萬狀地高聲嘶喊，「殺了他！殺了他！」

黑暗中，有無數的箭射來，伴隨著父親的聲音，「真是諷刺，這個耶誕節出生的孩子，居然是惡魔。」

那些侍衛如臨大敵，無數的箭如雨點般襲來，只為了對付一個剛滿十歲的孩子。

遠處，有鐘聲敲響，平安夜過去了，已經是新的一天。茉伊拉忽然想起，十年前的今天，正是少年出生的日子。

一枝箭刺破結界，險險劃過少年的臉頰，留下一條血痕，少年立在原地，紋風不動。茉伊拉察覺到自己的力量已經快要撐不住了。匆忙間，她不顧一切地抱起少年，張開雙翼，飛向夜空。

他們看不到茉伊拉，只看到少年面無表情地看著他們，然後就忽然掠向空中，消失在他們的視線中。

於是他們更加驚恐。

凌晨的街道空無一人，茉伊拉在街角放下沉默的少年。手腕忽然一緊，茉伊拉呆了一下，感覺少年準確地握住了她的手腕。

「妳是誰？」少年低低地問。

茉伊拉嚇了一跳，小心翼翼地看了面無表情的少年一眼，「你……能看到我？」

少年沉默了一下，「不能。」

茉伊拉跌了一下，「咳咳……」可是他居然能捉住她無形的身體，是因為她用靈氣餵養他的關係嗎？

「我果然是惡魔嗎？」他忽然又道，眼睛看向眼前的空氣，明明那裡什麼都沒有，可是他卻實實在在地握到她的手。

「為什麼會這樣想？」茉伊拉驚訝。

「他們說我是惡魔，想殺了我。」少年垂下眼簾，長長的眼睫毛掩住銀灰色的眼睛。

「你不是惡魔。」茉伊拉肯定地告訴他。不要問她為什麼會這樣肯定，她整整守護了十年的孩子，怎麼可能讓別人輕易詆毀。

「可是……那些箭，還有火，都傷不了我。」

「因為有我在啊。」

「妳是誰？」少年頓了頓，再一次問她。

茉伊拉有點猶豫，據她所知，守護天使一般是不能在人類面前出現的……這可是有關天界的保密條例呀。

得不到回答的少年鬆開了手。

茉伊拉縮回手，輕輕撫摸著被他抓過的手腕，白皙的手腕上有一圈黑色的痕跡，是少年剛剛在火場逃生時沾在手上的灰。她看著站在她面前靜默的少年，他身上的睡衣早已被燒得一片狼籍。手臂上，腿上，都是被火燎起的水泡，最嚴重的是他的腳，為了搶救那件衣服，他是赤足踩著火苗衝過去的，現在腳上已經是血肉模糊的一片。

久久得不到回答，少年轉身離開。

茉伊拉默默地跟著他。

少年一直在走，從天黑走到天亮，又從天亮走到天黑，一刻不停，沒有目的，只是不想停下。跟著他的茉伊拉看著他搖搖晃晃的樣子，想要阻止，卻無從開口。

天氣很冷，少年的身上只穿著一件睡衣，而且還在火中被燒得破破爛爛，他沿著街一直走，連乞丐還不如。

耶誕節的大街，到處都充滿喜慶的味道。街邊櫥窗裡的烤鵝油油的，散發出誘人的香味，還有杏仁糖泥的香味……

少年的肚子開始叫喚。

「媽媽，我要吃杏仁糖泥！」一個小女孩撒嬌的聲音。

「好，親愛的，媽媽買給妳。」一個女人溫柔寵溺的聲音，大手牽著小手一起走進商店。

少年站在商店外，久久不肯離去。

香甜的味道從身後傳來，一直傳到他的鼻端。一個精緻的盒子平空出現在他面前，少年伸手取下，打開，香甜的味道滿溢出來。

「今天是你的生日哦，生日快樂。」茉伊拉輕聲祝福。

少年定定地看著盒子，卻沒有吃。

「他說，我是惡魔。」少年想起那個中年男人的話。

少年落寞的眼神讓茉伊拉有些不舒服。他已經走了整整一天，而且滿身都是傷，再這樣下去，估計明天就該掛了。

「我是天使哦。」茉伊拉嘆氣，終於抬手，輕輕撫上他的手。

少年怔住，呆呆地抬頭，有一個淺淺的輪廓出現在他面前，那個輪廓漸漸加深，是一個長著翅膀的少女。

她足足比他高出一個頭，金色的鬈髮，白皙的肌膚細膩如瓷，整個人都被籠罩在淡淡的光暈中，在她的身後，有一雙雪白的翅膀。

「天使……」

「對，天使。」茉伊拉微笑。

少年看著她的眼睛，她有一雙淺褐色的眼睛，十分溫柔的眼睛，彷彿有著治癒的力量。

「我是你的守護天使，所以你不是惡魔。」

當她說出自己的名字，便賜予了他看見她的眼睛。

茉伊拉認真地看著眼前蒼白而靜默的少年，一臉鄭重地說，「我是你的守護天使，茉伊拉。」

「呵呵……原來真的有天使那種東西存在啊……」一個竊竊的笑聲，伴隨著「喀嚓喀嚓」的咀嚼聲。

「誰？」茉伊拉嚇了一跳，四下環顧。

「啊啊，別怕，是我，是我——」白袍男子揮了揮衣袖，施施然從空氣中現了形，原該是瀟灑華麗的登場方式，卻被嘴角沾到的糖泥硬生生地毀了俊俏的形象。

少年茫茫然低頭，才發現手上捧著的盒子已經空了。

「你……你能看到我？」茉伊拉將少年護在身後，一臉戒備的樣子。

「嗯嗯。」聞人霜笑咪咪地點頭。

「聞人霜。」抱著空盒子，少年上前一步，走出茉伊拉的保護圈，「你一直跟著我？」

「是啊是啊。」聞人霜一點也沒有身為偷窺者的自覺，大剌剌地承認。

「為什麼？」少年的聲音平靜無波。

「嗯……」聞人霜抬起手，摸了摸下巴，然後咧開嘴巴，笑了起來，「好奇。」他笑起來的樣子很漂亮，只是沾在脣角的糖泥讓他神祕兮兮的笑意多了幾分滑稽。

「為什麼？」

「一個被關在高塔中的少年，居然是大公爵的兒子，不是很奇怪嗎？」聞人霜振振有辭。

「為什麼？」

「……」聞人霜湊近了少年，「你是不是只會說這三個字？」

少年抿脣，薄薄的脣抿成一條直直的線，許久，終於換了三個字：「你是誰？」

聞人霜還沒來得及回答，便聽到一陣急促的腳步聲，「在那兒！那個魔物！」一隊身著鎧甲、舉著火把的衛士衝了過來。

「陰魂不散。」聞人霜低低地咕噥了一句。

「抓住他！抓住他！」

眼見著一大群人衝了過來，聞人霜有些苦惱地撫了撫額，四下環視了一番，然後大吼一聲：「小子，快跑！」說完，便跑得連影子都沒有了。

少年下意識地轉身就跟著他一起跑，被追了整整三條街，一直跑到一處無人的街道，聞人霜忽然停了下來，轉身隨手一個火球便扔了出去。「轟」的一聲，跑在最前面的倒楣鬼被烤了個七成熟。

剩下的人見勢頭不對，立刻停了下來。

「不要怕他！我們有祭司大人的手令！」當中一個首領模樣的傢伙大吼一聲，手中冒出一團白色的光球，「清除一切異端！」

「清除一切異端！」

「清除一切異端！」見到這樣的陣仗，剛剛還有些退縮的衛士們都振奮起來，抬起手臂，連聲高呼。

「哎呀呀，這下麻煩了。」聞人霜低低地嘟噥。

一直站在聞人霜身旁的少年忽然緩緩走了出去。

「站住！」有人喊叫了起來。

「叫什麼，只是一個孩子，看你被嚇的。」身旁有人取笑。

少年默默不語，只是走近他們，抬頭看了看那個手中舉著光球的傢伙，然後伸手，將手中一直握著的箭插入他的胸膛。

變故來得太快，大家都怔住了，連茉伊拉都感到驚訝，她居然沒有注意到少年手中一直握著從公爵府帶出來的那枝箭。

直到少年面無表情地將插入他胸口的箭拔出時，他們才反應過來，憤怒地一把揪住他。溫暖鮮豔的血從創口噴湧而出，灑了他一臉。火光中，少年仰起頭，沾了血的嘴角竟然微微翹起。

「無……無瞳之子！」驚愕中，不知道是誰低低地喊了一句。

「是惡魔！」然後，有人大聲疾呼。

危急中，茉伊拉顧不得其他，一把抱起少年，飛向空中。待她將少年放下地時，餘下的人都已經被聞人霜收拾得差不多了。

聞人霜雙手攏在寬大的衣袖中，身上滴血未沾，依然一副神采飛揚的樣子，他笑咪咪地看著滿臉是血的少年，「為什麼幫我？」

「我們可以合作。」少年淡淡地提議。

「哦？為什麼？」聞人霜嘿嘿一笑，「瞧，你只是個孩子。」

「你怕的東西，我不怕。」少年用平板的聲音陳述一個事實，「比如，剛剛那團光。」

聞人霜抿脣一笑，不語。

「我可以幫你找東方曉。」少年偏了偏腦袋，「是叫東方曉沒錯吧？我記得你說過這個名字。」漂亮的眼睛瞇了起來，聞人霜斂了笑意，「這真是一個令人心動的提議，可是你需要我做什麼呢？」

「把你的力量借給我，我要復仇。」少年依然稚嫩的聲音沉得如同這夜色一般。

「不可以！」茉伊拉微微變色。

「成交。」聞人霜笑得開懷。

03 約特帝國

約特帝國132年，馬卡斯二世在位11年，這位可憐的皇帝陛下正處於焦頭爛額的境地。邊境摩擦不斷，號稱有雄獅百萬的北莽國虎視眈眈，帝國財政吃緊，且伊里亞德和尤金兩大家族爭鬥連連，這才是真正的內憂外患、水深火熱。

說起伊里亞德和尤金兩大家族，一個是開國功臣後裔，列土封疆，已隱隱有不臣之心；一個是皇親國戚，奧菲莉亞皇后的娘家。雖然說為君之道在於平衡，可是當兩大有相當實力的家族競爭到白熱化階段，隨時準備操戈相向的話，那也不是不令人頭疼的。

最近，馬卡斯二世陛下額頭的皺紋似乎又多了幾條，因為舊的問題沒有得到解決，新的問題又出現了。

「什麼？又是惡魔之子？」馬卡斯二世氣得一掌拍在桌上。

「是的，陛下。據探子回報，這支名為『惡魔之子』的悍匪，於五天前血洗了巴克將軍的府邸。」宰相巴萊特低眉垂眼地稟報，「伊里亞德公爵也送來信件，信件中說……」

「說什麼？」馬卡斯二世的面色又難看了幾分。

「說陛下不能再一味姑息了，如此明目張膽地刺殺朝廷重臣，已經辱及陛下了……」

「哼！」馬卡斯二世重重地哼了一聲。

巴克將軍是誰？這個名字在軍方也是響噹噹的人物，最重要的是，此人是伊里亞德家族的心腹。如今他在伊里亞德家族封地的府邸被人血洗了，那個老頭子還真好意思來抱怨。

「陛下……」巴萊特一副欲言又止的樣子。

「回信就說，『惡魔之子』在大公的封地肆虐，一切就交由大公處理。」馬卡斯二世往後靠了靠，臉上露出了一絲笑意。

「惡魔之子」是西北一帶出了名的悍匪，從五年前第一次聽到這個名字開始，它簡直成了軍方的噩夢。最恐怖的是，最近幾年，「惡魔之子」已經不僅活躍在西北地方，更有向東南地區伸出爪牙的趨勢。

如今他們在伊里亞德公爵的封地做了這麼大一筆買賣，就交給伊里亞德大公爵去頭疼是再好不過的事情。

刀鋒似的月牙冷冷地半掛在半空中，伊里亞德公爵的府邸前停放著數十輛名貴的馬車，今天是公爵夫人費羅拉的三十七歲生辰。雖然距離巴克將軍被刺殺才不過幾天時間，但這公爵夫人的生日宴會，各地方有名望的貴族還是悉數到場了。

年輕的管家艾維斯站在門口，嘴角帶著恰到好處的微笑，迎接每一位到場的客人。

「叮噹，叮噹，叮噹……」伴隨著清脆的銀鈴聲，兩輛裝飾華麗的馬車一前一後趁著夜色而來。

「克洛怡小姐。」艾維斯走上前，親自打開車門，迎接一位美麗的小姐。

克洛怡點點頭，然後好奇地回過頭，看向與她同路而來的那輛銀鈴響了一路的馬車。只見前面騎士打扮的馬夫跳下車，打開車門。首先伸出馬車的，並不是腿，而是一根銀色的手杖。在約特帝國，貴族使用手杖並不是什麼奇特的事情，只是那根銀色的手杖在月色下尤其奪目。

看著他緩緩從馬車中走出，克洛怡竟然下意識地屏住呼吸，十分好奇那輛馬車的主人長得什麼樣子。

——那是一個極其漂亮的年輕男子，十分特別的黑色頭髮，還有著貴族式的蒼白膚色，五官的輪廓趨於完美。

可是……他是閉著眼睛的！對於這個發現，克洛怡很吃驚。

「好了，貝克，我可以自己進去。」他微笑了一下，對他身旁的騎士說完便拄著手杖自己向前走。

莫非……他是瞎子？克洛怡倒吸了一口涼氣。

彷彿感覺到了克洛怡的驚詫，那男子停下了腳步，憑感覺朝克洛怡的方向側過頭，然後溫和地微笑，「抱歉，嚇到妳了嗎？我的眼睛不太方便。」

看著那樣的笑容，克洛怡微微紅了臉，一種奇異的感覺讓她上前一步，「沒有關係，是我失禮了。」

那男子笑著頷首，然後繼續拄著手杖向前。在他的正前方便是階梯，眼見著他要走過去，克洛怡快步上前，用柔軟的手拉住了他的手臂。

那男子稍稍愣了一下，然後歉然一笑，「謝謝。」

「我叫克洛怡。」克洛怡飛快地說，待她覺察的時候，早已經將自己的名字說了出口，隨即不由得羞紅了臉暗自懊惱。

「賴加。」那男子微微一笑，「我叫賴加。」

那樣溫和的聲音，瞬間撫平了克洛怡的羞澀。

大廳裡，今天宴會的主人費羅拉夫人在一眾夫人小姐中宛如眾星捧月一般。保養得宜的面容，奢華的晚禮服，讓她看起來一點都沒有已屆中年的樣子。

克洛怡剛進大廳，伊里亞德公爵的大兒子布萊茲便迎了上來，熱情地擁抱了她一下，「親愛的表妹！」

「大表哥。」克洛怡也笑著親了親他的臉頰。

「這位是……」布萊茲看向站在克洛怡身旁的賴加。

「我是克洛怡的朋友。」賴加稍稍側過頭，向著布萊茲的方向微笑著打招呼。

「你的眼睛……看不見？」布萊茲驚訝地抬手在他面前揮了揮。

「大表哥，你太失禮了！」克洛怡拉住他的手，有些惱。

「沒有關係。」賴加點點頭，然後笑了一下，拄著手杖走向安靜的地方，摸索著找了位置坐下。

耳畔是三三兩兩的聊天聲，有竊竊私語著皇家祕聞的，有八卦著最近的「惡魔之子」殺人事件的。

「聽說皇妃殿下也參加了這次舞會？」賴加忽然輕聲說，狀似無意地插入了他們的談話。

「本來是要過來的，可惜皇妃殿下突然身體不適……」有人答了腔，正不無惋惜地說著，卻忽然被一陣喧譁聲打斷，側目看去，是一個身著鎧甲的男人。

「是誰啊，這麼大排場？」有人不滿地問。

「呵呵，那是拜德爾將軍，他現在可是公爵大人手下的頭號猛將，剛剛凱旋而歸。你知道他帶給費羅拉夫人的生日禮物是什麼嗎？」那人說著，還用胳膊頂了頂賴加的肩。

「是什麼？」賴加淡淡地開口。

「北方蠻族大王子的項上人頭！」

「哦。」

「哎，你知道惡魔之子嗎？」那人又推了推賴加的肩，繼續神祕兮兮地問。

「嗯，聽說過。」

「公爵大人準備讓拜德爾將軍去圍剿那些可惡的狼崽子。」那人嘿嘿地笑著，「這一回，惡魔之子肯定沒好果子吃。」

坐在一旁的賴加忽然笑了一下，然後站起身，拄著手杖走出大廳。

「咦，人呢？」那個傢伙說完話，扭頭一看，剛剛坐在他身邊的人不見了。

園子裡的白色薔薇開得正盛，銀色的月光在玉石築成的欄杆上鍍了淡淡的一層銀，拜德爾將軍站在露天的陽臺邊，一手按劍，一手執著銀製的酒杯，小口地品著酒。

「將軍好興致。」一個溫和的聲音突然在身後響起。

拜德爾將軍連忙轉身，卻看到一個稍顯單薄的年輕男子站在自己身後，他閉著雙眼，漂亮的輪廓，華麗的裝扮讓他看起來像足了一個貴族青年。雖然看起來十分無害的樣子，可是身經百戰的他依然覺得心口一寒，這個傢伙是什麼時候到他身後的？他居然沒有發覺！

「你是誰？」他單手按劍，一臉戒備地沉聲道。

看到對方薄薄唇角牽起一抹幾可傾倒眾生的笑，拜德爾只稍稍一怔，下一秒，便覺得脖頸處微微一涼，腥甜的味道滿溢了出來。

這個傢伙……是什麼時候到他面前來的，這麼快……

他下手極其小心，分寸拿捏得極佳，那些鮮豔的液體只是從拜德爾的脖頸處溢出，卻沒有噴灑得到處都是。

「我是……」賴加笑意吟吟，他緩緩睜開眼睛。

——那是一雙銀灰色的眼睛！極淺的顏色，宛若無瞳！拜德爾猛地瞪大眼睛。

年輕男子湊到垂死的將軍耳邊，輕輕吐出四個字：「……惡魔之子。」語畢，手下微一用力，那將軍便委頓下去。他扶著那已然沒有氣息的身體靠著牆坐下，然後直起身子，用戴著白色手套的手輕輕撫過閃著寒光的匕首，抹去還存著溫熱的液體，繼而合上匕首，儼然就是那根銀色的手杖。

「願主寬恕你的罪……」一個極細微的聲音，帶著難過的哽咽。自稱惡魔之子的年輕男子身後，有一個天使垂首為他祈禱。

——正是茉伊拉。

賴加隨手除下染了血的白色手套，丟在死去的將軍身上，然後閉上眼睛，拄著手杖，步調優雅地走回大廳，在眾目睽睽之下，堂而皇之地走出了伊里亞德公爵府的大門。

「叮噹，叮噹，叮噹……」長長的、寂靜的街道，只有一輛馬車沿著青石板的街道緩緩前行。

賴加坐在車裡，單手撐著額，閉目養神。

「天父啊，不要讓黑暗侵占他的心，不要讓惡念蒙蔽他的眼，他原是純潔的花朵，他原是無罪的羔羊……」一個聲音在他耳邊喋喋不休。

純潔的花朵，無罪的羔羊……

賴加的眉毛微微抖動了一下。

「讓這迷途的羔羊重新回到天父的懷抱吧……」一隻柔柔的手覆上他的頭頂，無限溫柔的聲音繼續喋喋不休。

「我不是羔羊。」閉著眼睛，賴加淡淡地道。

「好吧，我的孩子，現在你犯了錯，你需要跟著我一起懺悔。」茉伊拉煞有介事地點點頭，換了個稱呼。

「我不是妳的孩子。」眼皮掀都沒有掀一下，賴加懶洋洋地丟出一句否定的話。

周圍忽然安靜下來，賴加等了許久，也沒有等到那個溫柔的說教聲繼續響起，他有些疑惑地睜開眼睛，便看到那雙淺褐色的眼睛裡盛著滿滿的悲傷。

她深深地垂下頭，口中兀自喃喃不休：「都是我的錯，都是我的錯，都是我的錯，為拯救世界而存在的天使，居然讓自己守護的人類犯下這樣的罪行，都是我的錯，都是我的錯，都是我的錯……」

賴加深深地吸了一口氣，然後輕輕嘆氣：「我懺悔。」

「真的？」霧濛濛的大眼睛看向他，尋求保證。

「真的。」

「嗯！天父會原諒你的！」潔白的小手帶著柔和的光芒覆上他的額，茉伊拉嚴肅地點頭。

「……」

坐在前面駕車的貝克悠哉地抽了一鞭子，馬車「篤篤」地駛進一條小巷。對於車子裡主人的自言自語，他已經習慣了。

「前面有人攔路。」茱伊拉忽然停止了說教，戒備地看向車外。

馬車停了下來，貝克抬頭，看到偏僻的小巷子裡站了十幾個彪形大漢，個個凶神惡煞的樣子。為首一個大漢揮了揮手中的木棍，餘眾便圍了上來，「貴族老爺，留下你的馬車。」

「讓開吧。」貝克和氣地打著商量。

「什麼？那個馬夫小子居然要我們讓開？哈哈……」

「貝克，是誰？」賴加的聲音從車裡傳了出來。

「只是一群雜碎，主人。」貝克恭敬地回稟。

「什麼？小子，聽好了，我們可是惡魔之子！」那大漢勃然大怒，揚了揚手中的木棍。

貝克聞言，笑出一口森森的白牙，「真巧，我們也是。」話音未落，便是一迭連聲的慘叫，不過片刻小巷便恢復了寧靜，只餘下一堆殘缺不全的屍首。

馬車繼續前行。

「他他他……太殘忍了！」茱伊拉驚呼。

「貝克，你太殘忍了。」坐在車裡的賴加平板地、沒什麼誠意地複述。

「抱歉，主人。」貝克揚了一記響鞭，笑嘻嘻地、沒什麼誠意地道歉。

馬車駛進一片莊園，在一座有些古舊的城堡前停了下來，貝克躍下車，然後打開車門。賴加踏下馬車，大步走進城堡。沒有人知道這座美麗的莊園竟是「惡魔之子」的大本營。

剛進城堡，便有一個人匆匆迎了上來，「怎麼樣，怎麼樣，有沒有看到東方曉？」

「沒有。」賴加停下腳步，冷冰冰地丟出兩個字。

是的，沒有。

這次明目張膽地走進伊里亞德公爵府，刺殺拜德爾只不過是順手，其實主要原因是，前天夜裡，聞人霜興沖沖地找來，說馬卡斯二世的皇妃會參加費羅拉夫人的生日宴會，並且一口咬定那個皇妃殿下就是他要找的東方曉。

亮晶晶的眼睛有些失望的樣子，聞人霜誇張地嘆了一口氣，「那個皇妃不是她嗎……」

「我沒有看到皇妃。」不知道為什麼，向來不多話的賴加多嘴了一句。

「啊！那就是說皇妃沒有來？那就是說皇妃還是有可能是東方曉對不對？」某人的眼睛又亮了起來。

「你不確定皇妃就是你要找的東方曉？」賴加揚起眉毛，淡淡地問。

「不確定。」聞人霜回答得十分乾脆，然後淡然地轉過身去，仰頭作望月狀。

長髮飛揚，夜風將他寬大的衣袖吹得鼓鼓的，背後繡著的九尾白狐隨風而動，倒也頗有幾分遺世而獨立的風采。

這些年，這個奇怪的傢伙幾乎把約特帝國翻了個遍，只要聽說哪裡有東方女孩，便第一時間衝過去確認，現在唯一沒有找過的地方，大概只有馬卡斯二世的皇宮了。

……於是他認定東方曉藏在皇宮裡。

對於這樣捕風捉影得來的結論，賴加不予置評，轉身離開。

「小天使，他走了耶，妳不走嗎？」彷彿腦袋後面長了眼睛一般，聞人霜冷不防地道。

茉伊拉收起翅膀，走到他面前，嚴肅地看著他。對於這個和賴加做交易的神祕傢伙，茉伊拉一直是抱著高度警惕的心態的。

「唔，怎麼了？」聞人霜摸了摸下巴，疑惑道。

「東方曉究竟是誰？」茉伊拉輕聲問。這個奇怪的傢伙，分明不是人類，他留在賴加身邊，藉著賴加的手找東方曉，一找就是九年，可是不管時間怎麼流逝，他的容顏始終不變。

「嗯，是個人。」聞人霜一本正經地回答，然後想了想，又搖頭晃腦地道，「哦，她不是人。」

「你為什麼那麼確定她在約特帝國？」

「因為除了這裡，其他地方我都找過了。」聞人霜笑咪咪地回答。

茉伊拉呆住，明明是輕飄飄的一句話，可是她明白這句話的分量有多重。這個世界有多大，別人不知道，身為天使的茉伊拉是知道的。這個傢伙……是瘋的嗎？怎麼會有這樣的傢伙，那樣瘋狂地找一個人。

「為什麼……要找她？」茉伊拉下意識地問。

「妳又為什麼要一直守護賴加那個小子呢？」聞人霜笑咪咪地反問。

「這是我的工作呀。」茉伊拉理所當然地回答。

「真的……只是工作，而已嗎？」聞人霜笑起來，越發地像隻狐狸。

茉伊拉一臉的問號。

「算了，現在妳不懂，以後妳就懂了。」聞人霜一臉「我是過來人」的臭屁表情。

「可是，你這樣找，找到什麼時候才算盡頭呢？」茉伊拉又問。

「一直到找到她為止呀。」他回答得很溜，彷彿這是理所當然的答案，一點都不用思考一樣。

「如果一輩子都找不到呢？」

「放心，我的一輩子長得很。」聞人霜甩了甩袖子，笑得很快活的樣子。

「如果永遠都找不到呢？」茉伊拉把「一輩子」換成了「永遠」。
「找不到，我便等。」
「若是……永遠都等不到呢？」
「那我也等。」他輕飄飄地回答。
看著眼前這個花裡胡哨的傢伙，不食人間煙火的小天使不知道為什麼竟感覺被他震住了。
「妳知道，這個世界上最好吃的東西是什麼嗎？」聞人霜忽然湊近了她，神祕兮兮地問。不待茉伊拉回答，他便笑著從懷裡掏出一張紙片，在她面前晃了晃。
那是一張很奇怪的紙片，茉伊拉從來沒有見過。
「是糖果。」聞人霜低頭輕輕地嗅了一下，一臉戀戀不捨的樣子，「可惜被我吃了，只剩這張糖果紙了。」

「主人，聞人先生在跟誰講話？」貝克一頭霧水地看著聞人霜自言自語，原來不只有主人喜歡自言自語呀。
賴加站在石階上，看著聞人霜和茉伊拉頭靠著頭竊竊私語的樣子，臉上的表情彷彿結了冰一樣，他抿著脣，一直把薄薄的脣抿成一條直線，才從嗓子裡哼了一聲。
「主人？」貝克見賴加一臉被人搶了寶貝的表情，越加疑惑了。
「擅離職守，該當何罪？」瞇著眼睛，賴加淡淡地道。
茉伊拉「啊」了一聲，忙拍著翅膀飛到賴加身邊，乖乖地不再擅離職守。賴加斜睨了她一眼，這才轉身繼續走。

聞人霜站在原地，笑咪咪地看著他們走出他的視線，然後低頭，又嗅了嗅手中的糖果紙。其實過了這麼長的時間，這張糖果紙上根本嗅不出什麼香味了，可是只要將它放在鼻端，就彷彿可以感覺到她的溫暖一樣。

聞人霜是一隻狐，九尾白狐。他曾被鬼王抓進血池供養血獸。彼時，他只有一百年的修為，雖然血獸傷不了他，可是他也逃不出血池。他被囚在血池中五百年，直到東方曉出現。

東方曉……

在聞人霜七百多年的生命裡，一百年在懵懂地修煉，五百年被鬼王囚禁在血池，剩下的一百多年，便一直在尋找那個叫東方曉的女子。

那個將他帶出血池，那個教會他洗澡穿衣，那個……給他世間最甜美糖果的女子。

04 寂寞的味道

賴加的房間是整個城堡裡最明亮的房間，清晨的陽光滿滿地從窗戶灑進房間，在正對著窗的床上鋪了金燦燦的一層。

床上的男子閉著眼睛，濃濃的眼睫毛纖長美麗，柔軟的黑色短髮有些凌亂地散落在枕上，薄薄的毯子已經滑到腰間，略顯蒼白的膚色也被鍍了淺淺的一層金。

任誰也想不到，這個臭名昭著的「惡魔之子」有著這樣孩子氣的睡顏。

一團柔柔的光在陽光中慢慢成形，幻化成一個長著翅膀的少女，她抓起被子，將那薄薄的毯

子拉高，然後輕手輕腳地替他蓋好。

床上的男子忽然翻了個身，長長的手臂看似沒有力量地揮了一下，茉伊拉驚呼一聲，已經可憐兮兮地被壓在那條手臂下動彈不得。

掙扎了好一會兒，好不容易從那條手臂下逃出，不曾想，那個傢伙再度翻身……

茉伊拉不知道其他守護天使是怎麼當的，可是她這個守護天使當得相當地委屈，鼓了鼓腮幫子，她放棄掙扎，趴在床上，心裡有些懷念那個子小小的少年。想當年……多可愛的小孩子啊，她往他面前一站，還有很大的身高優勢。

可是這些年，他的身子「咻咻咻」地長高，都已經追上聞人霜那隻大狐狸了，唯獨她……不會長高。

被困在一條手臂下動彈不得的茉伊拉憤懣不已，身為守護天使的尊嚴何在呀呀呀！

「早安。」平板的問候從薄薄的嘴脣中吐了出來。

茉伊拉愣了愣，抬頭，對上一雙銀灰色的眼睛，才發現他不知道什麼時候已經醒了。

「沙……沙利葉大人。」所有的不滿一瞬間煙消雲散，茉伊拉呆呆地看著他的眼睛，失了神。

賴加有一雙和月之天使沙利葉一樣的眼睛，尤其是隨著賴加一天天長大，竟然越發地給她一種沙利葉大人就站在她面前的錯覺，那是她的偶像啊啊啊！

慢吞吞地揚高一條眉毛，賴加瞇了瞇眼睛，「沙利葉是誰？」

「偉大的，無所不能的……」茉伊拉一臉痴迷狀，隨即醒悟過來，及時收口，一臉嚴肅地道，「天界有保密條例的。」

「嗯？」賴加湊近了她。

「啊啊，不行！」關鍵時刻，她終於找回了守護天使的尊嚴，「咻」的一下化作一團光，從他懷裡逃了出去。

賴加定定地看著她從他懷中躥了出去，然後慢吞吞地撐著床坐起身，抿了抿脣，垂下頭，任由碎碎的頭髮滑下，遮住眼睛。

房間裡的氣氛瞬間凝重起來。

為……為什麼他看起來竟然可憐兮兮的？像被人遺棄的小狗一樣？茉伊拉懺悔了，她小心翼翼地飛到他面前，他微微側過頭，不看她。

「賴加？」她小小聲地喚他。

他不理。

「賴加……」她拉長了聲音。

他還是不理。

「好嘛，沙利葉大人是天界的月之天使啦。」茉伊拉跪坐在床上，第一百零一次妥協。

「哦。」賴加大人終於有了回應，他淡淡地應了一聲，然後起身穿衣。

茉伊拉差不多想一頭撞死算了，這麼多年，她怎麼就是學不聰明啊！

當拜德爾將軍被暗殺的消息傳得沸沸揚揚的時候，賴加正安靜地享用著他的早餐，這個惡名在外的惡魔之子，有著一切與冷酷不搭調的生活習慣。

他喜歡陽光，喜歡甜食。比如現在，他面前正擺著一份甜得嚇死人的奶油千層蛋糕，表層的奶糖幾乎把奶油凍和杏仁都覆蓋住了。

那一看就會讓人心裡直發毛的甜點是他的最愛，關於這一點，連號稱最喜歡糖果的聞人霜都自愧不如。

在他的對面擺著一份燉飯，而那位號稱不食人間煙火的守護天使茉伊拉正在大快朵頤。關於天使為什麼要吃飯的問題得追溯到好多年前，賴加說了一句：「我不想永遠都是一個人吃飯。」於是我們不食人間煙火的守護天使也被拉下了凡塵。

「妳胖了。」面不改色地吃了一口奶糖，賴加淡淡地道。

「嗯？」鼓著腮幫子的茉伊拉疑惑地抬頭，指了指自己的鼻子。

「嗯。」賴加點頭。

「不……不可能！」茉伊拉瞪大眼睛，「我是天使耶！天使怎麼可能會胖！」

賴加扯了扯平直的嘴角，心情忽然愉快起來。

黑衣老管家淡然站在一旁，對於自言自語、和空氣交談的賴加早已見怪不怪了。

「主人，伊里亞德公爵貼出懸賞令了！」貝克大步走了進來，用他那和美少年外貌完全不相符的特有大嗓門嚷嚷道。

「賞金多少？」賴加喝了一口甜得發膩的紅茶，面上無甚表情。

「五百金幣。」

賴加沉默了，一手撐著下巴，彷彿在思考什麼，其實只是在發呆。

「主人？」

「再殺一個人吧。」一口喝光了杯中的紅茶，拿餐巾優雅地擦了擦嘴角，賴加下了結論，然後站起身，走出餐廳。

聞言，茉伊拉一下子噎住了，她匆匆拍著翅膀飛到他身邊，雙手死死抱著他的胳膊，不讓他走。賴加側頭，淡淡瞥她一眼。茉伊拉切切地看著他，拚命搖頭：「不要再殺人了！」

站在一旁的貝克看著自己冷酷的主人站在原地邁不出腳步，彷彿被什麼東西拖住了似的，不由得丈二金剛摸不著頭腦，主人最近的行為是越來越詭異了。

「放手。」賴加淡淡地道。

「不放！」茉伊拉咬牙切齒。

「真的不放？」賴加揚眉。

「真的！」茉伊拉表明決心。

「我只是想上廁所。」

「……」茉伊拉呆呆地鬆了手。

看著她一臉痴呆的樣子，賴加再一次心情大好，然後回頭看向貝克，「算了，去揭了那張懸賞令吧。」

「主人你？」貝克也痴呆了。

「我們把惡魔之子捉拿歸案，然後去領賞。」

……貝克越發痴呆了，自己捉自己嗎？

下午的時候，貝克出去了一趟，回來告知賴加，懸賞令已經被人揭走了。賴加對此事反應極淡，只是點點頭，並沒有說什麼。

用過晚餐，賴加如往常般在書房查閱典籍，茉伊拉趴在桌邊發呆。

「睏了？」翻過一頁紙，賴加側頭看向點著腦袋的茉伊拉。

「怎麼可能！我是天使！天使！」茉伊拉竭力瞪大眼睛，試圖證明發睏那種事情不可能在天使身上發生，結果只惹來賴加的一聲輕笑。茉伊拉鼓圓了腮幫子，正要據理力爭，窗戶卻忽然無風自動，緩緩地打開了。她一下子張開翅膀，擋在賴加面前，如臨大敵。

「怎麼了？」賴加一手支著額，一手合上厚厚的書冊，抬頭看向窗戶的方向。一個背著奇怪木匣子的男人正站在窗臺上。

能夠不驚動貝克和堡中其他人，這樣無聲無息地潛進書房，此人的確不容小覷。

「惡魔之子。」背著木匣子的男人縱身跳入房間，他身上穿的竟是神教教會的衣服。

「是你揭了懸賞令？」賴加有點意外，知道他惡名的人幾乎都已經喪身在他手下，這個人是如何知道的？

「奉祭司大人之命，將你淨化！」那個男人說著，手中升騰出一個光球來。

賴加認得那光球，當初追捕聞人霜的侍衛手中也有這個，所以他並沒有閃躲，任由那團光球將他籠住。直到光芒散去，他依然安然無恙地站在原地。

「真遺憾。」賴加淡淡地看著他，隨手取下掛在牆上的長劍，然後以迅雷不及掩耳之勢刺向那個男人。

「你……」那個男人吃驚地瞪大眼睛，看向自己胸口的血窟窿，「怎麼可能……」

賴加低頭看了看自己白襯衣上沾到的血跡，微微皺了皺眉，他有潔癖。

「啊……對……對了，你還沒有進化成惡魔，那試試這個吧！」垂死的男人忽然怪笑起來，自言自語著，他拚命扯開一直背在身後的木匣子。

猙獰醜陋的一團黑影猛地竄了出來，撲向賴加。

那是什麼？茉伊拉大驚，明明那個男人也是人類，為什麼身上竟然攜帶著這種東西，而且還是如此的強大！

匆忙間，她試圖將賴加抱起來，結果顯然錯估了雙方身高體重的差異，賴加冷不防地被她一拉，跌了個四腳朝天。只見那團黑色的怪物扭曲著面容，呼嘯著撲向賴加，茉伊拉哪裡顧得了許多，抱著賴加的手臂，將他拖得滿屋子亂轉。

一陣「乒乒乒乒」之後，茉伊拉終於撐開一道結界，將那怪物擋在結界之外。

「賴加，你沒……沒事吧……」她低頭看向坐在地上的賴加。

「妳說呢？」賴加抬頭。

「噗……」看到他鼻青臉腫的樣子，茉伊拉下意識想笑，忙又忍住。

賴加額頭青筋亂跳，閉了閉眼睛，側頭看向結界外那個不停地撞著結界的怪物，微微皺眉，「怎麼會有這種東西。」

茉伊拉也側過頭，「是啊，那個人明明是人類，為什麼竟會帶著這樣的東西？」

在那怪物不停的撞擊下，結界竟然出現了一絲裂紋。

「主人！」貝克聽到響動，提劍衝了進來。

「出去，你不是它的對手！」賴加大聲下令。

眼見那怪物呼嘯著便要撲向貝克，千鈞一髮之時，忽然有團藍色的火焰從窗外捲了進來，將那怪物困住。

被困在藍色火焰中的怪物慘叫哀號起來。作為曾經的第五重天的看守天使，茉伊拉有著一

種其他守護天使所沒有的能力，她可以窺探萬物的心靈。感覺到烈火中那隻怪物的痛楚，她站起身，看向不知道什麼時候走進來的聞人霜，「放了它吧。」

「放了？它可是惡靈呢。」聞人霜似笑非笑地看著那一團在火焰中掙扎哀叫的黑影。

「它在哭。」茉伊拉輕聲說。

「知道什麼是惡靈嗎，小天使？」側過頭，聞人霜瞇著眼睛笑。

「什麼……」

「在漫長的、無止境的歲月中，被孤獨寂寞吞噬了心靈，就會變成這種失去自我的怪物。」聞人霜微笑著，看著那隻惡靈在狐火下一點一點化為齏粉，「死，於它而言，是解脫。」

藍色的火焰映襯著他幽黑的眼睛，茉伊拉下意識抬手，拉住他的衣袖。

「嗯？」聞人霜有些意外地看向茉伊拉。

「不要難過。」

「哈……真是可愛的小天使。」聞人霜抬手，摸了摸茉伊拉的腦袋。

「放下你的手。」一個冷冰冰的聲音在他耳邊響起。

聞人霜回頭看著鼻青臉腫的賴加，忍不住捧腹大笑起來。

「哼，帶著惡靈的教會人員，事情越來越有意思了。」賴加沒有理會他的嘲笑，轉身看向那個委頓在地的男人，「也好，我正頭疼要用哪個替死鬼去領賞呢，現在有了。」

「主人，您的意思……」貝克忽然領悟了主人的意圖，他是想隨便抓個人給他安上惡魔之子的名頭去當替死鬼，然後堂而皇之地出現在大庭廣眾之下，「可是主人，現在已經有人知道您的身分了。」

「無妨。」賴加淡淡地道。

「噗……」貝克也憋住了笑，主人臉上那些青青紫紫的精采傷痕讓他面無表情的臉孔看起來實在滑稽。

賴加淡淡瞥了某個罪魁禍首一眼，輕哼一聲，甩袖回房。

「對不起嘛……」茱伊拉拍著翅膀，忙追了上去。

「哼。」

「我錯了呀……」

「哼。」

「下次會注意的！」

「哼。」

「噗……」

「哼！」

「好嘛好嘛，我不笑了……」

站在原地的貝克眼觀鼻，鼻觀心，對於賴加一路「哼哼」著回房的事情一點也不意外。主人的行為果然越來越怪異了呀……

他轉過身的時候，看到聞人先生正蹲在地上，伸手，用修長漂亮的手指輕輕劃過地面，那隻惡靈燒剩下的一點白色粉末沾在他的指尖。

「香嗎？」聞人霜忽然開口。

「呃，嗯。」貝克這才察覺到房間裡不知道從什麼時候開始滿溢著一種奇異的芬芳。

「是寂寞的味道。」聞人霜輕輕說。

「什麼？」貝克沒聽清楚。

聞人霜笑了笑，拍拍手站了起來，轉身看向窗外，「啊，今晚月色真好呀。」

星月滿天，茉伊拉坐在床邊，側身躺在床上的賴加已經睡熟了。

窗戶大開著，透過窗，可以看到屋外澄澈的星空。有風拂進來，吹得床上的紗幔輕輕舞動著，帶出無數的影子。

驀然，一絲白色的煙霧從窗外飄了進來，像一條隨風舞動的緞帶般，緩緩飄進房間，帶來一陣奇異的芬芳。茉伊拉盯著那絲煙霧看了許久，直到那絲煙霧緩緩飄出房間。她心裡一陣不舒服，回頭看了一眼熟睡中的賴加，抬手布下一道結界，便追著那絲白色的煙霧跑了出去。

跟著那奇怪的煙霧從走廊一路飄進另一個房間，茉伊拉看清了趴在桌上的白袍男子，竟然是聞人霜。

那白霧忽然膨脹開來，如一張網般撲上前，密密地將聞人霜網住，趴在桌上的男子並沒有醒來，只是輕輕皺了皺眉頭，忽然又舒展開來，脣邊竟牽了一絲淺淺的笑。

「喂！」茉伊拉匆匆上前，伸手去拉他。

當她的手觸上他的衣袖時，茉伊拉發現自己竟然動不了了。恍惚間，她看到一幅圖案奇特的古畫，是她從來沒有見過的。那古畫只輕輕動了一下，眼前便出現了一條狹小的通道，茉伊拉忽然明白，她這是進入了聞人霜的內心世界。

那團霧牽著她往更黑暗的地方走去，漆黑的甬道裡瀰漫著淡淡的血腥味，越往前走，那腥味便越加濃重起來，狹小的通道也漸漸變得寬敞。

眼前漸漸出現一點光，走到暗道的盡頭，茉伊拉看到了地獄般的景象……

那彷彿是一間很大的密室，密室的中央有一座很大的血池，血池裡翻滾著無數慘白的肢體，那些殘肢斷臂在鮮豔的液體中上下翻滾著，散發出令人毛骨悚然的味道，說不出的可怖。

在密室的一角，蜷縮著一隻小狐狸，渾身髒兮兮的，幾乎辨不出毛色。

密室的門突然「卡嗟」一響，茉伊拉匆忙回頭，看到一個黑色的影子捲了十幾人進來丟在地上，復而又關上了門。

這時，血池彷佛有生命似的蠕動起來，吞吐著血色的泡沫，漸漸凝成一隻巨獸，撲向那些剛剛被拋進來的人類。他們慘叫哀號起來，那些哀號聲彷佛驚動了蜷在屋角的小狐狸，牠動了動耳朵，睜開了一直瞇縫著的眼睛，眼見著那些人快要被吞噬光了，牠忽然縱身一躍，從那血獸的口下搶出一條胳膊，拖到角落，慢慢進食。

茉伊拉怔怔地站在原地，那隻髒兮兮的小狐狸……就是那個有著強大力量的男子嗎？

不知道過了有多久，那隻小狐狸每天重複著進食和睡覺，直到那門再一次響起。這一回，被帶進來的，只有一個人。

是一個漂亮的少女，穿著紅色的長袍，她似乎也被眼前的血池嚇呆了，定定地站在原地，看著血池將邊上幾具尚且溫熱的人體吞噬殆盡。奇怪的是，那血池形成的巨獸竟然對她視而不見，安靜地回到了池子裡。

蜷在牆角的小狐狸抬起身，化為一個髒兮兮、一絲不掛的少年，黑色的長髮一直糾結著拖到地上，亂蓬蓬的像是一堆雜草。他走到紅袍少女的身後，上上下下打量了許久，終於出聲：「妳是誰，牠為什麼不吃妳？」

紅袍少女回過頭，看了那野人一般的少年一眼，然後笑了起來，「唔，大概是牠嫌我不好吃吧。」然後又笑咪咪地問，「你呢？你為什麼在這裡？」

「我已經在這裡五百多年了。」野人一般的少年也不知道遮羞，大剌剌地坐下，隨手遞給她一截啃了一半的胳膊，「要不要吃？」

紅袍少女瞪圓了眼睛，立刻搖頭。

「不要嫌棄這個，還是跟那個畜生搶來的。」野人少年指了指血池。

「你知道這是什麼地方嗎？」

「不知道。」野人少年不再理她，低頭大口啃肉，模樣有點嚇人。

紅袍少女低頭摸了摸口袋，摸出一顆糖果，蹲下身遞給他。野人少年戒備地看了她一眼，繼續低頭啃肉。紅袍少女也不介意，剝下糖紙，將糖果丟進自己的嘴巴裡。

野人少年動了動鼻子，丟開正在啃的胳膊，渴望地看著她。

一直站在一旁的茉伊拉忽然想起來，她見過那樣的糖果，正是聞人霜一直帶在身邊的東西。這個紅袍少女……就是他要找的東方曉嗎？

得到這個結論，茉伊拉仔細地看了看那個穿著紅袍的少女，她看起來竟不像是人類，而是……血族！

是吸血鬼！

正當茉伊拉錯愕萬分的時候，那紅袍少女笑著又掏出了一顆糖果，野人少年忙伸手接過，學著她的樣子剝了糖紙，有些迫不及待地將糖果放進嘴巴裡，然後咂了咂嘴。

見他一副饞樣，紅袍少女笑著摸了摸他的腦袋，野人一樣的少年也乖乖的。

「你想出去嗎？」她問。

「嗯，可是出不去。」野人少年瞅了她一眼，「我試過好多辦法，可是只有人進來，從來沒有人能出去。」

紅袍少女聞言，難得地皺了皺眉，然後站起身，開始打量那間密室。五百多年的囚禁生活讓這野人少年已經習慣了這樣枯燥重複的生活，為了應付下一次血池進食的時間，他重新變回原形，呼呼大睡起來。

那紅袍少女試了幾次，都沒有將牆面打破，便也靠著牆坐下。密室裡十分森冷，那隻小狐狸不知道什麼時候爬到了她的膝上，蜷成一團，蓬鬆的尾巴捲在一起。少女笑了一下，伸手撫了撫牠，牠便舒服地蹭蹭，瞇著眼睛，喉嚨裡還發出「咕嚕嚕」的聲音。

茉伊拉靜靜地站在一旁，明明知道他們看不到她，可是她卻下意識地往後退了一步，彷彿怕打擾他們一般。

到這裡，聞人霜的記憶忽然明朗起來，紅袍少女將小狐狸帶出了血池。

再一次看清周圍環境的時候，茉伊拉看到那野人少年正大剌剌光溜溜地躺在一個庭院裡曬太陽，廊上的侍女們一個兩個都驚叫著飛快地捂著臉跑開。

庭院正對面的門「吱嘎」一聲被打開，正是先前那個紅袍少女。她換了一身淺紫色的衣衫，走出門來，「發生什麼事了？」

見到她，野人少年眼睛「騰」地亮了起來，他衝到她身邊，討好地蹭了蹭。

「不是要你去洗澡穿衣服麼？為什麼還不去？」那少女瞪著他。

蹭。

繼續蹭。

野人少年卯足了勁撒嬌。

「洗澡去！」少女回房拿了一件披風丟在他身上，作河東獅吼狀。

野人少年被嚇了一跳，眨巴著眼睛，可憐兮兮地望著她。

那少女撫額，長嘆一聲，讓人抬了兩桶水放到一個大缸裡，然後雙手叉腰，指了指水缸，「進去。」

野人少年不敢遲疑，「撲通」一聲跳了進去，水花飛濺起來，濺了站在一旁的少女滿頭滿臉。

她瞪了他半晌，見他溼漉漉的，跟落湯雞一樣站在水缸裡可憐兮兮地望著她，不由得失笑，拿了毛巾給他，「自己洗。」

野人少年接過毛巾，繼續眼巴巴地望著她發呆。

少女繼續長嘆，恨恨地從他手中搶過毛巾，往他身上擦，「這樣，像這樣！用力擦！啊……好髒，全是泥，你掉進泥堆裡了嗎！」

「哈……哈哈……」野人少年扭了扭身子，「癢……」

陽光下，濺起的水花亮晶晶的，耀得人眼睛發疼。

記憶再一次停頓……

「這位姑娘，可否將族長還給我們？」茉伊拉看到兩個長著狐尾的老人出現在少女面前，這樣要求。

「當然。」少女點頭微笑。

「我不是族長！」穿著新衣的少年寒著臉，甩頭不肯認帳。

「霜大人，休要胡鬧，您和白大人已經消失了五百多年，如今好不容易找回一個，您怎麼可以如此的沒有責任心？」

「我不要回去，我已經認了主人！」少年不情不願地嚷嚷。

「不像話！不像話！」狐族長老氣得鬍子一抖一抖的，狠狠敲著手中的玉杖，「跟我們回去！」

「不要！」少年躲在那少女身後，把腦袋搖得像波浪鼓一樣。

「這位姑娘，請問妳已經賜予他名字了嗎？」其中一個長老寒著臉問。

少年抬頭，滿臉希冀地望著那少女。

少女微笑，搖頭，「並沒有。」

「來人，把族長帶回去！」得到否定的回答，狐族長老大吼一聲，兩個孔武有力的女人「咻」的一下出現，一左一右架起那少年。

「曉曉……曉曉……我不要回去！」少年扭動著，還是被架走了。

再然後，記憶再一次斷裂……重新回歸了黑暗。

少年一次又一次試圖逃出去，卻一次又一次失敗。終有一日，他有了足夠的力量，再沒有人可以束縛他。

他興高采烈地跑了出去，跑回那棟古宅去尋找那個少女。

可是，她已經不見了……

狐族正值內亂，作為狐族族長，已經長大的少年肅清叛亂者。茉伊拉站在一旁，看著那一隻

威風凜凜的九尾白狐將牠的同類處死，白色的皮毛沾染了鮮豔的色澤。

那是血的顏色。

好寂寞……好寂寞……好寂寞……

再沒有人對他那樣微笑……

再沒有人……

曉曉，妳在哪裡……

「偷窺很不禮貌哦。」一個淡淡的聲音在耳畔響起。

茉伊拉嚇了一跳，回過神來，發現自己正好端端地站在房間裡，聞人霜坐在椅子上，蹙眉看著她。

「她就是東方曉？」茉伊拉下意識問。

聞人霜似乎怔了一下，然後懶洋洋地靠回椅背，「妳果然看到了啊，有窺探人心的力量的小天使。」

「我不是故意的。」茉伊拉低頭道歉，「因為看到有一團奇怪的霧氣附在你身上，我才會跑來……」

「嗯，可真危險。」聞人霜抬手。

茉伊拉看清了他手指間揑著的那團白色霧氣，隱約是一個人形，正在他指間掙扎：「是那個惡靈？」

「太大意了，竟然沒有注意到它留下的殘餘氣息。」聞人霜甩了甩手裡的白色霧氣，換來它更激烈的掙扎，「你就那麼急切地想要同伴嗎？」他低笑，「可惜，我沒有當惡靈的嗜好。」微微收攏了拳頭，那白色霧氣發出最後的哀號，終於消失了。

「它……」

「別小看它，這種可怕的小東西也會窺探人心，抓住人心的弱點，引誘人類成為它的同伴，剛剛差一點……」聞人霜笑，「我就成了一隻新的惡靈了。」

茉伊拉走到他身邊，抬手輕輕捧住他的臉，「其實，你知道，東方曉已經不在了，對不對？」

聞人霜瞇了瞇眼睛，沒有出聲。

「你是狐族，難道你感覺不出這裡並沒有她的氣味嗎？」她說，「她本不是人類，而且身上還藏有異常強大的力量，她不用遵守時空法則，也許，她已經不在這個時空了。」

「真犀利啊。」聞人霜笑了起來，「可是怎麼辦？不找她，我不知道該做什麼。」

被囚在血池中五百年後，再一次被長老帶回狐族的少年繼任了族長之位，可是他要面對的，是無休止的紛爭。單靠長老的鐵腕鎮壓，他如何服眾？那些權勢的爭鬥，遠比他被關在血池之中時更為殘酷，正因為不想面對這些，那顆糖果的味道……才會在記憶中越發地鮮明起來……

然後，隨著時間的推移，成為他心中唯一僅剩的……溫暖。

05 吾之名

費羅拉夫人的生日宴會之後，便是社交季。

在約特帝國的貴族間有這樣的習俗，每年的三四月，各大貴族都會相繼舉辦舞會。往年這是最熱鬧的時候，只是今年有些不同，尤其在伊里亞德公爵的封地。畢竟，這裡已經接連發生兩起殺人事件，被害者都是軍方威名赫赫的人物，一時不由得人心惶惶起來。

而這一切的恐慌，竟由一個盲眼的年輕貴族解決了。

正午，一輛馬車停在伊里亞德公爵府門口。

「主人，到了。」貝克躍下馬車，打開車門。

銀色的手杖拄著地面，賴加閉著眼睛踏出車門。正午的陽光十分耀眼，即使閉著眼睛，也依然可以感覺到眼前是橘紅色的一片。

……如那夜大火般的顏色。

他曾在此被驅逐，而如今，他又回到了這裡。

「貝克，你相信命運嗎？」站在公爵府門口，賴加忽然道。

「我相信，主人。」一身騎士裝扮的貝克一本正經地說道，轉身從馬背上取下一隻木匣子，木匣上雕刻著血色薔薇圖案，鑲著金邊，十分精緻的樣子。

薄薄的脣牽出一絲辨不清真意的笑，黑色的皮靴踏出，賴加走進公爵府的大門。

引路的女傭不時偷偷打量著那個看似弱不禁風的盲眼男子。這樣一個人，怎麼可能有打敗

「惡魔之子」的力量？再看看跟在他身後的騎士，心裡立刻恍然大悟，肯定是這個年輕的貴族招攬到了一個不錯的騎士……

「您好，我是伊里亞德家的管家艾維斯。」隨著一陣沉穩的腳步聲，一個沉穩的聲音在前方響起，「公爵大人不在府中，請您在此稍候片刻。」

賴加點點頭，坐下。

站在賴加身邊的茉伊拉好奇地打量著那個束著長髮的年輕管家，舞會那晚就是他站在門口迎接客人的，只是當時沒有細瞧。現在看看，他的相貌竟和賴加有三分相似。正打量著，艾維斯忽然側頭，看了茉伊拉一眼。

這一眼可讓茉伊拉吃驚不小，她下意識地縮到賴加身後，隨即又小心翼翼地探出頭來，那個年輕管家正若無其事地端了紅茶來。

是錯覺嗎？是錯覺吧。分明是個人類，怎麼可能看到她……

茉伊拉看向那個跟在艾維斯身後的守護天使，安慰自己，他只是一個人類，不可能看到她。這個稍候，一候就是小半天，直到手邊的茶杯見了底，伊里亞德公爵始終沒有露面。

「鏘」的一聲，精美的彩釉骨瓷茶杯掉在地上，碎成了幾瓣。

艾維斯眉毛也沒動一下，彎腰收拾地上的碎片。

賴加起身，抬腳踩上他的手，鋒利的碎片刺入他的手掌，雖然他戴著黑色的手套，可是那薄薄的一層手套肯定擋不住鋒利的碎片。

眼看著一點深色的液體沿著碎片流下，茉伊拉嚇了一跳，慌忙拉住賴加。

賴加被她拉著後退一步，然後勾了勾脣角，用一種歉然的語氣，慢悠悠地道，「眼睛不方便真的很麻煩，有沒有傷到你？」

「沒有。」艾維斯的聲音依然平和，然後低頭繼續收拾地上的碎片，沒有人發現他順手抹去了碎片上那一滴顏色深得有些不可思議的血液。

「公爵大人很忙？」賴加頓了頓，又道。

「讓您久等了，真是抱歉。」依然沉穩的嗓音，沒有任何起伏。

「沒有關係，請幫我把禮物轉交給公爵大人。」賴加說完這句，接過貝克遞來的銀杖，轉身離開。

直到賴加走出大廳，艾維斯才將地上的碎片收拾乾淨，然後直起身子，轉頭看向桌上那個雕著血色薔薇花的木匣子。

雕著血色薔薇花的木匣子擺在公爵大人的書桌上，蓋子已經打開，匣子裡放著的，赫然是一顆頭顱。

「艾維斯，你怎麼看？」伊里亞德公爵略顯蒼老的聲音在高高的椅背後響起。

「單憑這個，並不能證明他就是『惡魔之子』。」艾維斯站在桌邊，看著匣子，語氣平和。

「今晚，舉辦舞會，替那個年輕人慶祝吧。」公爵大人瞇起眼睛。

「是的，公爵大人。」

「你不問我原因嗎？」公爵大人笑了起來，「也許是我老邁昏庸了呢？」

「公爵大人的決定，總是正確的。」艾維斯低頭。

「哦，說說看。」

「不管這是不是所謂的『惡魔之子』，您的封地都需要一個英雄式的人物來平息這場恐慌。」

「呵呵，如果這並不是『惡魔之子』，又出現新的受害者怎麼辦呢？」

「那麼，就用那個騙子的血，來撫平民眾的恐慌和怨恨吧。」年輕的管家用他特有的平穩嗓音說出殘酷的話來。

華燈初上，銀色的手杖輕輕敲擊著黑色的大理石地面，不緊不慢的聲音帶著某種奇特的節奏，賴加就這樣四平八穩地走進了眾位貴族的視線。

他安安靜靜地找了地方坐下，並沒有與任何人交談。

舞會的氣氛並不熱烈，到場的諸位貴族只是想親眼瞧瞧那個傳說中打敗了「惡魔之子」的英雄到底是什麼模樣。

「喂，就是他嗎？那個打敗『惡魔之子』的人？」

「騙人的吧，看他的樣子，一個瘦弱的瞎子，連拿劍都費力……」幾個聚在一起的年輕貴族不甘心被一個外來者搶了風頭，七嘴八舌地說著。

「聽說了嗎？他叫賴加……好奇怪的名字啊……」

「哈……」

那一個「哈」字卡在喉嚨裡出不來了，因為有一柄長劍正抵著他的喉嚨。

剛剛還很熱鬧的大廳一下子安靜下來。

「你……你想幹什麼！」被抵著脖子的傢伙色厲內荏地叫嚷起來，「你這瞎子，小心你的劍！」

賴加收回長劍，摘下白色的手套，閉著眼睛精確無誤地把手套扔在他的臉上：「決鬥吧。」

在約特帝國，無論平民還是貴族，在決鬥中殺人都不算犯法，但是時至今日，很少有人真的會拿性命去決鬥，頂多也就是個餘興節目而已。

所以賴加的提議引發了在場所有人的高度熱情。

「哈哈，誰怕你這瞎子！」被眾人的起鬨聲弄得下不了臺的傢伙漲紅了臉，拔出劍來。

舞池成了決鬥的場地，圍觀的人喊聲還沒停，賴加的劍已經架在他的脖子上。

熱鬧的氣氛一下子被凍結，整個大廳一片寂靜無聲。

一直站在門後的年輕管家適時走了出來打圓場，他看著那個盲眼的年輕男子，溫和地勸說：「您已經贏了，既然是舞會，大家就點到即止吧。」

薄薄的唇微微翹起，賴加的手輕輕往前一送，溫熱的液體便噴湧而出。

「這是決鬥。」他說。

站在一旁的貝克適時地將銀杖送到賴加手中，他接過，隨即略略欠了欠身子：「失禮了，我去換身衣服。」

大廳裡仍是一片寂靜，誰都沒有開口，只聽到銀杖敲擊大理石地面的聲音。

「啊，對了，」他忽然停下腳步，轉身面對眾人，「我很不喜歡別人議論我的名字。」水晶吊燈下，那個蒼白的盲眼貴族彷彿冰雕而成。

說完，他轉身離開了大廳。

直到他瘦削修長的背影消失在門口，大廳裡才如菜市場一般熱鬧起來。

年輕的管家暗自嘆息了一聲，然後抬了抬手，吩咐僕傭上前處理大廳中央的屍體和血跡。

這只是一場試探，看來……還是太魯莽了。

他沒有料到賴加真的會在大庭廣眾之下殺人。

「你又殺人了！」茉伊拉趴在賴加肩上，憤憤地碎碎念。

「怪誰呢？」賴加淡淡地道。

茉伊拉理虧，趴在他肩上不動了，沒有看到某人軟化的脣角。

那時，他沒有名字。

名字是一個人存在的見證，應由最親近的人賜予，可是，他沒有……

「不要難過，我替你取個名字好了。」茉伊拉雙手搭在他的肩上，溫柔地看著他。

「嗯。」被溫柔眼神哄騙的小朋友完全不知道這位天使並沒有取名字的天分。

在說出一大堆奇怪而詭異的名詞之後，某個誤入歧途的少年痛苦萬分地選擇了看起來比較正常的一個。

「在公爵府堂而皇之地殺人，而且是一個貴族，這樣真的沒有關係嗎？」回程的馬車上，坐在車頂的聞人霜笑著道。

「那個老頭在試探我，明天他就會見我了。」坐在馬車裡的賴加淡淡地道。

「人類的心思……還真是複雜啊。」聞人霜仰頭，輕輕的聲音隨風而逝。

第二天上午，一輛雕刻著白色薔薇花圖案的馬車駛進有些偏僻的莊園，在一座古舊的城堡前停了下來。

白色薔薇花是伊里亞德家族的家徽。

「在下是伊里亞德家的管家，公爵大人想要見見您家的主人。」艾維斯抬頭看了看城堡，微笑著道，「真沒有想到，在公爵大人的封地還有這樣美麗的地方。」

站在門口的黑衣老管家漠然地點點頭，「這是老主人留下的遺產，因為太過偏僻，大概被公爵大人遺忘了。」

目送那輛馬車離開，黑衣老管家轉身關上了門。

坐在二樓陽臺的賴加，正沐浴在朝陽下享用他的甜點，直到吞下最後一口，才慢吞吞地拿餐巾擦了擦嘴巴，「走吧，貝克，我們去見見公爵大人。」

用了最老的馬來駕車，直到黃昏時分，雕刻著血色薔薇花的馬車才慢吞吞地停在公爵府的大門口。

「讓您久等了，真是抱歉。」這是賴加見到伊里亞德公爵之後，說的第一句話。

「沒有關係，年輕人。」伊里亞德公爵看起來很是慈祥，「你叫什麼名字？」

「賴加。」

「哦？全名呢？」

「賴加，我是孤兒，沒有姓氏。」賴加閉著眼睛淡淡地道，「因為生來眼睛看不見，所以被丟棄了。」

「聽艾維斯說，你有一座不錯的莊園。」老公爵瞇了瞇眼睛，看著眼前有幾分面熟的年輕男子，似是無意地道，「我的管家艾維斯，你見過吧。」

「嗯，莊園是養父的，他沒有子嗣，過世後就留給我了。」

「這樣啊。」老公爵點點頭，「那麼，除去了『惡魔之子』的勇士，你有什麼要求嗎？你應該不會在意那些賞金吧。」

「聽聞，您在替凱里少爺找老師，」賴加說著，向後退了一步，略略彎腰，「雖然在下是個瞎子，但是請容我向您自薦。」

老公爵愣了一下，然後哈哈大笑：「好！艾維斯，去把凱里叫來。」

站在一旁的艾維斯點點頭，走出門去，不一會兒，便帶回一個藍眼睛的漂亮小男孩。

「啊，好漂亮的姐姐！」凱里一進門，便蹦到賴加身邊，興沖沖地嚷嚷。

坐在賴加肩上的茉伊拉驚訝地瞪大眼睛，伸手在小男孩面前揮了揮，小男孩碧藍的眼珠子跟著她的手動來動去。

「你……你看得見我？」茉伊拉吃驚。

「嗯！」凱里咧著嘴巴，露出缺了一顆的門牙。

「凱里，他是你的新老師賴加。」老公爵皺眉，「哪裡有什麼漂亮的姐姐。」

「明明就有啊！」凱里指著賴加的左肩，「那裡坐著一個金色頭髮的漂亮姐姐，還長著雪白的翅膀！」

賴加聞言，後退一步，微微皺眉。

「看……」老公爵按了按額頭，有些無奈，「他已經嚇走很多老師了。」

「沒有關係。」賴加彎了彎脣，「只是我有一個要求。」

「嗯？」

「我想住在公爵府，這樣方便一些。」

「這個當然，艾維斯，你帶他去客房吧。」老公爵似乎有些疲憊，按了按額頭，不再言語。

「是。」艾維斯回頭看向賴加，「請跟我來。」

跟著艾維斯走出伊里亞德公爵的書房，走到花園的時候，賴加忽然停下了腳步。在他的右前方，有一座獨立的小屋。

「賴加先生？」艾維斯見他停下腳步，出聲提醒。

賴加拄著銀杖走上前，伸手摸了摸門，「這裡怎麼有間屋子？」

「聽說公爵府十幾年前起了一場大火，後來建了這新房，用來鎮住邪靈的。」

「鎮住邪靈。」賴加微笑著重複，握著銀杖的手收緊，緊到指節根根泛白。

那一夜的大火彷彿就在眼前，那一夜的灼痛彷彿再一次降臨。就在這裡，他的父母設下圈套，將他騙到這間獨立的木屋裡，點火燒屋。

「我要住在這裡。」他說。

「這……」艾維斯似乎有些為難。

「讓他住嘛！」正和茉伊拉玩得不亦樂乎的小凱里嘟了嘟嘴巴，不悅地道。

「是，少爺。」艾維斯低頭。

今年六歲的凱里是伊里亞德公爵最小的兒子，他對那個長著白色翅膀的漂亮姐姐很有興趣，所以總是纏著賴加。因為聰明的凱里發現了，有賴加的地方，就會有那個長著白色翅膀的漂亮姐姐。

「我叫凱里，妳叫什麼名字？」凱里趴在賴加膝上，仰著小腦袋望向輕飄飄坐在賴加肩上的茉伊拉。

茉伊拉飛到賴加身後，只露出一個腦袋，她還在困惑這個小傢伙為什麼會看到她。

坐在花園石凳上的賴加有些無奈，膝蓋上趴一個，身後趴一個，他感覺自己有朝人肉架子發展的趨勢。

「我叫凱里啦，妳叫什麼呀？」凱里噘起嘴巴，拉住茉伊拉的手。

「凱里，不准胡鬧。」一個溫柔略帶縱容的聲音冷不防響起。

賴加猛地僵住，他記得那個聲音……是費羅拉夫人，他的……母親。

費羅拉走到賴加對面，「你就是公爵大人新請的老師？」

「是的，夫人。」賴加站起身，左手按在胸前，身體稍稍前傾，行了個禮。

「聽說你就是除去『惡魔之子』的勇士？」費羅拉夫人笑了笑，「真是人不可貌相，你看起來太年輕，而且並不壯實。」

賴加沒有出聲，背在身後的左手握成拳，蒼白到微微泛青。

茉伊拉見他如此，想要飛到他身邊，無奈被凱里拉著動彈不得，只得告訴他：「我叫茉伊拉。」

「茉伊拉？妳叫茉伊拉？」凱里終於問到名字，一蹦三尺高，「太好了，妳是第一個跟我講話的天使耶！妳看看這個總是跟著我的傢伙，他總不理我。」凱里一臉委屈地指了指跟在他身後的一個守護天使。

茉伊拉驚訝不已，這個小男孩不只能看到她，他能看到所有別人看不到的東西？

「凱里！」費羅拉夫人緊緊皺起眉頭，「你又在胡言亂語些什麼！」

「母親，妳看，她叫茉伊拉，她跟我講話了！」凱里興高采烈地拉著茉伊拉的手，將她拉到費羅拉夫人面前。

茉伊拉被他一扯，又不敢用力傷他，差點撞上費羅拉夫人。

「你又在胡說些什麼！」費羅拉夫人的臉色難看起來，「這裡哪有別人！你最近越來越淘氣了，被神教的人知道，會把你當作異端，綁在火上烤的！」

「可是……」凱里委屈地癟了癟嘴巴。

「不准再這樣了！」費羅拉夫人嚴厲地教訓他，然後看向賴加，「以後就麻煩你多費心了。」

「是的，夫人。」賴加低頭，掩住難看至極的臉色。

得到肯定的回答，費羅拉夫人又囑咐了凱里幾句，這才優雅地提起裙襬，踏著石階離開。直到費羅拉夫人的身影消失在視線中，那一大一小兩個傢伙還是僵在原地，沒有動彈。

茉伊拉有些擔心地看看這個，又看看那個。

剛剛走到他們身後，凱里忽然轉過身來，碧藍色的眼睛裡滿是憧憬，「茉伊拉，妳教我飛吧！」

……果然是個不知悔改的小孩。

「教我呀教我呀。」凱里拉著茉伊拉的手狂搖晃。

「想學飛？」賴加忽然回過頭來，微笑。

看著他一副和藹可親的樣子，茉伊拉忽然感覺通體發寒，直覺他又要使壞。

「嗯嗯！」某個完全不知道人間險惡的純潔小男孩雀躍地點頭。

賴加抬手扯下頸間的領巾，隨手甩向一旁的桫欏樹，白色的領巾正好掛在桫欏樹巨大的樹葉上，然後他輕飄飄地道：「不能爬樹，不能要其他人幫忙，試著跳起來，等你能把那領巾拿下來的時候，就已經掌握飛的要訣了。」

「嗯嗯！」凱里眼睛亮閃閃的，一臉崇拜地望著賴加。

茉伊拉目瞪口呆，那棵桫欏樹最少也有六、七公尺高，白色的領巾掛在一片離地面約三、四公尺的葉梗處，再看看凱里不足一百公分的個頭……

「慢慢練。」賴加丟下一句話，轉身便走。

「嗯！」凱里已經躍躍欲試，迫不及待地開始伸著小手，蹦躂著去拿那塊領巾。

茉伊拉猶豫地看了他一眼，再看看賴加已經走得有點遠的身影，忙飛身跟了上去。

賴加回到房間，閉著眼睛，默默地坐在壁爐前的椅子上。四月的氣候剛剛好，壁爐自然是用不上的，只是安安靜靜的壁爐此時顯得有些冷清。但是茉伊拉知道，即使是最冷的冬天，他也不會使用壁爐，因為……他畏火。

茫然的、孤獨的、怨恨的氣息從他的身上一點一點蔓延開來，帶著令人心碎的壓抑味道。能夠窺視心靈的茉伊拉輕輕覆上他的手，感覺到心口悶悶的，彷彿被他感染了一般。

「茉伊拉。」

「嗯？」

「妳會不會離開我？」閉著眼睛，他輕聲問，彷彿夢囈一般。

「當然不會！」茉伊拉回答得斬釘截鐵。

「為什麼？」

「我是你的守護天使呀！我會守著你，保護你，期限……是一輩子。」

「嗯。」他似嘆息般地應了一聲，滿足地睡去。

半夜時分，一個胖胖的小天使飛進了賴加的房間，泛著柔和光芒的小手扯了扯茉伊拉的翅膀。

「啊，你是……」茉伊拉回頭一看，認出是凱里的守護天使，「怎麼了？」

胖胖的小天使拉著茉伊拉便往外飛，另一隻手適時地拉住了她。茉伊拉回頭一看，賴加不知道什麼時候已經醒了，正灼灼地看著她。

「妳要去哪裡？」他問。

茉伊拉有些為難地回頭看了看那小天使，小天使正用略帶祈求的神色看著她。

「妳剛剛在跟誰說話？」抿了抿脣，他又問。

茉伊拉這才記起來，賴加和凱里不同，賴加可以看到她，是因為她告訴了他天使之名，凱里卻是……連她都弄不明白，為什麼凱里可以看到一切正常人類不應該看到的東西。

「嗯，是凱里的守護天使，好像凱里有什麼事情。」茉伊拉斟酌著解釋。

賴加淡淡地看著她許久，然後又側頭看了看茉伊拉另一隻彷彿被什麼拉著的手臂，忽然抬手，照著小天使的腦袋就狠狠彈了一下。

小天使吃痛，淚汪汪地看著茉伊拉。

「咦？你能看到？」茉伊拉驚訝。

「不能。」

「……」

最終，在茉伊拉懇求的神色下，賴加終於大發慈悲，跟著走出了屋子。

花園裡的桫欏樹下，一個小小的影子正在不停地向上作跳躍狀。茉伊拉匆匆飛上前，便見到滿身髒兮兮的凱里正伸著短短的小胳膊，試圖跳起來去拿那塊在夜風中飄著的白色領巾。因為盡力地跳起，而忘記了落地的平衡，然後腳下一個趔趄，便跌倒在花園裡有些鬆軟的泥土裡。

看他隨意拍拍身上的泥土，爬起來又要繼續，茉伊拉忙拉住了他，然後回頭看了賴加一眼。

賴加緩緩走上前，聲音十分平靜：「這麼晚了，還在這裡幹什麼？」

「它太高了，我搆不到……」仰起滿是泥土的小臉，凱里怯生生地道。

茉伊拉支吾了一下，不知道該怎麼解釋賴加的謊言，只得溫柔地蹲下身，抬手抹去他臉上的泥土，「很想飛嗎？」

「嗯！」凱里小雞啄米似的點頭，表明自己的決心。

茉伊拉伸手抱起他，忽地展開雪白的翅膀，飛了起來。

花園越來越小，離天空越來越近，腳下的一切都變得遙遠，凱里一時反應不過來，呆住，過了好久，才歡呼起來。一個藍色的小精靈恰好貼面飛過，凱里興高采烈地跟它打了招呼，小精靈居然也笑著回頭望了他一眼。

「啊！我在飛！我在飛！」他驚奇地瞪大了眼睛，惟恐錯漏了一處風景，然後又遺憾起來，「可惜母親看不到，他們總以為我在說謊。」

「你一直能夠看到不一樣的東西嗎？」茉伊拉低頭，看著懷裡的小男孩。

「嗯。」凱里輕輕地應了一聲，伸手作飛翔狀，「可是誰也不相信我。」

「也許你的母親也是為你著想。」想起地面上的某個男子，茉伊拉脫口而出。

「為什麼？」

「這個世界有著一定的法則，你可以看到比一般人更多的風景，可是……異類是很難被接受的，也許會因此被同類排擠……」茉伊拉說著，低頭看了看懷中的小男孩，他正眨巴著眼睛，一臉困惑地看著她。她笑起來，摸了摸他的腦袋，「我們做個約定好不好？」

月色下，天使籠罩在淡淡的光輝之中微笑著，長長的金色鬈髮透著迷人的色澤。

「嗯？」凱里看著那雙溫柔的淺褐色眼眸，好奇地睜大眼睛。

「以後，不管看到什麼，都不要告訴別人，就當作我們之間的小祕密。」茉伊拉笑咪咪地抬手。凱里的守護天使一臉緊張地飛過來，惟恐凱里掉下去。

「嗯！」凱里也咯咯地笑了起來。

直到將睡熟的凱里送回房間，茉伊拉才回到花園裡。果然，某個撒謊騙小孩的傢伙還一動不動地站在那裡。

「撒謊是不對的。」茉伊拉曉之以理。

賴加轉身，淡淡地看著說教中的小天使，然後抬手指天，「我也要飛。」

「……」茉伊拉呆滯地看著幾乎比她高了一個頭的傢伙。

這幾年，他是完全長高了……

賴加大剌剌張開雙臂，等天使來抱。

……這算什麼？懲罰？撒嬌？

06 公主被劫

至於那一夜，茉伊拉到底有沒有抱著賴加大人飛起來，那就是一個謎了。只不過第二天的時候，賴加看起來神清氣爽，心情不錯。反觀茉伊拉……就有些萎靡不振了，一整天都快快地提不起精神來。

伊里亞德公爵對於賴加的教學方式也十分滿意，至少小凱里再也沒有整天嚷嚷著又看到小天使、小精靈滿天飛了。

「惡魔之子」被剿滅的消息傳到帝都。一個盲眼的年輕人，僅憑一己之力就解決了在西北一帶盤踞了五年之久的悍匪，簡直就是一則神話。

據說，連馬卡斯二世都對此表現出了濃厚的興趣。

六月剛過了幾天，公爵府來了一位嬌客。為了歡迎這位嬌客，費羅拉夫人一個月前就開始讓僕傭們修整花園，打掃客房。

「是誰要來啊？」八卦的天使趴在賴加肩上，看向拿著木劍一遍遍練習的小凱里。

「是公主表姐。」凱里揮著短短的小胳膊，刺出一劍，「哥哥一大早就穿得漂漂亮亮去門口等了。」

「公主？」茉伊拉眨了眨眼睛，「公主是什麼？」

「皇帝陛下的女兒呀。」凱里收回木劍，又刺出去。

「哦……」茉伊拉作恍然大悟狀。

正說著，管家艾維斯遠遠地走了過來，「賴加先生，公爵大人請您去書房。」

賴加撐著銀杖站起身，「什麼事？」

「公主殿下……被劫持了。」艾維斯一貫平和的臉上有著少見的嚴肅。

費羅拉夫人是馬卡斯二世的妹妹，公主殿下平素就和這個姑母極為親近。眼看酷暑將至，帝都氣候炎熱，公主殿下向父皇撒嬌，要來姑母這邊避暑。一向疼寵女兒的皇帝陛下自然是應允的，可是誰知道……竟然會在途中被劫持！

而且更為嚴重的是，早不劫晚不劫，竟在走進伊里亞德家族的封地之後才被劫持，這下事情才真的大條了。

「沒有看清對方有多少人，整個車隊一下子就消失不見了，居然就在我的眼前！」布萊茲焦躁地在書房裡走來走去，「父親，讓我帶人去吧！」

「少安毋躁。」伊里亞德公爵皺了皺眉。

「父親！克洛怡她一定很害怕……克洛怡她……」

「閉嘴。」有些頭痛地按了按額角，看著這個不成器的兒子，伊里亞德公爵感覺自己似乎一下子又老了幾歲。

「公爵大人，賴加先生來了。」艾維斯平和的聲音在門口響起。

「進來。」伊里亞德公爵看了一眼閉著眼睛的賴加，「情況都跟他說了嗎？」

「是。」艾維斯點頭。

「賴加，你要帶多少人？」狡猾的老公爵直接跳過他要不要去的問題。

「準備一輛馬車，讓貝克駕車就可以了。」賴加也沒有試圖多說，雖然他的身分是凱里少爺的老師，但是在當權者面前，哪裡容許他多說。

老公爵瞇了瞇眼睛，「好。」

「父親！你要讓他去？他連看都看不見……」布萊茲驚叫出聲，「你要把克洛怡的生命交到他手裡嗎？」

「閉嘴。」老公爵的頭又開始痛了。

「布萊茲少爺，要一起去嗎？」賴加忽然轉了個身，閉著眼睛對著布萊茲的方向，勾了勾唇角。

「當然！」布萊茲急切地點頭，「父親，讓我去吧！」

「公爵大人，我想我必須說明一下，我的任務是救公主，如果遭遇危險，我可能會顧不上大少爺。」賴加微笑著說。

「誰要你顧！你不要扯我後腿就很好了！」布萊茲氣得揮著拳頭，大叫出聲。

老公爵看了大兒子一眼，老公爵的眉頭打了一個結，揮了揮手，「去吧。」

布萊茲得了令，忙匆匆跑出去整合人馬。

「賴加——」老公爵忽然喊住正要抬腳出門的年輕男子。

賴加停下腳步，沒有回頭。

「我這個兒子心浮氣躁，成不了大器，這次出去磨煉一下也好，你……」他嘆了一口氣，「盡量帶他回來吧。」

握著銀杖的手收緊，賴加微笑著啟唇，「我盡量。」

「公爵大人，您真的……老了。

十九年前，您可以眼睛眨也不眨一下將自己新生的兒子關入「死亡之塔」。

九年前，您可以設計讓自己的兒子葬身火海，一計不成，還在我的心窩補上一箭。

而現在……您竟然懇求一個「外人」……

只為了那個您口中「難成大器」的兒子。

走出公爵府大門時，布萊茲已經集結了兩百騎士，正摩拳擦掌，整裝待發。

「主人。」貝克打開車門，恭敬地迎他上車。

「哈哈，你看他，居然坐馬車……」穿著鎧甲的騎士們忍不住取笑。

「算了。」布萊茲也皺了皺眉，然後振臂高呼，「敵人數目不明，目前僅可以肯定的是，他們劫持了公主往東逃走，我們一定要救出公主殿下！」

「是！」眾騎士大吼一聲，群情激昂。

貝克嘴巴裡叼了一根狗尾草，閒閒地靠在馬車上，笑嘻嘻地看著他們一副熱血沸騰的樣子。

「跟著他們。」馬車裡，賴加淡淡地道。

「是。」

於是，兩百名英姿颯爽的騎士後面跟了一輛華麗的大馬車，向東而行。

賴加從左手邊的櫃子裡掏出一瓶葡萄酒，又掏出一塊蓋了一層白花花糖花的蛋糕，「要嗎？」

看著那恐怖的糖花，茱伊拉立刻搖頭。賴加便自己倒了酒，就著甜膩膩的蛋糕，一口一口愜意地吃了起來。正吃著，忽然聽到外面傳來一聲慘叫，然後慘叫聲此起彼落，壯烈無比……

茉伊拉豎起耳朵，「賴加，前面有陷阱！」

「哦？」賴加咬了一口蛋糕，白花花的糖花沾在他的脣上，像是白鬍子的老公公。

「有陷阱啦！」茉伊拉抬手沒好氣地替他擦去脣邊的糖花。

賴加愜意地瞇了瞇眼睛，「不怕，貝克能應付。」

「可是那些人……」

賴加吞掉最後一口蛋糕，抬頭一仰脖子飲盡了銀杯中的葡萄酒，然後扔到一邊，「我救不了所有的人，每個人都有自己的宿命，那是妳的天父安排好的，妳要違背妳的天父嗎？」

茉伊拉困惑，這句話乍聽之下很有道理，可是為什麼再一想，又覺得怪怪的？

「主人，前面有一輛馬車。」貝克的聲音終於響起。

賴加終於開了車門，走下馬車。四周一片霧氣瀰漫，滿地都是殘肢，跟他們一起來的二百騎士已經剩下不到幾十人，個個眼神渙散，正在互相殘殺。

布萊茲舉著劍，他的劍上滿是血跡，已經殺紅了眼，「不要過來！你們都瘋了嗎！不要過來！」可是哪裡還有人肯聽他的命令？都舉著劍刺了過來。布萊茲的眼神也有些渙散開來，他揮舞著手中的劍，瘋狂砍殺。

「哦，是幻術。」賴加點點頭，對周圍的殘殺視若無睹，逕自拄著銀杖，走向一輛馬車。他好整以暇地抬手敲了敲車門，「有人在嗎？」隱隱一陣低低的啜泣聲從馬車裡傳了出來，賴加揚眉，「公主殿下？」

馬車裡一陣靜默。

「不要害怕，我是伊里亞德公爵府的人，奉命來找您。」賴加放輕了聲音，「我要開車門囉？」

車門忽然被打開，一個柔軟的軀體挾著一陣香風撲入賴加的懷中，瑟瑟發抖。

賴加揚眉，然後抬手撫了撫她的背，「沒事了。」

這位公主殿下不是別人，正是費羅拉夫人生日舞會的時候，將賴加帶進公爵府的克洛怡。

「大表哥？」聞到鼻端濃烈的血腥味，克洛怡驚恐地瞪大眼睛，看到滿地殘缺不全的屍首，還有血人一般瘋狂地砍殺著的布萊茲，「發生什麼事了？」

「他們中了幻術。」賴加淡淡解釋，然後又道，「劫持妳的人很可能還在附近，這裡很危險，快點離開這裡吧。」其實他心裡已經猜到是誰下的手，而且那個傢伙此時一定懊惱地躲在哪個地方發呆，不會再出現在這裡。

克洛怡點點頭，想要站起身，卻發現自己全身都軟綿綿的沒有力氣。想也是，她一個養尊處優的公主殿下，何曾見過這樣慘烈的場面。

「主人，我來背她吧。」貝克走上前。

克洛怡瑟縮了一下，往賴加懷裡縮了縮，有些不願意。

感覺到了她的抗拒，賴加沒有說什麼，抱起了她，走向馬車。

一旁，布萊茲還在瘋了一般地砍殺，因為他的武技比較強，所以一直撐到了最後。其實他的周圍已經沒有活人，他一直瘋狂地砍殺周圍的殘肢，濺起濃稠的血沫。

感覺到這邊的動靜，紅了眼睛的布萊茲撲了過來。

克洛怡驚叫一聲，抱緊了賴加的脖子，埋首在他懷裡，再不敢抬頭。

賴加不無諷刺地揚了揚唇。這個一心想要英雄救美的傢伙，卻在幻術下失去了心智，嚇著了他一心想要救的人。

不待茉伊拉出手，貝克已經提劍刺了過去。

賴加直接將公主送入自己的馬車，剛要放手，懷裡傳出克洛怡公主細如蚊蚋的聲音：「不要……傷了他……」

賴加冷冷看了她一眼，忽然改變了主意：「貝克，不要傷了他。」

回程的路上，馬車前面，貝克旁邊多了一個昏迷的男人。馬車裡面，賴加安靜地坐著，克洛怡公主彷彿受了極大的驚嚇，蒼白著臉蜷在他懷裡。

兩百騎士無一生還。

回到公爵府的時候，艾維斯早已帶了人等在大門口，看到賴加的馬車回來，忙迎上前親自打開車門。

克洛怡公主驚叫一聲，又往賴加懷裡縮了縮。

艾維斯皺眉，「發生什麼事了？」

「戰況比較慘烈，大少爺的騎士團死光了，公主殿下也受到了驚嚇。」一旁的貝克聳聳肩，替主人回稟，只是輕鬆的調調讓人一點也看不出「慘烈」。

「什麼？」艾維斯大驚，「大少爺呢？」

貝克努了努嘴，艾維斯便看到一個軟綿綿掛在馬車前面的血人。

「放心，還沒死，只是昏了過去。」賴加說著，抱著克洛怡公主下了馬車，「她受了驚嚇，請醫師來看看吧。」

一群人手忙腳亂之後，昏迷的布萊茲少爺被眾人抬了進去，克洛怡公主也被費羅拉夫人親自扶進了房間。

完成了任務的賴加到書房向伊里亞德公爵交了差，便回他自己的房間去了。

一進房間，果不其然便看到某個蹲在牆角畫圈圈的白色身影。

「是你劫了公主？」賴加坐下，瞥向蹲在牆角的白色身影。

「嗯。」某人十分坦白。

「你以為會是『東方曉』？」

「嗯。」某人的聲音有點悶。

「你從哪裡推論她可能是『東方曉』？」

「猜的。」

「……」賴加抬手撐著額頭，復又抬頭，笑咪咪地站起身，走到某人身邊蹲下，「有一種男人，看到女人就會撲上去，這種男人有個統稱，知道是什麼嗎？」

「什麼？」某人乖乖抬頭，好奇地看著他。

「花痴。」賴加笑咪咪地吐出兩個字。

「……」

「你醒醒吧，不是每個女人都有可能是『東方曉』。」賴加嘆息。

聞人霜站起身，拍了拍袍襬上的灰塵，「你幫我找東方曉，我借力量給你復仇，這是交易。」

賴加也站起身，神色複雜地看著他。

「不管是不是她，我看過才放心。」聞人霜說完，轉身消失在空氣中。

於是，所有的一切……都不過是我們九尾白狐聞人霜大人的手筆。

「賴加——」茉伊拉的聲音冷不防響起。

「嗯？」賴加回頭看她。

「我想明白了，不管他們宿命如何，你都不能見死不救！」茉伊拉嚴肅地看著他，道。

原來她一直在糾結賴加之前說的話呀……

「嗯，我記住了。」賴加也一臉嚴肅地點頭。

「嗯，乖——」茉伊拉摸了摸他的頭，完全忘記那兩百騎士早已經去見她的天父了……

07 神祕的祭司

賴加有很嚴重的潔癖，最明顯的表現為洗澡和洗手的頻率。到了夏天，更是發展到每天起床都會先洗澡。

裡間的水「嘩嘩」的響，茉伊拉百無聊賴地在門口打轉。

「茉伊拉，茉伊拉！」小凱里的聲音老遠老遠地傳了過來。

茉伊拉忙「呼啦」一下飛了過去，直接堵住他的嘴，「噓……不是約定過不要這樣的嗎？」

小凱里被她捂住了嘴，忙不迭地點頭，茉伊拉這才放手。小凱里鬼鬼祟祟地東張西望一番，然後壓低了聲音：「沒事啦，我來之前有看過，旁邊沒有人。」

剛說完「旁邊沒有人」，便聽到「啪啦」一聲脆響，茉伊拉和凱里同時緊張地抬頭，看向聲音的來處……

對面的桫欏樹下，站著一個披著白色斗篷的男子，他手裡捏著一枝白色的薔薇，此時正低著頭仔細地除去薔薇梗上的刺，長長的頭髮細細密密地垂下來，是冷色調的深紫色，又彷彿有些偏黛色，在陽光下乍一看，竟如活的一般泛著淺淺的流光。

直到除下最後一根刺，他才抬起頭。

那是一張異常漂亮的臉孔，漂亮得有些魔魅，有些不真實。

在他抬起頭的那一刻，茉伊拉莫名地怔了一下，感覺他的視線竟然盯在自己的臉上。隨即又擺了擺手暗自否定，拜託，怎麼可能，他應該是看不見她的才對。最近自己是怎麼了，之前覺得那個奇怪的管家好像能看到她，現在又覺得眼前這個男子彷彿能看到她……雖然凱里是真的能夠看到她沒錯，但也不代表能看到她的人如此之多呀！

自我鬥爭結束，努力說服了自己的茉伊拉抖了抖翅膀，正準備離開，卻被一朵伸到她面前的白色薔薇徹徹底底地嚇到了。

不可否認，薔薇很漂亮。

大概是因為剛從枝上摘下，白色的花瓣上還滾動著晶瑩的露珠，嬌豔欲滴。

執著薔薇的手也很漂亮，彷彿是上好的玉石雕成一般，不帶一點瑕疵。她記得賴加的手也很漂亮，只是因長年握劍的關係，在掌心處不易察覺的地方，總是帶著一層薄薄的繭。

啊啊……這些都不是重點！

重點是，這個漂亮得詭異的男人此時正執著一朵白色薔薇花，單膝著地，半跪在她面前，仰著精緻如畫的臉龐，微笑著看著她！

他的眼睛是淺紫色的，此時，那雙淺紫的眼睛裡帶著滿滿的溫柔……

啊啊……這也不是重點！

重點是，重點是……他真的真的能夠看到她！

「你……能看到我？」呆呆地接過已經被除去尖刺的白色薔薇花，茉伊拉因為受不了這打擊，呆呆地尋求答案。

回答她的，是輕輕一吻。

他執起她的手，低頭在她的手背上印上一吻。他的嘴唇很涼，帶著晨霧的清新，他的吻很輕，帶著某種虔誠的意味。

茉伊拉仍然處在呆滯的狀態中。

「你也能看到她！你也能看到茉伊拉！」站在一旁的小凱里只是愣了一下下，然後就興奮地嚷嚷起來，一臉見到知己的表情，「吶吶，你真的能夠看到她對不對？」

他微微側頭，輕笑了一下，抬起食指放在漂亮的脣上，做了一個噤聲的動作。然後小凱里乖乖地安靜了下來。

「祭司大人，祭司大人……」遠遠的，有人在喊。

穿著白色斗篷的男人站起身，依依不捨地看了仍在呆滯中的茉伊拉一眼，轉身離開，經過小凱里身邊的時候，他的脣微微動了一動，吐出兩個字：「祕密。」

小凱里眼睛一亮，大力點頭：「嗯！祕密！」

能看到茉伊拉，是他們的祕密。

沒有去管那達成共識的一大一小，茉伊拉機械地轉身，仍處在巨大的打擊中回不過神來……現在能看到天使的眼睛已經如此地不值錢了嗎……為什麼隨便出來一個人類都可以看到她啊啊啊……

「妳……妳進來幹什麼？」一個驚訝的聲音響起。

茉伊拉慢吞吞地走進房間，不管某個正光著膀子，縮著肩膀往水裡沉的傢伙，然後忽閃著大眼睛，開始憂慮。

「茉伊拉！」賴加揚高了聲音。

「嗯……」茉伊拉有氣無力懶洋洋地哼了一聲算作回答。

「妳進來幹什麼？我在洗澡！」某個差點被看光的男人開始發飆。

「怕什麼，我又不是沒看過。」嘟了嘟嘴，茉伊拉毫不在意地嘟囔，「我還看過你尿床呢。」

尿……尿……尿床？

賴加不敢置信地瞪著她，一臉深受打擊的樣子。

「唔，怎麼了？」茉伊拉摸了摸下巴，「根據我和凱里守護天使交流的心得，人類小孩尿床很正常啊。」

「……」賴加閉了閉眼睛，告訴自己要鎮定。沒錯，人類小孩尿床很正常，很正常，很正常……

自我催眠了N遍，某個男人還是發飆了：「可是我現在已經快要二十歲了！」

「嗯，這麼說來，你的確很久沒有尿床了……」被大嗓門嚇到的茉伊拉從桌子上掉了下來，眨巴著大眼睛，忙道。

額角的青筋跳了又跳，他從牙縫裡擠出一點聲音：「這個我當然知道，我的意思是，一個長大的正常的人類男人，被一個女孩子盯著洗澡，會、很、不、自、在！」

長大的、正常的、人類男人。

他強調得很充分，這實在不能怪他……任憑哪個男主角被女主角說看到他尿床都會有想發飆的衝動的……

「唔？」茉伊拉眨巴著純潔的大眼睛，萬分地無辜。

坐在浴桶裡，賴加抬手按著額頭，感覺腦袋一抽一抽地發疼。

「啊！我知道了！」茉伊拉忽然一拍手，作恍然大悟狀。

賴加長長地、深深地吁了一口氣。

「你在害羞！」茉伊拉飛身上前，湊近了他，觀察他一貫蒼白的臉頰上泛著微微的粉紅色，「哈哈，你在害羞，啊呀……好可愛呀！」

賴加一下子被吁出的氣嗆住了。

見賴加坐在水裡咳得昏天暗地的樣子，茉伊拉忙傾身趴在木桶邊，伸出手去幫他拍背。她的手輕輕拍著他的背，一下一下。賴加僵坐在水裡，只感覺這木桶裡的水越來越燙，彷彿快要煮沸了，那隻小小的手哪裡是在幫他拍背呀，那分明是在搔他的心！

「茉伊拉……」他咬牙。

「嗯？這樣有沒有好點？」手上沒停，茉伊拉回頭衝他露出一個大大的笑臉，還忽閃著大眼睛問。

「……」賴加簡直要無語凝噎了，對著那樣一雙明亮的眼睛，倘若他有任何齷齪的念頭，那便是褻瀆。這個世界上就是有那麼一種人，可以天真無邪到讓人牙癢癢的地步。

正當賴加狼狽不堪進退不得的時候，牆角處冷不防「噗哧」一下，傳出一個看樣子已經憋了很久的笑聲。

「出來！」磨了磨牙，賴加瞪向空空如也的牆角。

只見原本空蕩蕩的牆角隱隱出現一隻九尾白狐，牠蜷在牆角，仰著毛茸茸的腦袋大剌剌地打了個哈欠，然後又將下巴搭在地上，動了動尖尖的耳朵，懶洋洋地道：「不要罵人，我本來就在這裡睡覺，是你們吵醒我的。」

「你是人嗎？」被氣瘋了的賴加冷哼。

「唔，狐狸也是不能罵的。」甩了甩尾巴，某隻狐狸堅決捍衛自己的尊嚴，然後瞇了瞇眼睛，「你確定要光著身子跟我討論這個問題嗎？」

「……」賴加咬牙，「茉伊拉，妳先出去。」

「為什麼呀？牠也在這裡，為什麼只叫我出去？」茉伊拉不幹了，憤憤地指著某隻明顯在看好戲的大狐狸。

「因為我是公的。」狐狸笑咪咪地回答。

「……你們，都出去！」快被逼瘋的某人終於發飆了。

於是，茉伊拉和大狐狸一起被趕出了房間。

「真是作孽喲——」大狐狸搖頭晃腦，慢悠悠地晃出房間。

「他為什麼這麼生氣呀？」茉伊拉皺著鼻子仍然想不通。

「因為他在害羞。」大狐狸回答。

「是吧是吧，你也這樣覺得吧！」茉伊拉一臉找到知音的表情。

「嗯，說起來六月不是發情期吧……」某隻狐狸仰著毛茸茸的腦袋，深沉地思考，「人類的話，也到了交配的年紀了。」

「哦，原來是這樣啊。」茉伊拉作恍然大悟狀，然後又疑惑，「交配？」

賴加呆呆地坐在木桶裡，石化……

「就是……」某隻大狐狸賊兮兮地動了動耳朵，湊近了茉伊拉，「先這樣，然後這樣……然後#@#$#@＊&@——」

「聞人霜，你敢亂講！」可憐的賴加終於暴走了。

賴加生氣了，後果很嚴重。於是可憐的茉伊拉徹底被無視了，無論她怎麼在他面前晃蕩，他都視而不見。

「賴加……」拖長了聲音，茉伊拉無限委屈。

某個閉著眼睛裝瞎子的人連哼都沒有哼一聲。

「以後你洗澡的時候，我再也不進屋子了，好不好？」茉伊拉扯了扯他的衣袖。

某人哼了一聲。

「上廁所的時候，我也會自動迴避哦！」茉伊拉繼續說。

某人繼續哼。

「交配的時候，我也……」

「茉伊拉！」賴加忍不住睜開眼睛，磨著牙，恨不得捏住她的脖子搖晃一下，看她腦袋裡都裝了些什麼。

「嗯？」茱伊拉眨了眨水盈盈的眼睛。

賴加幾乎一下子就洩氣了，簡直有些哭笑不得，「以後妳離聞人霜那隻老狐狸遠一點，不要再讓他給妳灌輸什麼奇奇怪怪的念頭。」

「好。」茱伊拉乖乖點頭。

賴加狐疑地看著她，她怎麼忽然變這麼好說話了？

茱伊拉一臉溫柔地摸了摸賴加的腦袋，「因為小霜說你正處在人類都會經歷的叛逆青春期，有著特別的青春期煩惱和焦慮，別害怕，你正在長大。」茱伊拉可以看透人心，所以她在第一時間看出了賴加的疑惑。

「……」賴加忽然有捏死那隻不務正業的老狐狸的衝動。

正窩在某蔭涼處打盹的九尾白狐忽然打了個噴嚏，然後甩了甩尾巴，繼續入眠。

夏日的午後，陽光透過樹葉打在牠白色的皮毛上，漂亮得彷彿一場幻境。如果狐狸也會做夢，那麼聞人霜的夢裡，一定有某個紅袍少女的存在。

一番插科打諢之後，茱伊拉顯然忘記了一件極重要的事情，比如……某個能夠看到她的神祕人物。

傍晚的時候，凱里已經很沒耐心地丟下他的書本，開始試圖爬上樹去掏鳥窩。而某個極沒責任心的老師也睜一隻眼閉一隻眼，隨他折騰。

趴在樹下打瞌睡的九尾白狐忽然動了動耳朵，昂起頭來，然後站起來，轉過身輕輕一個跳躍，便消失了。

與此同時，茉伊拉聽到了腳步聲，賴加顯然也聽到了。大約是因為九年前那一場火災的緣故，賴加現在住的這個地方十分僻靜，除了上回費羅拉夫人來詢問小凱里的事情，平時是少有人來的。

當然，賴加還不知道茉伊拉見過那個奇怪男子。

看著那兩個人走近，茉伊拉稍稍變了臉色，一個是克洛怡，另一個……竟是那個可以看到她的奇怪男子！感覺到他的視線已經掃了過來，茉伊拉縮了縮身子，躲到了賴加的身後。

「賴加先生。」克洛怡走到賴加面前。

「公主殿下。」聽到熟悉的聲音，賴加後退一步，左手按在胸前，欠了欠身子。

克洛怡忙提起裙襬，稍稍屈膝，點頭還禮，隨即意識到他的眼睛看不見，不禁有些懊惱，咬了咬脣才道：「謝謝你救了我。」

「這是在下的榮幸。」閉著眼睛，賴加微笑，「聽聞公主殿下受了驚嚇，已經沒事了嗎？」

「嗯，多虧了納斯加。」克洛怡笑著道。

聽到這個名字的時候，躲在賴加身後的茉伊拉愣了一下，下意識抬頭，然後便撞入一雙淺紫色的眼瞳之中。

「納斯加是神教的祭司，姑母特意請來看我的，他的治癒術十分神奇。」克洛怡解釋，「大表哥現在也沒事了。」

茉伊拉還在盯著那雙淺紫色的眼睛發怔，覺得他有點面熟。

「很高興見到你。」納斯加緩緩開口，他的眼睛卻是看著茉伊拉的，待茉伊拉躲回賴加身後，他才淡淡地瞥了賴加一眼。

似乎是感覺到了對方不善的視線，賴加笑了一下，欠了欠身子，「請原諒我無法『見』到你。」

「真遺憾。」納斯加淡淡地道。

「納斯加說他要來看看傳說中的英雄。」眼看著氣氛有些僵了，克洛怡打圓場。

頭頂忽然撲簌簌一陣響動，在樹上待了太久的凱里終於堅持不住，大叫著掉了下來。賴加微微皺眉，循著聲音後退一步，將掉下樹的凱里接了個正著。

眼看已經化險為夷，凱里忽然掙扎了一下。賴加因為閉著眼睛而毫無方向感，當下一個重心不穩，整個人便斜斜地倒向一旁削得尖尖的籬笆。

千鈞一髮間，茉伊拉飛過去拖住他，將他拉離了危險區域。

「凱里！你在樹上幹什麼！」克洛怡嚇了一跳，聲音也尖利起來。

大概是剛剛掉下樹的時候受了驚，凱里怯怯地低頭，不敢多言。

「凱里少爺只是調皮了一些。」一直站在一旁的納斯加微笑著開口。

茉伊拉回頭望向那一排尖尖的籬笆，心有餘悸，不敢想像剛剛賴加如果倒在那片籬笆上會是怎麼樣的景象。

「茉伊拉，茉伊拉……」

賴加的聲音在耳邊響起，茉伊拉茫茫然抬頭，才發現那個叫納斯加的祭司和克洛怡公主都已經離開了，連凱里也不在了。

「我沒事。」賴加似乎是感覺到了她的異常。

「那個祭司……他能看到我。」茉伊拉惴惴不安，「你要小心他。」

賴加點點頭，想起了在古堡的時候，那個死在他手中的男人，還有那隻惡靈。他記得當時那個男人說，是奉了祭司大人的命令來殺他的。

自此之後，住在公爵府的克洛怡公主經常來找賴加，人人都說這個盲眼的年輕人得到了公主殿下的青睞，要交好運了。

脫了鑲著珍珠的鞋子，克洛怡公主坐在水池邊的草地上，偷偷看著教凱里劍術的賴加。

「她在偷看你。」茉伊拉湊到賴加耳邊，嘰嘰咕咕。

「抬手，再高一點。」賴加充耳未聞，摸索著凱里的小手教他拿劍。

夏日的微風拂過他柔軟的短髮，因為握著凱里的手揮劍，他額前的髮有一絲凌亂，但卻襯得他的五官越發俊美，依然蒼白的臉頰上連一滴汗都沒有。

「她臉紅了喲——」八卦的小天使繼續嘰嘰咕咕。

「往前刺，收回，再刺。」賴加全當沒聽見，刺出的劍乾淨俐落，帥氣無敵。

小天使悻悻地飛到樹枝上坐下，樹幹上趴著一隻隱了身的九尾狐狸。

「她看上妳的小賴加了。」某狐狸下結論。

「真的嗎真的嗎？」某天使興奮，「那麼就會交配了對不對？」

賴加腳下一滑，摔了個四腳朝天。

坐在樹枝上的茉伊拉怔了怔，然後「噗哧」一下，趴在樹幹上笑得兩隻翅膀直拍。

「賴加先生？沒事吧？」克洛怡光著腳站起身，跑了過來。賴加有些狼狽地坐在地上，一頭的黑線。

隱了身的九尾狐狸懶洋洋地斜睨了一眼某個笑得直打顫的小天使，然後拿尾巴掃了掃她。茉伊拉抬頭，順著聞人霜的視線看向對面的走廊。白色大理石的廊柱旁邊站著一個頎長的身影，深紫色的長髮隨風微擺，他似乎並不避諱茉伊拉的注視，只是站在原地，深深地望著她。是那個神祕的祭司！

「妳認識他？」九尾白狐有些打趣地看了茉伊拉一眼。

茉伊拉一臉困惑地搖頭。

「賴加先生，你的手被劃傷了！」克洛怡驚呼著，用絲絹壓在他的手上。

聽到賴加受傷，茉伊拉忙從樹上飛了下來，便見殷紅的血迅速染透了白色的絲絹，無奈克洛怡跪坐在他身邊，茉伊拉只能站在一邊乾著急。

「我沒事。」用沒受傷的一隻手撐著地，賴加站起身，「凱里怎麼樣了？」

「啊！凱里！」克洛怡彷彿這才想起也坐在地上的凱里，忙鬆開賴加去扶他。

茉伊拉趁機上前，小心翼翼地執起賴加的手看了看，還好傷口不深。賴加輕哼一聲，甩開了她的手。

「不要任性！」鼓了鼓腮幫子，茉伊拉又奪過他的手，將自己的手覆在他的傷口上。

凱里好像被撞疼了，眼眶紅紅的，兩眼含著眼淚，克洛怡哄了哄他，回頭看了一眼掉在地上的絲絹，默默地撿了起來。

08 兵臨城下

燭火輕輕地搖曳著，茉伊拉坐在窗邊，仰頭望著漆黑天幕上那一輪圓圓的月亮，不知道魯那是否有好好看守著第五重天，不知道沙利葉大人怎麼樣了，不知道那頭逃走的妖獸怎麼樣了……

隔著星空萬里，天界離她很遠。

已經很久不曾想起天界了，對於人界的一切，她似乎越來越習慣。賴加側身躺在床上睡得很沉，九尾白狐蜷在地毯上也是一副已經入夢的模樣，茉伊拉沒有察覺自己的嘴角已經掛上了一絲微笑。

從來沒有想過有一天，她會和人類、魔族安然共處一室。

「火……」低低的夢囈在室內響起。

茉伊拉回頭，便看到賴加緊閉著雙眼，緊緊蜷成一團，彷彿又重臨了某個可怕的噩夢。她坐到床邊，伸手輕輕撫上他的額頭，再一次平息了他的噩夢。

「他從來都沒有放棄報仇，是不是？」茉伊拉低嘆。

「顯然。」某隻狐狸閉著眼睛答，然後忽然動了動耳朵，「也許……有些事情，並不是他想放棄就可以放棄的。」

茉伊拉感覺到話中有話，警惕地抬頭，便見窗外已經燃起了大火。

「賴加，賴加！」茉伊拉慌忙推醒他，「小霜你快來幫忙！」喊了幾聲都不見那隻狐狸應聲，一回頭，哪裡還有那隻狐狸的影子。

賴加一睜開眼睛，便聞到滿室的煙火氣息，看到滿目的火舌肆虐，噩夢變成了現實，童年的恐慌感漫無邊際地湧來，讓他連站起身的力量都沒有。

「賴加！賴加快站起來！」茉伊拉握緊他的手，將他往外拉，火舌捲上了她的翅膀，微微燒焦了一塊，她忙抬手撐起結界。

感覺到手上柔軟溫暖的觸感，賴加猛地回過神來，銀灰色的眼睛一瞬間變得凜冽起來。他抬手打翻架子上的銀盆，揚起吸了水的被子一把裹住茉伊拉，護在懷中，大步衝出了火海。

茉伊拉呆呆地看著火光中變得堅毅的臉龐，一時反應不過來。

「嘖嘖。」一個笑嘻嘻的聲音。

茉伊拉一下子回過神，便發現自己已經身在火海之外，安然無恙，回頭看看賴加，雖然樣子有些狼狽，但也沒有受傷。

「妳沒事吧？」賴加低頭看她。

「……」茉伊拉瞪他。

「怎麼了？」賴加摸摸她的翅膀，「這裡還疼嗎？」

「……」繼續瞪。

「安啦，你只是傷害到我們小天使的尊嚴了。」某隻狐狸笑咪咪地插嘴。

「呃？」賴加茫然。

「嘖嘖，身為守護天使，居然被自己守護的人類給救了，多麼沒面子呀。」某隻狐狸搖頭嘆息。

「哼。」茉伊拉回頭瞪向某隻惟恐天下不亂的大狐狸，「你倒是跑得夠快呀。」

「那當然。」某隻狐狸大言不慚，「我對當一隻烤狐狸沒什麼興趣。」

茉伊拉氣呼呼地撲上前，捏住一對毛茸茸的狐狸耳朵再不放手，惹得某隻狐狸齜牙咧嘴地揚言要吃了她當宵夜。

夜色中，凶猛的火舌吞噬著一切可燃之物，以極其恐怖的速度蔓延開來，卻在水池邊止步，再也無法延伸半分。府裡的僕傭已經拎了水來救火，四周很快地鬧成一片，賴加卻是閉著雙眼，始終安靜地站在火光之外。被一陣陣熱浪逼出的汗水緩緩滑下，經過眼角，從下巴滑落，如同眼淚一般。

風捲著烏雲，擋住月亮的光華，天地間一片伸手不見五指的黑，只有那一團火，仍在熊熊地燃燒。

捏著狐狸耳朵的茉伊拉忽然感覺到有什麼在黑暗中窺視著她，側過頭，便看到對面的桫欏樹下，一抹白色的衣襬隨風揚起，然後迅速地隱入黑暗。

她鬆開手，張開翅膀便追了過去。那一道白色的影子行走極快，幾近飄移的速度，絕不像一個人類可以做到的。

茉伊拉跟著那道白色的影子，一直追入花園的深處，影子忽然停了下來。

明明四周是一片黑暗，可是那一道白色的身影彷彿置身於光圈之中，纖毫畢現。

「你可以看見我。」茉伊拉開口，用一種不容置疑的口吻，帶了些許的嚴厲，「你是誰？」

那白色的身影緩緩轉過身來，夜風揚起他深紫色的長髮，帶著魔魅的美豔。

是那個神祕的祭司！

「果然是你。」茉伊拉後退一步。

「妳記得我？」他上前一步，淺紫色的眼睛裡盛滿了欣喜。

茉伊拉想了想，有些不確定地說：「納斯加？」

「妳記得！」那欣喜的神色更盛。

「克洛怡公主說過。」茉伊拉兜頭澆了他一盆冷水。

他愣了一下，低低地垂下頭，似乎被打擊到了。

「剛剛的火是不是因為你？」想起剛剛的險境，茉伊拉正色問他。

他忽然抬起頭來，定定地看了茉伊拉半晌。看得茉伊拉毛骨悚然的時候，他淺紫色的眼睛裡又染了笑意，「對了，那個時候我的樣子和現在有些不同，妳認不出來也很正常呀。」

「……你有沒有聽我在說什麼？」

「嗯，那個時候我還那麼小，現在我這麼高大威猛，認不出來也很正常呀。」他兀自點點頭，覺得自己很有道理。

高大威猛……這是什麼爛詞。

「你為什麼一直跟著我？」茉伊拉決定換個問題。

「吶吶，妳還記得嗎？那顆蛋，那顆蛋呀！」他大步走到她面前，雙手微托，比了一個蛋的形狀。

「啊喂，你真的有聽我在說什麼嗎？」茉伊拉無力地撫額，感覺到了雞同鴨講的悲哀。

等等，那個……蛋？

茉伊拉一臉吃驚地抬起頭，上上下下打量了他一番。

華麗的一尊美男子正站在她面前，瞪大淺紫色的眼睛，任君觀賞。如果細看的話，還能從那雙漂亮的淺紫色眼睛中看出那麼一點點的緊張。

「你該不會是……」茉伊拉好不容易合攏了嘴巴。

「嗯嗯，我就是！」不待她說完，他立刻抬起玉雕一樣漂亮的手指著自己，興奮地點頭，「我就是那顆蛋！」

果然……那個時候的樣子和現在有些不同……

啊喂！哪裡是有些啊！分明是很不同，很不同啊！

瞧她孵出了一個什麼呀……

「可是……你怎麼會在這裡？」茉伊拉找回了問題的重點。

「我來接妳呀。」他微笑著看她。

「不要鬧了，我在工作。」茉伊拉擺擺手，打發小孩子一樣打發他。

「不工作……不行嗎……」淺紫色的眼睛蒙了一層薄薄的霧意。

「當然！」茉伊拉斬釘截鐵地回答。

「聽說，守護天使的工作是一直到守護的人類死亡為止？」他忽然輕聲道。

「嗯，大天使長也是這麼跟我說的。」茉伊拉不疑有他，點點頭，然後以一個長輩的姿態拍了拍他的肩，「我不能離開賴加身邊太久，這一次的火就不追究你了，下次要注意哦，不要隨便玩火。」

說完，她抖了抖翅膀，準備離開。

「等一下。」他按住她。

「嗯？」

他垂下眼簾，「妳受傷了。」

茉伊拉側頭看了看自己翅膀上一點焦黑，「哦，被火燙到了……」

納斯加抬起手，極輕柔地撫過她的翅膀，傷痕立刻消失不見。

「謝謝。」茉伊拉消失在原地。

「到……死亡為止嗎？」納斯加站在原地，淡淡地重複，淺紫色的眼睛在黑夜中閃過冷冽的光。

一如某種令人恐懼的冰冷生物。

茉伊拉回到賴加身邊的時候，他仍閉著眼睛站在原地，連姿勢都沒有變過，彷彿周邊的一切喧鬧都不過是布景。

被雲層遮蔽的月亮不透一絲光，不知道什麼時候開始下雨，伴隨著轟隆隆的雷聲，雨滴越來越大。拎著水桶的僕傭們紛紛回房避雨，只有賴加仍是站在原地，面對著一地狼籍。大雨澆熄了殘餘的火苗，閃電如利劍一樣劈開天空，又歸於寂靜。

「賴加，賴加，下雨了。」茉伊拉輕輕推他。

他不動。

被雨淋溼的頭髮滴著水，模糊了他的表情。

「不是公爵，也不是公爵夫人，這場火與他們無關。」感覺到他徹骨的悲傷和仇恨，茉伊拉急急地解釋。

賴加忽然笑了一下，「別擔心，我只是被大火嚇著了。」

驚訝於他的笑容，茉伊拉一時回不過神來。

「走吧，我需要換一下衣服，然後可能要麻煩管家先生重新分配一個房間給我。」賴加轉身離開那堆廢墟，淡淡地拋下一句，「這裡果然不祥。」

茉伊拉一時竟然分辨不清他心中的真意，只能跟著他。

公爵大人並沒有對這場大火表示過多的關注，只吩咐管家艾維斯安排一個新房間給賴加。

賴加仍然每日替凱里上課，彷彿一切都沒有改變，只是茉伊拉總覺得有哪裡變得不一樣了。

尤其是……最近看不到那隻狐狸懶洋洋地在她眼皮底下晃悠了。

賴加和克洛怡走得很近的消息整個公爵府都傳遍了，當然也傳到了某個英雄當不成，還差點當了狗熊的人耳裡。他不是別人，正是公爵的大兒子布萊茲。

自從傷癒後再也沒有踏出房間一步的布萊茲遣人送來了決鬥的劍。

管家艾維斯踏進賴加房間的時候，看到賴加正閉著眼睛坐在雕花的高背長靠椅上，一手隨意擱在描了金線的扶手上，一手輕輕撫摩著手中的劍，修長蒼白的指尖從泛著寒光的劍身上慢悠悠地劃過，形成強烈的視覺衝擊。

看到他脣邊掛著的那一絲令人心驚膽戰的笑意，艾維斯暗自嘆了一口氣，不管賴加是否能夠看見，他還是彎下腰行了禮，「賴加先生。」

正劃過劍身的手頓住，賴加微微抬頭。

「公爵大人遣我來收回您手中的劍。」艾維斯表明了來意。

「哦？」賴加不輕不重地應了一聲。

「公爵大人請您原諒布萊茲少爺的無禮，還有……公爵大人說十分感謝您能夠將少爺安全帶回。」艾維斯低下頭，心裡有一絲無奈。那一次舞會上賴加決鬥時殺人的景象再一次浮現於眼前，他心裡無比清楚眼前這個看似單薄無害的盲眼男子是個怎麼樣的人，他絕對可以微笑著殺人於劍下，而布萊茲少爺此舉無異於自尋死路。顯然老公爵很明白這一點，才會派他來求情。

賴加聞言，靜默半晌。

就在艾維斯以為他不會答應時，賴加竟然點點頭，隨手將劍交給站在一旁的貝克，貝克恭敬地接過，然後上前交到艾維斯的手裡。

一直到艾維斯離開，賴加才站起身，面上卻始終沒有什麼表情。

據說布萊茲為此找老公爵大鬧了一場，最後老公爵一怒之下，將他關進了死亡之塔。

「雖然大表哥是胡鬧了一些，可是也不至於……」克洛怡跟賴加說起此事，顯得十分地不贊同。

「嗯？」

賴加居然笑了一下，「聽說那是一個十分可怕的地方，布萊茲少爺一直養尊處優，怕是會不習慣的，不如……」

「我們去看看他？」賴加側過頭，朝向克洛怡的方向，「布萊茲少爺和我有一些心結，在下為此心中十分不安呢。」

雖然他是閉著眼睛的，可是克洛怡還是下意識地紅了臉，甚至沒有聽清楚他在說什麼。

「公主殿下？」賴加疑惑。

「嗯，嗯，是的……」克洛怡忙點頭。

有克洛怡公主這張通行證，一路暢通無阻。

「母親！妳不要勸我了！」剛到門口，便聽到布萊茲的怒吼聲。

賴加一下子停了腳步，站在門口不動了。

「向你父親認個錯吧，你是何等尊貴的身分，怎麼如此糊塗地與一個瞎眼睛的平民爭風吃醋？」費羅拉夫人溫柔的勸說聲從裡面傳了出來，「克洛怡是公主之尊，怎麼會真的與一個連身分都不明確的平民交往？」

「妳根本不知道！」隨著布萊茲的聲音，「啪」的一聲脆響，似乎是他摔碎了什麼東西。

「好了好了，我知道你喜歡克洛怡，只要我跟哥哥說說，你要娶她又有什麼難的。」

「真的？」布萊茲似乎安靜了下來。

站在門口的克洛怡又羞又氣，忍不住側頭去看賴加。賴加拄著他的銀杖，面無表情地站在門口，然後忽然轉身，拄著銀杖離開。

「賴加！」克洛怡忙追了過去，扶住他。

賴加抿了抿唇，沒有說什麼，卻也沒有甩開她。

握著他微涼的手，克洛怡臉上沁出了紅暈。從小生活在宮廷之中的公主殿下第一次遇到這樣奇特的男子，他可以拄著那根銀杖優雅地出現在舞會上，以絕世的姿容俘獲所有人的目光；他可以鎮定自若地面對一切危險，將她從恐怖的劫匪手中救出，如入無人之境；他可以不畏強權，在決鬥中刺死侮辱他姓名的貴族。這樣一個強大到匪夷所思的男子，卻連走路……都需要她的幫助，否則便寸步難行。

「賴加……」克洛怡握緊了他的手。

「嗯？」賴加微微側頭。

「我……我不喜歡他。」克洛怡咬咬脣，聲音細如蚊蚋。

賴加聞言，笑了起來，「我知道。」

賴加不知道，他笑起來的時候有多好看。

只是事情的發展出乎所有人的預料，費羅拉還沒來得及向馬卡斯二世提親，帝國遠征軍便已經兵臨城下了。

帶兵的正是伊里亞德家族的死對頭，尤金伯爵的長子亞爾曼。

七月底，神教的祭祀日，在伊里亞德封地的民眾盡情狂歡的時候，傳來了戰爭的氣息。

馬卡斯二世對伊里亞德家族的不滿由來已久，但是老公爵怎麼也沒有料到一切來得這麼快，快到令他措手不及。

當其時，伊里亞德家族的兩員猛將巴克將軍和拜德爾將軍均死於「惡魔之子」的刺殺，長子布萊茲不成氣候，幼子凱里尚未長成，由誰帶兵迎戰，成了公爵大人最頭痛的問題。

這一日，凱里來上課的時候，拎了一柄真劍來，說是父親送給他的禮物。

「老師，他們說公主表姐被軟禁起來了，什麼是軟禁呀？」凱里一邊練劍，一邊皺著眉頭問。

「被關起來了。」賴加摘了一粒葡萄丟進嘴巴裡，隨口解釋。

「啊？」凱里愣一下，手中的劍掉在地上，差點砍了自己的腳，好在他的守護天使撲過去拉開了他。

「皇帝和你父親開打，你的公主表姐自然成了最好的人質。」賴加淡淡地撇過頭，「發什麼愣，繼續練劍。」

凱里摸摸腦袋，彎腰撿起劍來繼續練。

賴加卻又笑了一下，「公爵大人現在怕是巴不得你一日長成大人呢。」說著，抬起手。

茉伊拉自動自發地湊過去，張嘴接住已經去了皮的葡萄。

「狐狸……」凱里手裡的劍又掉了下來。

茉伊拉愣了一下，順著凱里的視線回過頭，果然看到一隻毛茸茸的大狐狸正瞇縫著眼睛笑。

正是許久不見的聞人霜。

茉伊拉左右看看，忽然明白了什麼，驚疑不定地看向賴加。

凱里剛離開，她便迫不及待地飛到賴加面前，「是你？」

賴加笑盈盈地看她一眼，「什麼？」

「不要裝傻了！是你讓小霜去帝都做了什麼，所以皇帝才會派兵來是不是？」

賴加沒有否認，低頭又剝了一粒葡萄，「馬卡斯二世對伊里亞德早就心存忌憚，戰爭是早晚的事情，我只是把戰爭提前了一些而已。」

伊里亞德家族擁兵自重，早就讓馬卡斯二世心生不滿，他只是讓聞人霜去帝都當了一回說客，順便將克洛怡公主被劫的事情傳入尤金家族的耳朵，尤金家族怎麼可能放棄這麼好的機會。

不知道他們是怎麼在皇帝面前造謠的，總之，馬卡斯二世心底最後一根弦被壓斷了。

茉伊拉張嘴接過葡萄，鼓著腮幫子，還不忘說教：「克洛怡公主那麼信任你，你怎麼能陷她於危險！」

賴加嗤笑。

09 不敗的賴加

茉伊拉生氣了，她一向不贊成賴加復仇，更何況如今他為了報仇竟然置無辜的人於險境。坐在高高的桫欏樹上，她生平第一次怠忽職守，沒有跟在賴加身邊。

黑雲壓城，天氣又悶又熱，一場暴風雨即將來臨。

第二天，凱里沒有來上課。大戰在即，人心惶惶之下，授課的確不是重要的事情。

就在兵臨城下、伊里亞德封地人人自危的時候，賴加正悠閒地躺在床上，閉目養神。

柔軟的黑色短髮覆在額上，薄唇微抿著，因為閉著眼睛的關係，長長的眼睫毛密密地蓋著，讓人忍不住想窺探那濃密的眼睫毛下究竟藏著一雙怎麼樣的眼睛……

一隻戴著黑色手套的手緩緩伸向躺在床上的男子，就在快要觸及他的時候，那個似乎美夢正酣的男子冷不防伸出手，捏住了那隻手腕，兩指不偏不倚地扣住他的命門。

「是我，賴加先生，公爵大人請您去書房。」一個不慌不忙的聲音淡淡響起，是管家艾維斯。

「抱歉，我不習慣睡覺的時候有人靠我太近。」賴加淡淡地道，「你知道，瞎子總是很沒安全感。」

「下次我會注意。」

賴加鬆開手，閉著眼睛摸索著坐起身，一旁立刻有僕傭上前扶住他，替他更衣。

沉默著在僕傭的幫助下穿上衣服，賴加忽然笑了一下，「真是受寵若驚呢。」

艾維斯上前一步，親自扶住他的手，用一貫平穩淡然的聲音道：「賴加先生，公爵大人在書房等您。」

茉伊拉坐在樹上，眼睜睜看著賴加隨著艾維斯離開，卻沒有跟上去。

「不跟去看看嗎？」某隻大狐狸的聲音在樹下響起。

茉伊拉低頭看了一眼蜷在樹下作打盹狀的某狐狸，「小霜，報仇真的那麼重要嗎？重要到……可以賭上自己的人生去破壞別人的人生，然後連無辜的人也一起捲進來……」

聞人霜沒有吭聲，兀自打盹。

茉伊拉在樹上坐了很久，賴加一直沒有回來，大片大片的烏雲覆頂而來，周圍連一絲風都沒有。

雨一直沒有下。

漸漸地，她開始擔心，並且後悔自己不該不在他身邊。這樣的擔心整整維持了兩天，賴加一直沒有回來。

就在茉伊拉按捺不住想要去找他的時候，賴加回來了。

一身盔甲、戴著黃金面罩頭盔的男子站在她的面前，茉伊拉遲疑了很久，終於伸手，推開了他的面罩。

面罩下，一雙銀灰的眼睛帶著清冷的笑意，那笑意在對上茉伊拉的眼睛時一點一點轉暖過來，彷彿覆在那雙銀灰色眼眸上的薄冰正絲絲融化。

「茉伊拉茉伊拉，老師可厲害了！」凱里在一旁手舞足蹈，「亞爾曼欺我伊里亞德家無人嗎？哼哼！老師一出手，便把他們打得屁滾尿流啦！哈哈……」

賴加閉上眼睛，按了按凱里的腦袋，「老實點。」

凱里皺了皺鼻子，乖乖地不吭聲了。

茉伊拉也沒有再說什麼，快快地回樹上坐下。

原來……沒有她，他也一樣可以戰無不勝。

接下來的幾日裡，賴加帶兵，越戰越勇，將帝國遠征軍打得一路敗退。盲眼少將成了伊里亞德封地裡家喻戶曉的人物。與他善戰的聲名一同流傳的，還有他的殘忍，傳言這位少將手段極其狠辣，斬敵猶如砍瓜切菜，其實這倒無可厚非，畢竟這是在戰場，可是據聞他對俘虜也毫不手軟。

老公爵也為此與他長談過，賴加卻淡淡地沒有什麼表示，只道一句：「事已至此，就算放過那些俘虜，馬卡斯二世也斷不可能再容得下公爵大人了。」

據說，那一晚，公爵大人書房的燈亮了一整夜。

可是至此，老公爵再也沒有針對這件事找過賴加。賴加一路將帝國遠征軍打到伊里亞德封地邊界，並且還毫無收手的打算。

也許說出來會跌破眾人的眼鏡，可是這個時候，這位號稱「優雅的劊子手」、「冷血人」、「鐵血少將」的傢伙正乖乖坐在飯桌前，一臉虔誠地進行著飯前的禱告。

做完了禱告，賴加悄悄睜開一隻眼睛，打量了一下站在他身側的茉伊拉，後者正垂著眼簾，根本無視他。低低地嘆了一口氣，賴加走出房間，茉伊拉還站在那裡，沒有動，也沒有跟上去。

走到花園的石凳上坐下，賴加剛倒了一杯酒，酒杯便見了底，再倒一杯，又見了底，他額頭的青筋忍不住微微跳了一下，磨牙，「出來。」

毛茸茸的大狐狸舔舔唇，毫不羞愧地顯了形，在他對面坐下。

「茉伊拉為什麼不理我呀……」一個幽幽的聲音在黑夜裡響起。

賴加起了一層雞皮疙瘩，很明顯，他不會用這樣幽怨的語氣講話，瞪了對面那隻大狐狸一眼，賴加皺眉，「不准偷窺我在想什麼。」

「喊。」聞人霜笑咪咪地湊近了他，「要不要我告訴你為什麼？」

賴加看了他一眼，銀灰色的眼睛裡有著明顯的期待。

「因為…… 你太神勇了。」聞人霜隨手一伸，變出一把摺扇來，招搖地扇了兩下，笑咪咪地道。

「呃？」

「木魚腦袋，你想想嘛，小天使不在你身邊，你還是好好的一點影響都沒有，我們的小天使就會很挫敗呀，她會想沒有她，你也一點事都沒有嘛……」搖了搖扇子，聞人霜嘆了一口氣。

賴加眉頭一皺，「你嘆什麼氣？」

「我是在為你嘆氣呀，要是我們的小天使認了死理，覺得有沒有她都一樣，說不定……」

「說不定什麼？」賴加的眉頭皺得更緊了。

「說不定…… 她就會突然……」聞人霜冷不防「唰」的一下合上摺扇，然後似笑非笑地吐出三個字，「不見了。」

這三個字，令賴加心驚肉跳。

第二日天氣晴朗得有些過了頭，溫度也異常地高，稍稍一動便是滿頭的汗。賴加起得很早，顯然一夜沒有睡好的樣子，有些萎靡不振。

在聞人霜明顯幸災樂禍的視線下洗漱換衣，賴加默默看了茉伊拉一眼，她依然保持緘默，然後賴加不自覺地皺了皺眉。

剛吃過早飯，伊里亞德公爵便把賴加叫到了書房。推開門，賴加便聞到一陣濃濃的血腥味。

「賴加，你來了。」伊里亞德公爵的聲音淡淡響起，他已經很親昵地直呼賴加的名字了，對此，賴加並沒有什麼表示。

「你知道我的書桌上擺著什麼嗎？」公爵大人又道。

賴加腳步微微一頓，卻沒有吭聲。

他知道，他當然知道。

所謂的帝國遠征軍已經被趕出了伊里亞德家族封地的範圍，可笑這位老公爵還派使者前往帝都，意圖示好。只可惜如今那使者的頭顱已經擺在公爵大人的案上了，只要一想到公爵大人此時的表情，賴加便覺得十分有趣。

「哼……我的陛下啊……」伊里亞德公爵的聲音染上了絲絲寒意，「賴加，你說得不錯，事已至此，已經沒有轉圜的餘地了。」

賴加微皺著眉，面色冷凝。

「亞爾曼的殘部已經退入了盧斯特城，盧斯特那個老傢伙居然膽敢放他入城……」

賴加的眉頭越皺越緊。

「哼哼，那些傢伙，以為我已經老得磨不動爪子了嗎……」

賴加面上罩了一層寒霜。

老公爵對賴加滿面肅殺的模樣十分滿意，可是如果他知道此刻賴加在想什麼的話，估計就會吐血了。

賴加一臉嚴肅，滿腦子都是昨天夜裡聞人霜那幽幽的聲音：「說不定……她就會突然……不見了……」

說不定……她就會突然……不見了……

說不定……她就會突然……不見了……

不見了不見了不見了……

明明不願意去想這樣的話，可是卻偏偏魔音傳腦一般在他腦袋裡幽幽地迴響……

「賴加？賴加？賴加？」一連喊了幾聲，賴加依然站在原地，像個冰雕似的。

「父親！」門被撞開，布萊茲衝進門來，眼看著便要撞上賴加，賴加下意識偏了偏身子，閃了開來。

然後，他終於回過神。

「父親，你為什麼要軟禁克洛怡！」剛剛從死亡之塔被放出來，布萊茲便趕來怒氣沖沖地質問。

「閉嘴！」一看到這個不成器的兒子，伊里亞德公爵便覺得自己又老了幾歲，他皺了皺眉，「布萊茲，你立刻準備，隨賴加一起去盧斯特城！」

坐在極盡奢華的馬車裡，賴加閉著眼睛，心情有些煩躁，從小便形影不離的茉伊拉，不在身邊……

昨夜聞人霜的話更無疑是雪上加霜。

「賴加大人。」馬車停了下來，車外有人低喚。

賴加大人，是一個很微妙的稱呼，他不是軍官，沒有爵位，只是暫代少將之職領軍作戰而已。更何況那位公爵大人如此迫不及待地讓布萊茲一同出戰，大約也是有了鉗制的心思了吧。

畢竟……他最近的表現是有些顯眼了。冷冷地哼了一聲，賴加拄著銀杖走下馬車。

此時城樓之上，有一雙複雜的眼睛正盯著他。

出征前，亞爾曼是意氣風發的，只待凱旋而歸，便是升官加爵。可是他沒有想到這一仗會輸得這麼慘。雖然他是尤金伯爵的長子，但能夠爬到這一步也並非全都是沾了父親的光。

畢竟，在帝都年輕一輩裡，他也算是軍功赫赫的人物。可是他居然被一個瞎子打得節節敗退，毫無還手之力，這簡直是奇恥大辱。更為可怕的是，他並沒有輕敵，因為這個年輕的瞎子是傳說中滅了「惡魔之子」的人物，他全力以赴，卻被逼出了伊里亞德家族的封地，一路敗退，惶惶如喪家之犬。

感覺到城樓上的視線，賴加忽然微微抬頭，彎了彎脣角。

亞爾曼後退一步，神色大變，那樣的笑，讓他忍不住想起了……魔鬼。

其實這倒是亞爾曼的主觀意識在作祟了，他大概見多了賴加在戰場上殺人如麻的鏡頭，不知道此時賴加的笑絕對是真誠又真心的。

因為……他想到了一個不錯的主意。

「亞爾曼，你一定要像一個膽小鬼一樣縮在別人的保護下，不敢出來應戰嗎？」布萊茲一肚子的怨氣無處發洩，已經開始叫罵了。

賴加一直靜靜地站在一旁，直到對方已經被刺激得跳腳，派出騎士來決鬥，他才淺淺笑了一下。

在戰場上決鬥，也只有這些愚蠢的貴族幹得出來。

然後，他拄著銀杖上前一步，「布萊茲少爺，您看，對方只是一名騎士，以您尊貴的身分怎麼能夠與他決鬥，不如……我來出戰？」

此言一出，那騎士的臉都綠了。

眼前這個傢伙是誰？是滅了「惡魔之子」的恐怖傢伙！是把他們一路打得毫無還手之力的敵方少將！

與他決鬥……豈不是找死？

布萊茲猶豫了一下，點頭答應了。

「優雅的劊子手」、「冷血人」、「鐵血少將」，最近又多了一個稱呼，叫做「不敗的賴加」，不過今天……

當那騎士一劍劃傷對方胳膊的時候，他傻了。

賴加一手捂住傷口，狀似滿意地點點頭，轉身就走，直接鑽進了馬車。駕車的貝克也一點猶豫都沒有，揚起馬鞭，駕了車便走。

冷風呼呼地吹過，烏鴉呱呱地飛過……

「這就是你們說的……不敗的賴加？」半晌，布萊茲率先回過神來，輕蔑地冷笑。

賴加好整以暇地坐在馬車裡，捂著傷口，微蹙著眉頭，一臉虛弱的樣子。

「賴加，你怎麼受傷了！」茉伊拉跪坐在他身邊，抬手輕觸他的傷口，驚呼。

「哼。」用鼻孔回答她。

「賴加，痛不痛……」溫柔的聲音帶了一點泫然欲泣的感覺。

「痛。」以虛弱姿態冷冷地吐出一個字。

「都是我的錯……我不應該不在你身邊的……嗚嗚嗚……」

「哼。」繼續用鼻孔回答她，拿眼睛瞄一眼，見她微微紅了眼眶，這才稍稍放軟了表情。

「對不起……」某天使深深地垂下腦袋，誠懇地道歉，「以後我再也不會離開你了。」

「再說一遍。」緊繃的脣角微微往上彎了一個弧度。

「以後我再也不會離開你了。」

「再說一遍。」某人暗爽於心。

「以後我再也不會離開你了。」

以後我再也不會離開你了……

多美妙——

馬車忽然顛簸了一下，沉浸在美好幻想中的某人一下子撞上了車壁，腦袋上起了好大一個包。

沒錯，是幻想……

額頭的包讓賴加清醒了幾分，隨即又有些不滿，那個傢伙這個時候應該感應到他受傷了才對呀，為什麼還沒有出現在他面前！

心底的不滿剛剛冒出來，馬車突然又劇烈地顛簸了一下，賴加因為受傷的手臂無力支撐，再一次整個人撞上了車壁，傷口立刻撕裂開來，疼得他倒吸了一口涼氣。

一輛馬車橫衝直撞地衝進了城，馬車上雕刻著的紅色薔薇分外地醒目，無人敢擋。人人都知道，白色薔薇是伊里亞德家族的家徽，而紅色薔薇……則是最近聲名鵲起的盲眼少將賴加的標誌。

此時……傳聞中英勇無敵的某人正坐在馬車裡，被顛得七葷八素。

「貝克！慢點！」賴加皺眉。

貝克彷彿沒有聽到，馬車的速度也沒有減慢的跡象。

「貝克！貝克！」賴加一邊連聲高喊，一邊試圖坐穩身子。

等他好不容易靠著車壁穩住的時候，忽然察覺有一道冰冷的視線正牢牢地鎖在他的身上，那種感覺，就像被毒蛇盯住似的，全身上下每一個毛孔都在叫囂著危險！那危險的感覺讓馬車裡的溫度一下子低了好幾度，賴加用沒有受傷的手握住銀杖，猛地拔出寒光閃閃的匕首，指向車內的某一個方向。

「茉伊拉不會來了，我設下了結界。」一個冰涼的聲音，帶著說不出的陰寒感覺。

賴加心裡一驚，他知道茉伊拉？

「你叫賴加？」

賴加皺眉，「你是誰？」

「不睜開眼睛看看我嗎？」那個聲音輕輕地道。

賴加心裡一陣不舒服，他睜開眼睛，便看到一個穿著白袍的男子正優雅地坐在他對面。

「收起你的刀，傷不了我的。」他雖然在微笑，可是眼神卻依然冰涼。

「我記得你的聲音，你是神教的祭司，納斯加。」賴加看著他，緩緩開口，握著匕首的手微微收緊，他忽然想起了茉伊拉曾經告訴過他，眼前這個傢伙可以看到她。

當時，茉伊拉還囑咐他要小心這個男人。

「你記性不錯。」納斯加點頭。

「你想殺我？」

「何以見得？」納斯加饒有興致地揚了揚眉。

「惡靈殺手是你的人吧？」在古堡的時候，那個死在他手裡的男人說，是奉了祭司大人的命令來殺他的，賴加警惕地看著他，「我只是好奇，你為什麼要殺我。」

納斯加瞇了瞇眼睛，然後說了一個莫名其妙的理由。

他說：「因為你叫賴加。」

賴加茫然了，雖然這個名字的確是那個什麼了一點，可是還沒有到讓人欲殺之而後快的地步吧？

說話間，納斯加已經將劍刺向賴加。

「抱歉，我很不喜歡別人議論我的名字。」沒有受傷的手緊緊握著匕首，賴加擋住攻擊。

「哼，不堪一擊。」納斯加看著他的眼神像在看一隻螞蟻，一條黑色的小蛇從他的肩膀上爬出，吐著信子，面目猙獰地撲向賴加。

賴加咬牙，額頭滲出冷汗來。

馬車忽然停了下來，馬車外傳來貝克的大嗓門：「主人，到了。」

納斯加神色複雜地看了他一眼，居然平空消失了。

貝克風風火火地跳下馬車，打開車門，便看到賴加面色蒼白地癱坐在馬車裡，汗溼的頭髮凌亂地沾在額前，亞麻襯衫上沾滿了殷紅的血跡，觸目驚心。

「主人！主人！」貝克大驚，慌忙伸手握住他的肩，搖晃。

「鬆……手。」賴加磨著牙啞聲道，貝克有一身怪力，再這樣被他搖下去，他的骨頭就該散了。

正當他疼得天旋地轉的時候，一個低低的聲音忽然響起。

「賴加……」

賴加在失去意識的前一刻，終於看到了那雙溫柔的、淺褐色的眼睛。

「茉伊拉……」

扶著賴加的貝克疑惑了，「主人主人，你說什麼？你說了什麼嗎？啊喂，不要昏倒啊！」

10 同病相憐

茉伊拉坐在窗臺上，側頭看著躺在床上的賴加。他閉著眼睛安靜地躺著，頭髮汗津津地覆在額前，面色比平日裡更加蒼白，被血染透的襯衣已經換了下來。

周圍有很多人，連公爵大人都親自來探視，房間裡熱鬧得有些誇張。

十九年前，也是在這座府邸，也有這樣多的醫師和僕傭，公爵大人也在場……那一日，賴加出生。

「火……」床上失去意識的男子喃喃著，似在做著什麼噩夢。

茉伊拉知道，賴加的噩夢，從來都只有一個。九歲那年，被親生父母設計，差點喪生火海，那一場噩夢整整糾纏了他十年。

「茉……茉伊拉……」彷彿為了呼應她篤定的想法，躺在床上的某人忽然用低低的聲音吐出一個名字，帶著不清醒的沙啞。

茉伊拉僵住，然後機械地扭頭，看向床上的某人，再三確定，他還在昏迷中。

「原來天使也會動凡心啊。」一個懶洋洋的聲音一語道破天機。

茉伊拉嚇了一跳，瞪了某隻大狐狸一眼，「不准胡說。」

「原來天使也會瞪人啊。」繼續感慨。

茉伊拉決定面壁，然後無視某隻蠱惑人心的大狐狸。

「茉伊拉……」賴加皺著眉，低喃。這一次，他的語調清晰了許多，以至於引起了旁人的注意。

「他在說什麼？」醫師湊近了他，然後恍然大悟，「茉伊拉？原來賴加先生也是神教的信徒啊。」

「我的名字和神教有什麼關係？」茉伊拉疑惑。

自然沒有人聽到她的疑惑，只有某個不是人的狐狸聽到了，牠睇了睇狐狸眼睛，緩緩地道：「神教信奉的命運女神有一個名字。」

「茉伊拉？」茉伊拉皺眉。

「就是這樣。」某狐狸高深莫測地點頭。

說話間，探視的人都漸漸走了，只剩下一個醫師坐在一旁陪護。茉伊拉這才飛回賴加身邊察看他的傷口，雖然傷口已經包紮過了，但是殷紅的血還是一點一點滲透了白色的布。仔細看了一下，她的面色一點一點冷凝了下來。

「是血咒，除非下咒人親自來解，不然怕是活不成了。」聞人霜收起了玩笑的神色。

茉伊拉一言不發，轉身就飛了出去。因為，她在賴加的身上聞到了熟悉的味道。

大約是因為戰爭的關係，神教裡祈福的人很多，長長的白色大理石階梯上跪滿了信徒。在前殿，茉伊拉見到了這位女神的雕像，足足有三人高，不知道是用什麼材質雕刻的，看上去異常的美麗。女神微仰著頭，表情溫柔恬靜，長長的鬈髮散落在胸前，背上還有一雙雪白的翅膀……

茉伊拉卻是張口結舌，這女神……竟然長得和她一模一樣！

一樣的名字，一樣的容貌……茉伊拉當然不會天真地以為這是巧合，更不會誇張地以為自己就是命運女神。她只是一個被降職的天使，她原來是居住在第五天的看守天使，現在是賴加的守護天使。瞧，她很清楚自己是什麼。

「茉伊拉。」一個低沉的聲音，帶著莫名的驚喜。

茉伊拉回頭，便看到白袍的祭司正站在走廊門口，淺紫的眼睛看著她，眸中盛滿了不敢置信的喜悅。

「妳來看我嗎……」他放輕了聲音，彷彿怕驚醒一場夢。

「是你下了血咒。」茉伊拉沒有忘記此行的目的。

此言一出，那雙紫色眼睛裡的喜悅剎那間被打得灰飛煙滅，一點不剩。

「我對你很失望，為什麼要使用如此歹毒的咒術？」茉伊拉看著他，極認真地道。

納斯加緩緩垂下頭，長長的頭髮細細密密地滑落下來，他不語。

「你去解開血咒，我便不生你的氣，好嗎？」茉伊拉放輕了聲音，又道。

他還是不語。

「納斯加！」茉伊拉揚高了聲音。

他突然抬頭，淺紫色的眼睛轉深，隱隱變成豎瞳，是狂躁的前兆。

「他死，不好嗎？」他看著她，很輕很壓抑地說。

茉伊拉瞪圓了眼睛，「當然不好！」她沒有意識到自己反駁得有多快多急，因為只要一想到賴加會死，她便感覺左邊胸口在隱隱作痛，那痛感鈍鈍的，越來越強烈，強烈到她只想立刻否決這個念頭。

「他死了，妳的工作便結束了。」他看著她，「妳便可以重回第五天，這樣也不好嗎？」

記得初到人界的時候，大天使說，等她守護的人類生命走到盡頭，她就可以重回天界了。當時，她很高興，因為據她所知，一個人類的壽命不過百年而已。

百年的時間於她而言，不過是眨眼之間。

可是從什麼時候開始，她想回天界的念頭不再那麼強烈了？然後那念頭越來越淡……到現在，納斯加的話竟然會令她感到惶恐。與賴加相處的時間越長，她便越習慣有他的存在，她無法想像有一天他會死去，為什麼會有這樣的感覺？

「殺人是錯誤的，你會因此犯下罪孽。」許久，茉伊拉才這樣道。

「妳在擔心我嗎？」納斯加緊緊地盯著她。

「是的，我很擔心你。」茉伊拉微微皺眉，「我可不想你被關進第五天的牢獄。」豎瞳一點點平緩下來，那雙紫色眼睛裡的驚濤駭浪因這一句話即刻風平浪靜，然後他微微側頭，「我都聽妳的。」

夕陽中，白袍的祭司走出神殿，晚風吹得他衣袂飛揚，他面色寧靜而平和，宛如神祇一般，臺階兩側的信徒無不用熱切而虔誠的目光追隨著他的身影。

可是，沒有人注意到，那雙漂亮的淺紫色雙瞳一直看著某一處，在那看似寧靜平和的眸光中，有著比那些信徒更為熾烈的神采。

在那雙眼睛裡，有著一個誰也看不到的身影。

所有的寧靜是因為她，所有的平和是因為她，所有的熾烈……也是因為她……

茉伊拉一心惦記著躺在公爵府中生死未知的賴加，不由得加快了速度，完全沒有注意到身後近乎狂熱的眼神。

在公爵府門口，納斯加表明來意之後，管家艾維斯很快便迎了出來，將他帶進賴加的房中。

納斯加徑直走進房中，劃破了自己的指尖，將血珠滴入賴加口中。然後茉伊拉便驚喜地發現，賴加身上的死氣不見了。

「為了防止傷勢惡化，我需要在這裡住幾天。」納斯加收回手，看向管家艾維斯。

艾維斯點點頭，「好的，您有什麼吩咐請直接跟我講。」

一直蜷在牆角處於隱身狀態的聞人霜眯著眼睛打量了好久，直到艾維斯離開房間，才仰起毛茸茸的腦袋打了一個哈欠，然後站起身來，踱著方步走到納斯加跟前。

「你肚子裡藏著什麼壞水呢？」聞人霜順著他的視線，在茉伊拉身上打了個轉，冷不防開口。

納斯加終於將視線從茉伊拉身上收了回來，回頭看了看聞人霜，然後淡淡地笑了，「是你。」

沒錯，這兩位是老相識了，當初聞人霜大鬧公爵府，伊里亞德公爵就是請出了這位祭司才勉強將牠制住的，聞人霜大人可是很會記仇的。

聞人霜聳了聳肩，「看你的眼神恨不得一口把我們的小天使吞進肚子裡去呢，你在打什麼主意呀？」

「注意你的措辭。」納斯加表情冷下來的時候，極容易令人想起某種冰冷的動物。

「呵呵，你看我們小天使的眼神，哀怨得就像是得不到媽媽寵愛的小寶貝——」聞人霜齜著牙嘲笑。

納斯加定定地看了牠許久，然後忽然笑了起來，所有的陰冷一掃而空，「你想惹怒我？」

「唔，你還不笨嘛。」聞人霜笑咪咪地湊近了他，「能夠忍到這一步，是為了能夠得到我們小天使的信任？」

納斯加不再理會牠，逕自坐下。

那邊，賴加終於醒了。

茉伊拉驚喜不已，小心翼翼地看著他，「還有沒有哪裡不舒服？」

賴加睜開眼睛，又閉上，過了好久，才又睜開眼睛。

「我夢到妳不見了。」他看著她，緩緩開口，聲音十分嘶啞。

茉伊拉愣了一下，然後緩緩綻開笑顏，伸手輕輕撫過他乾裂的脣。在她的碰觸下，乾裂出血的脣恢復了原樣，然後，她看著他的眼睛，說出了他最想聽到的話。

她說：「以後我再也不會離開你了。」

此言一出，房間裡忽然變得寒颼颼的。聞人霜看了面罩寒霜的某人一眼，嬉笑著縮了縮肩膀。賴加卻是立刻看到房間裡多出來的那一個人，轉身就按住了枕邊的劍，拔劍出鞘，抵在了納斯加的頸前。

納斯加仍然坐在原地，一動不動，就這樣任由他用劍指著。

「賴加不要！」茉伊拉忙拉住他。

賴加皺眉，「他想殺我。」

「對不起，是我的錯。」茉伊拉推開抵在納斯加頸間的劍，「他沒有惡意的。」

「沒有惡意？」賴加簡直不敢相信，「沒有惡意他會幾次三番欲置我於死地？又關妳什麼事？」

「唔。」茉伊拉想了想，「他是我在天界收養的……」

「我是茉伊拉的朋友，茉伊拉是因為犯了錯才被降職成為守護天使，只要她守護的人死亡，她就能重回天界，這樣你明白嗎？」一直面無表情的納斯加快速截斷了茉伊拉的話，直白地解釋。

賴加怔住了。

她成為他的守護天使，是因為她犯下過錯而遭受的懲罰？

只有他死，她才能重回天界？

那麼……

「等等，剛剛茉伊拉說的是『收養』吧？」聞人霜忽然出來打岔，他不懷好意地瞇起細長的狐狸眼睛，然後不管納斯加的神情有多難看，直接扭頭向茉伊拉求證，「是吧是吧，茉伊拉？」

單純如茉伊拉，很認真地點頭，「嗯，也可以這麼說，其實那個時候他還是一顆蛋。」

「噗……蛋？」聞人霜誇張地大笑，一屁股坐在地上，笑得直捶地。

納斯加嘴角抽搐了一下。

賴加卻已經收起迷茫的表情，緩緩閉上了眼睛。

不管她是為什麼來到他的身邊，也不管她是否願意留在他身邊，他都不會放手。因為，她是他絕望人生中唯一僅剩的溫暖……

他怎麼可以放手。

賴加養傷的這些天，前線傳來捷報，布萊茲大勝亞爾曼，已取下亞爾曼的首級，凱旋歸來。這個消息傳到伊里亞德封地的時候，民眾們立刻忘記了賴加這個名字，他們的眼睛裡只看到了意氣風發的少主。

貴族的爵號和封地都是長子繼承制，布萊茲是伊里亞德公爵的長子，按規矩是要繼承爵位的，更何況現在他有了如此顯赫的戰功。

伊里亞德公爵親自出城相迎，將亞爾曼的首級掛上了城樓，並且宣布了伊里亞德王朝的建立，自立為伊里亞德一世，封長子布萊茲為公爵，並將盧斯特城以南的科而特郡劃為布萊茲的封地。

布萊茲穿著深紅色絲絨外套出現在舞會上時，毫無疑問地引來了一眾名媛淑女的青睞。此時的布萊茲正是春風得意的時刻，帽子上鑲著的四條貂皮和飾著八枚金葉片的冠冕，無一不充分展示了他現在的身分。

可是此時，也有一些流言在軍隊和民間不脛而走。

「聽說了嗎？布萊茲當了公爵呢……」

「那個沒用的布萊茲？別鬧了，如果不是盲眼少將賴加已經將亞爾曼打得疲憊不堪，現在腦袋掛在城樓上的，說不定就是那個戴著四條貂皮帽子的布萊茲了！」

「聽說是盧斯特城的城主臨時叛變，才害得亞爾曼身首異處的……」

「當時我也在場，你說我是誰？喊，我可是老兵了，那一戰之後就退役了，我是親眼見到亞爾曼死的，死前他還說……」

「說什麼？」

「唉，說起來亞爾曼也是個人物，如果不是遇到了那個恐怖的盲眼少將，也許就不會落得這麼個下場了，當時他遭到盧斯特的背叛，戰至一兵一卒，臨死前大吼一聲，寧可死在賴加手中，也不願死在小人手中啊！」那大漢說著，面上也透著幾分遺憾。

周圍一片唏噓。

就在伊里亞德家族豎著新王朝的旗幟一路征戰的時候，賴加正安安穩穩地在新王朝的王宮裡養他的傷，順便又幹回了他的老本行，給凱里當老師。

傍晚時分，夕陽籠罩著白色的階梯，房間裡的氣氛有些怪異。

賴加坐在門口，斜斜地倚著門檻，納斯加坐在距離門口最遠的窗口，微微屈著一膝，頗有點勢不兩立的味道。連聞人霜也來湊熱鬧，沒有懶洋洋地蜷在屋角，而是正大光明地化成人形，坐在屋子居中的位置，悠閒地喝著紅茶，只一條毛茸茸的大尾巴來來去去地搖晃著，尖尖的耳朵還不時動一下。

連凱里都感覺到了不同尋常的詭異氣氛，不時抬頭左顧右盼一番，唯獨某個天使仍然無知無覺。

到了晚餐時分，有侍女來接走了凱里。有侍女添了燈油，火光微微跳動了一下，長長的餐桌上，納斯加和賴加各坐一頭，聞人霜和茉伊拉自然是旁人看不見的。

「我的傷已經痊癒，不知道祭司大人什麼時候離開？」喝了一口葡萄酒，賴加不客氣地下逐客令。

「相信我，你的傷口隨時有惡化的可能。」納斯加慢條斯理地切了一塊牛肉，手中的餐刀寒光閃閃。

賴加的手微微一頓，捏緊了酒杯。

「他的傷還沒有好嗎？」茉伊拉忍不住出聲問，一臉的擔憂。

茉伊拉一出聲，原本明顯占了上風的納斯加頓時語塞。

賴加笑了起來，抬手撫了撫茉伊拉的腦袋，「別擔心，我沒事。」

納斯加抿了抿脣，垂下眼簾，不再言語。

夜裡，賴加忽然起身，拿了手杖走出門去。

黑暗中，納斯加睜開眼睛，走到窗邊，看著茉伊拉跟著賴加一起離開，淺紫色的眼睛帶著某種看不分明的味道，竟有幾分哀傷。

「喂——」一個賊兮兮的聲音在安靜的房間裡響起。

納斯加沒有理牠。

「你看起來很傷心哦。」聞人霜一點也不在意被無視了，自顧自地說道。

納斯加淡淡瞥了他一眼，淺紫色的眼睛在黑暗裡隱隱成了豎瞳。

「原來你的真身是蛇呀。」聞人霜撓了撓腮幫子，作恍然大悟狀，「可是蛇是魔族，你怎麼會被茉伊拉撿到？」

就在聞人霜以為他會一直保持沉默、完全當牠透明的時候，納斯加忽然開了口。

他說：「我是在光之子與暗之子的戰爭中，被遺留在天界的魔族。」

那一場戰爭之後，在所有的罪天使和魔族都被關入第五天的牢獄時，他逃入第五重天南面的迷霧森林，因為重傷而失去了所有的力量。

「所以……變成了一顆蛋？」聞人霜怪異地說著，似乎憋著笑。

納斯加沒理會牠的嘲笑，「是茉伊拉的力量讓我復活的。」

聞人霜忽然不笑了，牠能夠想像一個剛剛孵化的魔族在天界會是怎麼樣的光景。雖然茉伊拉讓他的力量得到淨化，可是在天界，一個毫無力量的魔族，會有怎麼樣的遭遇，牠完全可以想像。

「茉伊拉的眼睛看不到你。」聞人霜掃了掃尾巴，蜷成一團，恢復了懶洋洋的樣子，「你以為她是你唯一的光源和溫暖，你從天界追尋她而來，可是……火光雖然溫暖，你也別當撲火的飛

蛾。」

納斯加忽然笑了起來，「管好你自己吧。」

毛茸茸的尾巴忽然頓了一下，聞人霜也笑了，「也是呢。」

月色籠罩了整個王宮，賴加走過長長的走廊，銀灰色的眼睛在夜色中透著凜冽的光。在走廊的盡頭，有一間特殊的房間。

這裡，是軟禁克洛怡公主的地方。

「茉伊拉，能打開嗎？」賴加輕聲問。

茉伊拉默默上前，開了鎖。

賴加伸手，推開門。

房間裡燃著燈，正跪坐在床前祈禱的克洛怡聽到開門的聲音，有些慌張地扭過頭，然後微微愣住。

一襲黑衣的賴加站在門口，正定定地看著她。

是的，他看著她。

他的眼瞳是很淡的銀灰色，帶著某種懾人心魄的美。

「賴加……」克洛怡開口，她甚至沒有發覺她的聲音帶著些微的哽咽，然後她扶著床沿站起身，飛快地撲入賴加的懷中，「神聽到我的禱告了……」

賴加緩緩抬手，輕撫她的背。

「好可怕，姑母她……」克洛怡在他懷裡輕輕顫抖著，萬般委屈。

「伊里亞德公爵已經自立為王了。」

克洛怡一臉震驚地抬頭，漂亮的眼睛裡還含著淚珠，「你是說……」

「是的，您現在站的地方，是伊里亞德王朝的土地。」賴加看著她，然後忽然彎了彎脣，抬起手，用拇指輕輕刮去她臉上的淚痕，「我擔心他們會因為與您的父親徹底決裂而對您不利，所以才會趁夜來看望您。」

他說，您。

克洛怡的臉頰染了微微的紅，隨即輕輕咬脣，「可是……」

「噓。」修長的食指輕輕抵住她的紅脣，賴加忽然鬆開她的手，後退一步，單膝著地，行了一個標準的騎士禮，「我，賴加，願宣誓成為您的騎士，誓死保護您的安全。」

克洛怡呆呆地看著他。

「我的公主，請賜予我守護您的權利。」賴加微微仰起頭，看向克洛怡，伸出手。

克洛怡微微咬著脣，輕顫著將手交到他的掌心，然後又稍稍遲疑了一下，有些羞澀地問：「你為什麼要幫我？」

「您看到我的眼睛了嗎？」賴加看著她，目光灼灼。

「是的，你的眼睛……可以看到……」

「它是銀灰色的。」賴加微微勾起脣，「在約特帝國，無瞳會被視為惡魔之子，這樣，您是否想起了什麼？」

「啊！」克洛怡吃驚地低呼，隨即掩脣，「我聽說姑母……有個一出生就被關入『死亡之塔』的孩子……莫非……」

「是我。」賴加的眼裡含著一抹辨不清真意的笑，「這樣，您是否明白了我為何要幫您？」

「你想報仇……」克洛怡的眼睛裡帶了一絲失望。

賴加低頭，輕輕吻上她的手背，宣誓成為克洛怡公主的騎士。

始終站在賴加身後的茉伊拉忽然覺得心口微微有些難受，說不清是什麼原因，只是一陣一陣地發緊。

她是他的守護天使，可是現在，他……卻宣誓要守護別人。

11 公主的騎士

柔柔的燭火輕輕搖曳著，茉伊拉沉默地看著賴加單膝著地，低頭輕輕吻上克洛怡公主的手。

——他對著她宣誓，宣誓成為她的騎士。

走出房間的時候，皎潔的月亮不知何時已被層層烏雲籠罩，不見一點光亮。黑暗中，一襲黑衣的賴加幾乎與那沉沉的夜色融為一體。

「賴加。」看著他彷彿往黑暗的更深處走去，茉伊拉忍不住開口輕喚。

賴加停下腳步，回過頭，看向茉伊拉。

茉伊拉赤著雙足站在他身後不遠處，雪白的翅膀收攏著，整個人彷彿都籠罩在淡淡的光暈中，在這深沉的夜色裡，美得令人心悸。

那雙彷彿有著治癒力量的淺褐色的雙眸認真地看著他，一眨也不眨。

賴加認命地轉過身站定，等待著她的說教。

「賴加，可不可以……不要再繼續下去了。」

沒有如以往一般的說教，她輕輕開口。

他的眸子猛地一黯，定定地看著她。小小的天使站在這暗夜中，彷彿唯一的光源。不知是不是他的錯覺，他竟然在那雙溫柔的淺褐色眼眸裡看見了淡淡的悲傷。

他忽然有一點害怕，彷彿只要他否定了她的話，她就會張開翅膀，離開他……

「只要我不死，妳就無法回天界，對吧？」許久，他忽然道。

「呃？」見他好不容易開了口，卻是答非所問，茉伊拉愣了一下。

「只要我不死，妳就無法回天界，對嗎？」他重複。

「這個……」茉伊拉歪著腦袋思考了一下，「從理論上來說，的確是這樣沒有錯。」

「那就好。」賴加點點頭，轉身繼續走。

「啊喂！」茉伊拉忙喊著，飛過去攔在他前面，「你還沒有回答我的問題呀！」

「好睏——」賴加揉揉眼睛，然後看著她嘟囔。

茉伊拉呆住。

……哪有這樣撒嬌的！

「好吧，回去睡覺……」耷拉著腦袋，某天使垂頭喪氣地道。

凌晨的時候下起了雨，無數晶瑩的水珠從天而降，劃成細密的雨簾，茉伊拉從窗口探出手去，迎接這來自天界的禮物。

無聲無息地，一直在黑暗中窺視著她的納斯加走到她身後，也伸出手去。

他的胸膛微微貼著她的背，伸出的手掌心向上，與她的手輕輕靠在一起。正在發呆的茉伊拉一點反應都沒有。

「不開心嗎？」他輕聲開口，彷彿怕驚擾了什麼似的。

「納斯加，你說……人類為什麼要有仇恨？」茉伊拉悶悶地道。

「不只是人類哦。」

「什麼？」她側過頭，仰著腦袋看他。

「不只是人類有仇恨，負面的情感每個種族都有，妳曾看守第五天，那些罪天使們，即是被負面情感所掌控，才會墮落。」他低頭，望著她的眼睛，聲音不自覺地放得很柔和。

茉伊拉點點頭，感覺到背後的胸膛，她有點心虛有點討好地靠了上去。

感覺到胸前的溫度，那雙淺紫色的眼睛越加溫柔。

「納斯加……」

「嗯？」

「……你說，我是不是做錯了？」看著那些細密的雨珠在她的掌心匯聚，然後沿著指縫滑下，她躊躇著開口。

「什麼？」

「擅自將你從湖裡帶走。」茉伊拉有些心虛地垂下頭，「魯那說，我把你帶走，萬一你媽媽回去找你……」這件事情在她心裡壓了許久，從天界到人界之後，她每次想起把那枚蛋隨隨便便藏在一棵樹上就心虛不已。

溫柔的粉色泡泡一下子幻滅，納斯加嘴角抽搐了一下，試圖放柔聲音：「沒有，妳做得很好，我一個人在那裡很孤單。」

「是這樣吧是這樣吧？」茉伊拉眼睛一亮，站起身看著他，一臉渴望得到認同的表情。

「是這樣。」他瞇著眼睛微笑。

在她離開他胸膛的那一瞬間，莫名的空虛感讓他心生不適。

冰涼的雨滴落入他的掌心，雨水在他掌心越積越多，不見從指縫中流下，卻在他的掌心中幻化出了一朵晶瑩剔透的花朵。

「好漂亮。」她驚嘆。

納斯加收回手，執著那朵水晶一樣的雨花，戴在她金色的髮間，細細地端詳了一陣，然後微笑，「嗯，好漂亮。」

茉伊拉笑著轉了一個圈，然後學著那些宮廷淑女的樣子提著裙襬行了個禮。

他看著她，眼神漸漸變得狂熱而痴迷起來，冷不防伸手將她拉入懷中，緊緊抱住。

茉伊拉嚇了一跳，拍著翅膀便要逃。

「別動。」他低喝。

茉伊拉僵了一僵，被他身上的森冷氣息嚇到。

「……不要動。」感覺到她微微僵住的身體，納斯加放柔了聲音，「讓我抱一下就好。」

茉伊拉總覺得這樣不太妥當，試圖伸手推他。

「我只是很懷念這樣的溫暖。」他收緊胳膊，彷彿要將她嵌入自己的身體一般，然後，他低低地重複，「很懷念……」

原來是這樣……

在他還是一顆蛋的時候，她天天都帶著他抱著他。

所以他很懷念她的溫暖，就像……媽媽一樣？

茉伊拉分析了一下，煞有介事地點點頭，然後伸手回抱他，還輕輕拍了拍他的背表示安慰。

「對不起，是我疏忽了。」她輕撫著他的背，「雖然不能像以前一樣把你揣在懷裡，可是如果抱抱的話，那也是沒有問題的。」

額前滑下一滴冷汗，納斯加沉默了一下，卻沒有鬆手。

早餐桌上。

賴加面前擺著一盤甜得令人髮指的甜點，只是一向嗜甜如命的他注意力卻一直放在坐在他對面的某人身上。

「這是什麼？」一個假天真的聲音。

「啊，這是蘋果派哦！你吃吃看，人界的食物可是很美味的。」茉伊拉叉了一塊送到納斯加嘴邊。

淺紫色的眼睛裡流動著的是滿滿的暖意和溫柔，與某冷血動物的特性一點也不相符，他優雅地張開嘴巴接住，慢慢咀嚼。

「好吃吧？」茉伊拉趴在桌邊，眨巴著眼睛看他，一臉期待。

「嗯，很好吃。」納斯加看著她，乖乖點頭。

「對吧對吧，我第一次吃到的時候也覺得很好吃呀——」茉伊拉連連點頭，一臉找到知音的表情，正想再說什麼，忽然聽到「卡嚓」一聲脆響，疑惑地回頭看了一圈，然後又看向納斯加，「你聽到什麼聲音了嗎？」

納斯加微笑，搖頭，「沒有。」

「嗯，大概聽錯了。」茉伊拉不疑有他，又充滿母愛地叉了一塊蘋果派送進納斯加的嘴巴裡，然後又聽到「卡嚓」一聲脆響。

她循聲再次回頭，終於看到賴加面前的餐盤已經被切成了兩半……

賴加面無表情地看著納斯加，捏在手裡的銀製餐刀寒光閃閃。

「賴加，怎麼了？」茉伊拉奇怪地問。

「沒什麼。」賴加鎮定地抬手招呼侍女換了餐盤，低頭用餐。雖然臉上一臉悠然自得的樣子，心裡卻是怨念叢生，那個該死的騙子！明明上次用餐的時候什麼都懂的樣子，現在又來裝什麼天真？還有茉伊拉第一次用餐明明是為了陪伴他，現在居然被那該死的騙子利用！最重要的是……茉伊拉什麼時候和那個騙子那麼熟悉了？

賴加一抬頭，便見納斯加正微微側過頭，由著茉伊拉替他擦去嘴角的果醬，於是「卡嚓」一聲，他的餐盤再度死無全屍。

茉伊拉！妳到底是誰的守護天使！

「抱歉，太大力了。」沒有把心底的憤憤表達出來，賴加只是淡淡地撇開眼睛，他發誓他看到了那個可惡的騙子眼睛裡的取笑和挑釁。哼，他才不要這樣沒水準地像個孩子似的爭寵呢，他不屑！他是誰？他可是賴加！

「這個也很好吃，還有這個，啊！還有這個你一定要嘗嘗看……」茉伊拉一點也沒有注意到彆扭的賴加，一心只想表達對納斯加的關心和歉意，分外熱情。

「我也要——」一個軟軟的、帶著幾分撒嬌似的聲音響起。

不要誤會，會這樣說的肯定不是死要面子活受罪的賴加，而是某隻一直在旁邊看好戲的大狐狸。

茉伊拉很友愛地拿了一塊蘋果派來餵牠。

賴加額前蹦出一根青筋，我忍！

「王子殿下慢點！王子殿下……」屋子裡面正怨氣沖天的時候，屋外傳來侍女緊張兮兮的聲音。

隨著那聲音，凱里風風火火地衝了進來，然後在門口站定，回頭有模有樣地揮了揮小手，「妳們不要進來。」遣退了侍女，他這才衝進屋來，迫不及待地從衣兜裡拿出一個小瓶子，「茉伊拉茉伊拉，妳快來看呀，我捉到一個小精靈！」

茉伊拉忙飛了過去，果然看到一個蜻蜓一樣大小的藍色小精靈被關在瓶子裡。

「送給妳。」凱里小心翼翼地捧著瓶子送到茉伊拉面前，「我聽其他小精靈講，這是願望小精靈，放它走的時候，妳可以許一個願望哦！我好不容易才捉到的！」

「怎麼弄得這麼狼狽呀。」茉伊拉有點心疼地摸了摸他有點髒兮兮的小臉，上面還有一道細細的劃痕。隨著她溫柔的觸摸，凱里的小臉變得乾乾淨淨，連那一道細小的劃痕也不見了。

「嘿嘿。」凱里傻笑。

房間裡的怨氣更重了……

賴加盯著那個在他看來空空如也的小瓶子，分外不爽，居然連凱里也來湊熱鬧！他完全不知道尊師重道是怎麼寫的嗎？對他這個老師連聲招呼都不打，完全地視而不見？最可惡的是房間裡只有他和凱里是人類，偏偏凱里還比他多了一雙可以看到一切他看不見事物的眼睛！

事實證明，用餐的時候要專心，不專心的下場就是……賴加被葡萄酒嗆到了……

「咳咳咳咳咳……」傳說中不敗的賴加被一杯小小的葡萄酒打敗了。

茉伊拉嚇了一跳，忙飛撲過去幫他捶背。

感覺到背部的觸感，賴加哼了一聲。

「好點了嗎？」茉伊拉俯身，湊近了他問。

「哼……咳咳咳……」賴加輕哼一聲，裝腔作勢地繼續咳。

「哎呀，老師！你怎麼了！」凱里跑過去推開茉伊拉，大力捶打賴加的背。

賴加悶哼一聲，差點被打出內傷……他是不是該驕傲這小子被他調教得力氣越來越大了……

「噗哧……」

聽到這不和諧的聲音，賴加磨牙瞪向聲音的來處，便見某隻大狐狸正一邊大快朵頤一邊偷笑。再扭頭看看某個令他十分在意的傢伙，那傢伙彷彿什麼也沒有看到似的，正低頭用茉伊拉拿過的那根餐叉慢吞吞地吃東西。

而凱里的爪子還在蹂躪他的背……

正當賴加鬱卒不已的時候，貝克闖了進來，「主人……」他張了張嘴巴，然後看了看坐在餐桌邊的納斯加和正死命替賴加拍背的凱里，欲言又止。

「啊，貝克！」賴加立刻站了起來，一臉如蒙大赦的表情令貝克丈二金剛摸不著頭腦。

「那個，主人……」

「有事？我們出去說。」賴加站起身，然後匆匆走出門去，臨走前，還用眼睛的餘光瞥了茉伊拉一眼。

茉伊拉被那意味不明的一眼瞥得莫名其妙，不過她是很有職業道德的守護天使，忙匆匆跟著飛了出去。

「你在生氣嗎？」感覺被低氣壓籠罩著，茉伊拉飛近了賴加，好奇地問。

「哼。」賴加目不斜視。

「為什麼生氣呀？」來來回回想了一遍，也沒有想到原因，茉伊拉決定不恥下問。

「哼。」賴加轉彎走到僻靜處，終於停下腳步，然後轉身看向貝克，「發生什麼事了？」

「布萊茲死了。」

賴加靜默了一下，然後竟然笑了起來，「這麼快，我以為他能多堅持一下呢。」

「主人……你早就知道他會死？」見賴加沒有一絲一毫的驚訝，貝克疑惑道。

「他心浮氣躁，成不了大器，死也是理所當然的。」賴加說著，抬手輕輕撫了撫唇，然後咧開嘴巴，笑道，「我們的陛下知道這個消息嗎？」

「按您的吩咐，我在軍中安插了人手，布萊茲一死就有人傳遞消息過來，陛下應該沒有那麼快得到消息，不過最晚今天中午之前陛下應該會知道。」

「中午之前啊……」賴加低低地重複。

「老師，你們在說什麼？」凱里好奇的聲音在身後響起。

賴加緩緩閉上眼睛，壓下微微勾起的唇角，然後側過頭，「貝克告訴我，他聽到陛下準備賜死克洛怡公主。」

茉伊拉聞言，微微一愣，他……為什麼要說謊？

「什麼？父皇要賜死表姐！」凱里瞪大眼睛，一臉的不敢置信，「不可能的，我去問父皇！」

賴加上前一步，拉住他，「為什麼不可能？」

「因為是表姐啊……」

「別傻了，凱里王子。」賴加面色微冷。

凱里被嚇得微微一愣。

「從伊里亞德王朝建立的那一天起，伊里亞德家族和約特家族註定是敵人。」賴加閉著眼睛，他抬手摸索著輕輕撫上凱里的臉頰，「看來你真的是被保護得太好了，好到完全不知道這人世間的險惡，凱里王子。」

然後，他觸到一手的溼意。

「這樣就哭了？」賴加溫柔微笑。

凱里從來沒有見過這樣的賴加，被嚇得僵住身子，一動也不敢動，眼淚撲簌簌地往下掉。

茉伊拉皺眉，心口忽然很不舒服。

「眼淚是毫無用處的。」賴加俯下身，輕輕湊到凱里的耳邊，「你想看到克洛怡公主死嗎？」

凱里瞪大了眼睛，拚命搖頭。

「好孩子。」賴加摸了摸他的腦袋，低低地在他耳邊說了一些什麼，然後微笑，「聽清楚了嗎？」

「嗯！」凱里大力點頭。

「照我說的做，克洛怡就不會死了。」賴加收回手，「去吧。」

茉伊拉看著凱里走遠，回頭看向賴加，「你要他做什麼？」

「我讓他把克洛怡帶出來。」賴加說著，又道，「貝克，準備一下，在外面等我。」

「是。」貝克走了出去。

「為什麼說謊？」茉伊拉飛到賴加面前，不滿地指責。

「我沒有說謊。」賴加搖了搖手，表示否認。

「你騙了凱里，陛下什麼時候要賜死克洛怡公主了？」茉伊拉鼓起腮幫子，嚴重不滿。

「我沒有騙他。」賴加一臉無辜地道，「陛下一旦得知他寶貝兒子布萊茲的死訊，妳覺得克洛怡公主可以安然無恙？」

唔……這樣也可以？雖然聽起來也有點道理，可是為什麼總覺得哪裡怪怪的？

某天使再次被繞暈了。

看著某天使一臉問號的模樣，賴加腳步輕快地往回走，某天使只得一臉鬱悶地跟著他。

回到餐桌上坐下，賴加旁若無人地大快朵頤，一掃之前的抑鬱形象。

「咦，你心情很好嗎？」吃飽喝足在一旁剔牙的大狐狸終於忍不住問出了在場所有人心裡的疑惑。

「還不錯。」賴加喝了一口紅茶，鎮定地回答。

眾人面面相覷。

「我吃飽了，你慢慢吃。」拿餐巾擦了擦嘴，賴加看向納斯加，和顏悅色地道。

「……」某狐狸沉默。

「……」某天使沉默。

「……」納斯加也沉默。

在眾人扭曲的神情中，賴加悠然走出餐廳。

「他……吃錯藥了？」聞人霜第一個發言。

「大概……吧。」納斯加也被他最後那一句和顏悅色的話震得失神許久。

只有茉伊拉默默地跟著他走出餐廳。賴加會那麼高興……是因為可以救克洛怡出來吧。

走出房間的賴加心情甚好，納斯加是神殿的祭司，神殿建在伊里亞德境內，那麼只要他離開伊里亞德，就可以……嘿嘿嘿。

呼呼，終於可以甩掉那個總是纏著茉伊拉的超大號跟屁蟲了！

吃過早餐，雨又開始淅淅瀝瀝地下了起來。

作為凱里王子的老師，賴加完全可以自由地出入宮廷，所以他十分輕鬆地走了出來。在距離王宮不到五百公尺的地方，有一輛馬車停在樹下，駕車的正是貝克。

「主人。」看到賴加，貝克跳下車來。

「到了嗎？」

「還沒有。」

賴加皺了皺眉，坐進了馬車，「再等一等吧。」

「是。」

坐在馬車裡，賴加靜靜地閉目養神。

「你不擔心嗎？」茉伊拉悶悶地問。

「擔心什麼？」賴加懶洋洋地回答。

「擔心凱里出狀況，萬一他救不出克洛怡公主……」

「不可能。」賴加篤定地截斷茉伊拉的話。

「你怎麼那麼肯定？」

「因為他是我的學生。」賴加毫不猶疑地回答。

茉伊拉怔了一下，然後微笑起來。

「妳笑什麼？」賴加睜開眼睛。

「你也很喜歡凱里，對吧？」茉伊拉湊近他，笑嘻嘻地道。

「我才不喜歡他。」賴加有些不自在地撇開眼睛，「我討厭伊里亞德家的人。」

茉伊拉吃吃地笑，也不揭穿他。

「主人，有人來了。」車外，貝克叩了叩車門，輕聲提醒。

賴加將車門拉開一條縫，便看到雨幕中一大一小兩個人正走向馬車的方向，兩人都穿著厚重的斗篷，略高的一個人似乎已經疲憊不堪，一步一滑，半個身子都倚在矮個的人身上，矮個的雖然自己也是一步一滑的，卻始終扶著身邊的人不鬆手。

「是凱里和克洛怡！」茉伊拉輕呼。

「貝克，去接一下他們。」賴加出聲道。

「是。」貝克跳下馬車，迎了上去。

沒多久，馬車外便響起了凱里尚且稚嫩的聲音：「老師，老師，我來了。」

賴加打開車門，「公主殿下，還好嗎？」

一直低著頭倚在凱里身上的女孩抬起頭，露出一張蒼白的臉，正是克洛怡公主。她扯了扯唇角，稍稍點了點頭。

賴加伸手，「上車吧。」

克洛怡看著他的手，蒼白的臉頰泛起了一點血色，沒有遲疑，她將手放入他的掌心，藉著他的力量上了馬車，在他身邊坐下。克洛怡自然看不見那個位置本來坐著一個天使，因此她坐下的時候，茉伊拉有些狼狽地撲向了另一邊。

「茉伊拉小心！」站在馬車外的凱里驚呼。

「你說什麼？」克洛怡一驚，狐疑地看向凱里。

茉伊拉忙將手指放在脣上，比了一個噤聲的動作。

凱里忙咧開嘴巴笑了一下，「沒什麼，我是說，表姐一路小心。」

「嗯，這一次謝謝你了。」克洛怡從馬車裡探出身去，摸了摸凱里的頭。

凱里低了低頭，「表姐，妳可不可以回去和皇帝舅舅說……不要再打仗了。」

克洛怡愣了一下。

「凱里王子，不要再天真了。」賴加的聲音淡淡響起，「這一場戰爭，已經停不下來了。」

凱里猛地抬起頭，淚水已經含在眼眶裡，他咬了咬脣，嚥下喉間的哽咽，「老師，你還會回來嗎？」

「當然會。」脣角揚起一個毫無溫度的笑容，賴加又重複了一句，「我會回來的。」

他回來之日，便是伊里亞德大亂之時。

「嗯！」凱里絲毫不知道賴加心裡的念頭，重重點頭，「我等老師回來教我劍術！」

賴加嘴角的弧度擴大，形成一個詭異的笑，然後關上車門，「貝克，啟程。」

「是，主人。」

馬車在雨中緩緩前行，茉伊拉忍不住回頭看向凱里。

那個小小的身影站在雨中，努力地揮著小手，明明……明明馬車裡沒有一個人在看他，明明馬車裡沒有一個人真心感謝他……

明明……只是被利用了……

茉伊拉張開翅膀飛出了馬車。

「茉伊拉？」凱里瞪大眼睛，看著忽然出現在自己眼前的天使，忙有些狼狽地抹了抹眼睛，「我沒有哭。」

「善良的孩子，天父會佑你平安喜樂。」茉伊拉溫柔地抱住他，輕輕一吻印在他的眉心。

擦著眼淚的手停了下來，凱里呆呆地站在雨中，由著眼淚往下掉，狠狠吸了吸鼻子，他可憐巴巴地看著茉伊拉，「老師不會騙我，你們會回來的對不對？」

茉伊拉摸了摸他的腦袋，從翅膀上拔了一根雪白的羽毛，將羽毛幻化成一根細細的繩子，繩上繫著一個小小的瓶子，掛在凱里的頸間。

「這是我送給妳的願望小精靈？」凱里摸了摸小瓶子。

「小精靈被關在瓶子裡多可憐呀，我已經放它走了，不過它留下一個願望在瓶中。」茉伊拉微笑著看著凱里，「這個願望是屬於你的，如果要許願，打開瓶子就可以了。」

「嗯。」凱里點點頭。

「雨很大，快回家吧。」

「嗯。」

送走凱里，茉伊拉回到馬車裡，便看到克洛怡正靠在賴加的肩頭，疲憊不堪的樣子。看到茉伊拉回來，賴加斜眼看了她一眼，似乎想要說什麼，結果又看了一眼靠在他肩頭的克洛怡，終究沒有開口。

「為什麼要利用凱里？」茉伊拉看著他，問。

賴加沒有回答。

「他那麼相信你。」茉伊拉憤憤地打抱不平。

賴加卻是一點開口的意思都沒有。

「大表哥他……真的死了？」克洛怡帶著濃重鼻音的聲音在馬車內響起。

「嗯。」賴加淡淡應了一聲，「正是因為這個，我才會提前將您帶出來，我擔心伊里亞德會遷怒於您。」

「謝謝……」

「不用客氣，公主殿下，我是您的騎士。」

茉伊拉靜靜地坐在一旁，忽然明白了為什麼剛剛賴加沒有理會她的問題。因為，克洛怡公主在這裡。而她是守護天使，是不該被人類察覺的，她看向克洛怡公主身後的守護天使，那個小小的天使始終安靜地站在一旁，也許……她應該像那個天使一樣。

那才是一個稱職的、正常的守護天使。

可是……為什麼她的心裡會鈍鈍地難受？猶如那一日……他向克洛怡宣誓成為她的騎士時一樣……難受。

12 天使的存在

兩天了，茉伊拉悶悶地坐在馬車裡，她已經兩天沒有和賴加講話了。從來不知道被當成隱形是這般難受，百無聊賴間，她試圖向克洛怡的守護天使攀談，豈料那小天使卻不願搭理她。

「賴加。」閉著眼睛靠在賴加肩上的克洛怡忽然低低地喚。

「嗯？」賴加應了一聲，看向克洛怡公主。

「等回皇宮之後，你……還會留在我身邊嗎？」克洛怡公主有些羞怯地看了他一眼。

「當然。」薄薄的唇微微彎起一個好看的弧度，賴加微笑。

不留下，如何贏得約特的支持？他的苦心經營豈不白費？

白皙的臉上染了一層緋紅，克洛怡公主仰頭在他的臉頰邊蜻蜓點水般吻了一下，留下一個紅色的唇印。

茉伊拉眨了眨眼睛，忽然出手，衝向賴加。

賴加微微皺了一下眉，不露痕跡地將茉伊拉稍稍推遠一些，卻沒有看到茉伊拉臉色一變，然後一枝箭穿透馬車，釘在了他的肩上。

「上帝啊！」克洛怡公主驚恐地瞪大眼睛，雙手捂唇，尖叫出聲，「賴加你受傷了！」

「沒事。」賴加拔下箭，發現箭頭射入並不深。稍稍帶著歉意的目光掃向茉伊拉，他剛剛以為她是在耍任性才會推開她，卻差點忘了她是守護天使，「任性」那種字眼是無論如何都不可能發生在她身上的。

……而且剛剛那樣千鈞一髮的時刻，她縱然被推開卻還是盡力替他擋下了一部分的攻擊。

茉伊拉並沒有看他，只是雙眸警覺地瞪著車外。賴加也看向窗外，面色微冷，唇邊卻是一點一點掛上了瘋狂的笑。是伊里亞德的人吧，那個皇帝陛下終於得到了他寶貝兒子的死訊，現在定是恨不得飲他的血吃他的肉呢。

「主人，有埋伏。」車外，一貫沉穩的貝克語氣中也稍稍透了些急躁。

克洛怡公主緊張地靠近賴加，握住他的手。

「別怕，有我。」賴加抽回手的當口，又一枝箭射進了馬車，他取下掛在車壁上的劍握在手中，「貝克，甩開他們。」

「是。」貝克應了一聲，馬車加快了速度。

車窗「鏘」的一響，一把寒光閃閃的長劍刺進了馬車內，賴加瞇了瞇眼睛，眼看有人拉著車門闖上車來，他眨也不眨地拔出劍，一劍削下了闖入者的頭顱。

鮮血四濺。

克洛怡公主驚叫一聲，瞪著馬車裡多出來的那個頭顱，嚇得面色煞白。

「閉上眼睛。」賴加說著，一把將克洛怡拉進懷裡，反手一劍刺死了試圖從側面爬上車的殺手。

馬車很快在猛烈的攻擊中變得千瘡百孔，速度卻是一點都沒有減，貝克一手持劍，一手持馬韁，殺得一路血肉橫飛。直到拉車的馬被刺得奄奄一息，倒地抽搐不已，馬車才總算停了下來。

茉伊拉也撐得極辛苦，守著賴加這麼些年，也從未遇過如此苦戰，眼見著那些訓練有素的殺手成功地將馬車逼停，她努力撐開的結界也已經脆弱不堪。

在賴加和貝克聯手的反攻下，對方顯然也沒有討得一點好處。在一片穿著黑色盔甲的殺手中，有幾個彩衣的尤其引人注目，而且那些彩衣殺手背後都繫著一個木匣子。

茉伊拉隱約覺得那些木匣子十分眼熟。

貝克卻是不管不顧，提著沾滿了血的劍，見一個殺一個，見兩個砍一雙。直到一個彩衣殺手臨死前帶著近乎詭異的笑容扯開了背後背著的木匣子，茉伊拉才想起那個面熟的木匣子裝的是什麼……

「不要！是惡靈！」她驚呼。

可是貝克聽不到她的聲音，賴加想阻止的時候已經來不及了。

一團猙獰醜陋的黑影猛地從木匣子裡竄了出來，竟然附身在已然死去的彩衣殺手身上，明明已經被砍斷了脖子的彩衣殺手便站了起來，如提線木偶一般，搖搖晃晃地舉著劍刺向貝克。

貝克似乎也被這詭異到極致的景象驚得愣了一下，但也僅僅是一下，便再次揮劍，這一次，他將那彩衣殺手的頭顱直接砍了下來。可是，沒有了頭顱的彩衣殺手卻依然行動自如。

克洛怡驚叫一聲，嚇得暈了過去。賴加抱著克洛怡，動作被牽制，漸漸有些應接不暇起來，一不留神，肩上又挨了一劍。

看來這一回，那個皇帝陛下是下了血本要置他於死地了。

眼看著那些詭異的彩衣殺手將賴加團團圍住，茉伊拉急得直接飛撲了過去，抱住了刺向賴加的劍。沒有人察覺一團黑影趁機悄無聲息地鑽進了茉伊拉的身體裡。

茉伊拉自己也沒有發現，她只是奮力抱著劍，不讓劍身靠近賴加，然後用盡力氣重新撐開了一道結界。直到她的肩上出現了一條裂紋，她也沒有鬆手，濃重的疲憊感卻是襲捲而來。正當她感到疲憊不堪時，一隻透明的手平空出現，將茉伊拉拉入懷中。

「小霜？」茉伊拉呆了一呆。

聞人霜低頭看了她一眼，順便解決了幾個殺手，神情竟是極其嚴肅，從未見過他這副表情的茉伊拉一時有些惴惴。見她被嚇住，聞人霜驀然露齒燦爛一笑，「要是我來得再晚些，妳怕是要成為天界第一個光榮殉職的守護天使了。」

茉伊拉哪裡顧得上他的玩笑，忙拉住他的袍子，「快去幫幫賴加。」

聞人霜又看了她一眼，抱著她加入戰局。因為他是隱形的，故而不能大幅度出手，只能守在賴加身邊，趁貝克不注意解決幾個。

「啊，賴加小心！」茉伊拉掙扎著要飛出去幫忙，翅膀剛動了一下，她腦門上便狠狠被拍了一下，「你幹什麼！」抬手捂住腦門，茉伊拉瞪向罪魁禍首。

罪魁禍首聞人霜涼涼地看了她一眼，「妳想賠上自己的小命嗎？」

「我是賴加的守護天使！」茉伊拉不滿地辯白。

「守護天使？」聞人霜以一種看白痴的眼神看著茉伊拉，然後抬袖指了指貝克，又指了指克洛怡，「妳好好看看人家的守護天使是怎麼當的。」

茉伊拉順著他的手看去，看到克洛怡的守護天使只是守在克洛怡的身邊，並不出手幫忙，大約是因為有賴加保護著的關係；再看看貝克，他的守護天使雖然出手幫忙了，但卻不曾像她這般拚命。

「明白了?」聞人霜又在她的腦門上彈了一下,「守護天使也不是無敵的,在守護人類的同時,也要保證自身的安全,不是個個都像妳這般不要命的。若是每個守護天使都像妳這般拚命,那麼人界就個個是超人了。」

茉伊拉沒有吭聲,因為在這個時候,她忽然不合時宜地想起了聞人霜曾經跟她說過的一些話。

她曾問他關於東方曉的事情,聞人霜卻反問她,妳又為什麼要一直守護著賴加呢?她回答,因為這是她的工作。他高深莫測地說了一句,真的……只是工作,而已嗎?

那時,她不懂。他也不在意,只說了一句,現在妳不懂,以後就懂了。

想到這裡,她有些不自在地看了聞人霜一眼,卻看到他似笑非笑的眼睛。彷彿被看穿了心思似的,她一陣心虛。

不再看低著頭的茉伊拉,聞人霜幾不可聞地低嘆一聲,將被惡靈附身的彩衣殺手制伏,剩餘的殺手沒過多久也被賴加和貝克解決了。茉伊拉有些急切地從聞人霜的懷裡掙脫開來,正對上賴加看過來的關切眼神,淺褐色的眼睛微微一亮,她張了張嘴巴。

「賴加,你沒事吧?」這句話卻是從清醒過來的克洛怡公主的嘴巴裡問出來的。

「沒事。」賴加低頭看了看自己,雖然受了點傷,卻都是皮肉傷。

茉伊拉張了張嘴巴,終究沒有出聲。

「你沒事,她有事呢。」聞人霜忽然笑嘻嘻地道。

克洛怡自然是聽不到他的聲音,可是賴加聽到了,他面色一寒,慌忙看向茉伊拉。茉伊拉卻呆呆地站在原地，一臉完全不在狀況內的表情，「我哪裡有事？」

聞人霜指了指她的肩，茉伊拉順著他的手看向自己的肩，才發現那裡裂了好大一個傷口，無色的血液正汩汩地流出，沾溼了她的翅膀。怔怔地看了半晌，她無聲無息地倒了下去。

賴加控制不住自己的腳，鬆開克洛怡，幾乎是飛奔到了茉伊拉身邊，將她從地上扶了起來，「茉伊拉，茉伊拉！」

克洛怡一臉莫名地立在原地，面上帶著不可思議的表情，他彷彿抱著什麼，可懷中又明明什麼都沒有。她從未在賴加的臉上看到過這般驚慌失措的表情，那雙銀灰色的眼睛裡盛滿了心痛和自責。

聞人霜伸手去抱茉伊拉，卻被賴加一把揮開。

「你的公主殿下很吃驚呢。」聞人霜似笑非笑地看著他。

賴加一怔，隨即緩緩垂下眼簾，沒有再阻止聞人霜去抱茉伊拉，他面無表情地站起身。

「賴加，你剛剛怎麼了？」克洛怡有些擔心地走到他身邊。

「沒事，大概是因為受傷的關係，產生了幻覺。」

聞人霜抱著茉伊拉，淡淡瞥了賴加一眼，視線在他的臉頰上轉了兩圈，才低低地笑了起來，「呵呵，幻覺。」

賴加微微皺了皺眉，隨即感覺克洛怡的手輕輕撫過他的臉頰，忙下意識偏過頭，卻看見克洛怡的臉上羞紅了一片，「那個……你的臉上有唇印。」

賴加愣了一下，想起之前在馬車上的那個吻，在聞人霜嘲弄的眼神下，頗有些不自在。不知道出於什麼心態，他偷偷瞧了茉伊拉一眼，卻在見到她閉著眼睛毫無知覺地靠在聞人霜懷裡時，心狠狠地抽了一下。

馬車已經不能再使用了，賴加趁天黑以前帶著克洛怡喬裝、到附近的城鎮借宿，這裡還算是伊里亞德境內，果然一進城便看到了通緝他的布告。

他們在聞人霜的幫助下成功避過守城的士兵。找到一間旅店住下時，天已經大黑了。

從克洛怡房中退了出來，賴加加快腳步回到房間，便看到聞人霜正抱著茉伊拉坐在木椅上，一臉凝重的表情。

「她怎麼樣？」關上房門，賴加急急地問。

聞人霜置若罔聞，仍是看著茉伊拉發呆。

賴加心裡一陣不舒服，伸手便要去奪茉伊拉。

「你若想要她死，儘管來搶。」聞人霜終於抬頭，不輕不重地看著他道。

賴加僵住，「她……到底怎麼樣了？」

「從人類的角度來說，」聞人霜抬頭微笑，「只剩一口氣了。」

「怎麼會……」賴加瞪大眼睛，銀灰色的眼瞳透出一絲來不及掩飾的恐懼。

從來不知道害怕為何物的賴加，生平第一次，感覺到了恐懼。

「我也覺得很奇怪，她的身體為什麼會衰弱成這樣。」聞人霜低頭看著懷裡的天使，「更奇怪的是，這樣衰弱的身體，她居然還能拚死護著你。」

「我……我竟然沒有注意到她……」

「嗯，你忙著保護你的公主殿下，自然無暇顧及。」聞人霜說著，忽然又笑了起來，「不必這麼自責，她本來就是你的守護天使，唯一不同的是，她比其他守護天使笨了一點，不懂得保護自己罷了。」

「你又何必這樣諷刺我。」賴加垂下眼簾，他不是無暇顧及，他只是……只是……

「不然呢？」

「我只是害怕如果貿然出手幫她的話，她又會胡思亂想。」賴加淡淡地說完，然後開始懊惱，他到底是為了什麼要對這隻狐狸解釋這麼多。

「哦——」果然，某隻大狐狸立刻眉開眼笑起來，原來他還在對上次茉伊拉不理他的事情耿耿於懷，然後又鄙視他，「你是笨蛋嗎？連分寸都不會拿捏。」

那一次，聞人霜是這麼跟他說的，他說如果茉伊拉不在他身邊，他還是好好的一點影響都沒有，那麼身為守護天使的茉伊拉就會很挫敗……

他還說，如果茉伊拉認了死理，覺得有沒有她都一樣，說不定……她就會突然……不見了……

側過頭避開聞人霜戲謔的視線，賴加只淡淡吐出一句：「她不會離開我的。」

「哦？」聞人霜彎了彎唇，「你這麼肯定？」

「她說過，只要我不死，她就不會離開我。」賴加看著茉伊拉，低低地說。

聞人霜笑了起來，正打算說什麼，卻被一陣敲門聲打斷了，於是他只意味深長地看了賴加一眼，便不做聲了。

「賴加，你睡了嗎？」門外，傳來克洛怡公主的聲音，「你的傷口如果不及時處理的話，我擔心會……」

「我沒事。」

「……我拿了藥來。」

銀灰色的眼眸裡閃過一絲不耐煩，賴加終於還是走過去，開了門。

克洛怡正拿著藥站在門口，看到賴加開了門，她的視線落在他肩膀的傷口上。雖然已經換了一件顏色較深的衣服，但仍然可以看得出有血透了出來，浸溼了衣服，「看，你的傷口還在流血……」

賴加低頭看了一眼，隨手拉了拉衣服，「我沒事。」

「我堅持。」克洛怡公主皺眉瞪他，「騎士先生。」

「好吧，公主殿下。」賴加聳聳肩，回頭看了一眼仍沒有醒來的茱伊拉和滿臉趣味的聞人霜，「如果不介意的話，可以去您的房間嗎？」

「當然。」克洛怡公主伸手扶住賴加，走進隔壁的房間。

不知道是不是職業的責任心作祟，賴加前腳剛走，茱伊拉便醒了。有了感覺的時候，她便察覺到一條毛茸茸的尾巴正在她的臉上掃來掃去。

「咦，小天使醒了。」耳邊響起一個略帶驚訝的聲音。

茱伊拉睜開眼睛，迷茫了半晌，隨即一骨碌爬了起來，「賴加……賴加呢？他在哪裡？受傷了嗎？嚴重嗎？」

「他啊……軟玉溫香抱滿懷，可好得很呢。反倒是妳的傷，詭異得很，還是安安分分待在這裡吧。」聞人霜的話還沒說完，茱伊拉便已經消失在了原地，迫不及待地循著感應飛到賴加所在的房間。

茉伊拉剛到門口，便看到克洛怡的守護天使正安靜地站在門邊。

房間裡點著熏香，一進門便可以聞到淡淡的馨香，賴加不著痕跡地皺了皺眉，在木椅上坐下。

克洛怡公主小心翼翼地替他脫去了上衣，在看到他肩背上有些猙獰的傷口時，倒抽了一口涼氣，淚水迅速漫過了眼眶，「很痛吧……都是因為我……」纖細的指尖輕輕撫過他傷口的邊緣，她微顫著唇。

「並不是很痛。」掩去眸中不耐煩的情緒，賴加抬手，替她抹去眼淚，「不要哭了，眼淚沾在傷口上，才會更痛。」

聞言，克洛怡立刻屏住呼吸，瞪大眼睛，含在眼眶中的淚水再不敢掉下。她的樣子終於逗笑了賴加，他低低地笑了起來，笑意一點一點滲透銀灰色的眼睛。

克洛怡有些著迷地看著他，忍不住抬手撫上他的眼睛，「賴加，這是我第一次看到你笑呢，你笑起來真漂亮。」

「嗯？」賴加揚了揚眉，握住她的指尖，他不喜歡她觸碰他的眼睛。

「你不知道吧，以前看到你的時候，雖然你也在笑，可是卻令人害怕。」

「呵呵，是嗎？」他答得敷衍。

只是……這一幕，落在站在門邊的茉伊拉眼中，卻是另一幅景象。她就那樣站在門邊，忽然有一種進退兩難的感覺，彷彿她不該走進這房間，不該打擾他們。

「看呀，他們是那麼的相配，茉伊拉，妳真是多餘呢。」心裡，突然響起一個細細的聲音。

茉伊拉被那個聲音嚇了一大跳，她下意識後退一步，有些慌張地抬手捂住心口，然後下意識反駁：「不是這樣的，我是守護天使，我只是賴加的守護天使。」

「是啊，守護天使，可是妳這個樣子，又有哪裡像是守護天使呢？妳居然賜予一個人類能夠看見妳的眼睛，妳為他壞了天界的規矩！」那個細細的聲音嚴厲起來。

「不是，不是這樣的，我賜予他看見天使的眼睛，是因為當時他被父母設計差點葬身火海，他甚至懷疑自己是惡魔，他那麼小，那麼無助，我……」

「不要狡辯了，茉伊拉，承認妳的私心吧，妳愛上了一個人類。」

「不……」茉伊拉臉色大變，一種從未有過的感覺瞬間襲捲了她的全身，彷彿要將她撕碎、割裂一般。

這是怎麼了……怎麼會有這樣的感覺……

那是什麼感覺……

是人類所說的……痛……嗎？

是的，那應該是痛。

痛……很痛……

「呵呵呵呵……可憐的小天使……」彷彿感覺到了她的痛楚，心底那個聲音似乎越加地高興起來。

那個聲音是誰……

是誰……

茉伊拉抬手死命地摁住心口，想要制止那個不停地從心口跑出來的聲音，可是她摁得越緊，那個聲音就越尖厲。

淺褐色的眼睛裡滿滿的都是無助和痛楚，她吃力地抬起頭，看向賴加。

賴加，賴加，快看看我，快幫幫我，我怎麼了……我不知道我怎麼了……

抬頭的一瞬，印入那雙淺褐色眼眸中的，是賴加看著克洛怡微笑的模樣……

聞人霜晃著狐狸尾巴準備出來找茉伊拉的時候，便看到她正站在門口。

「咦？這就回來啦？沒有看到什麼不該看的吧？」聞人霜笑嘻嘻地湊上前打趣。

茉伊拉垂著頭，長長的金色鬈髮散落在胸前，幾乎將她的整張臉埋在陰影裡。

「茉伊拉？茉伊拉？」感覺到她的不對勁，聞人霜抬手推了推她。

茉伊拉緩緩抬起頭，淺褐色的眼睛裡閃過一絲異樣，隨即恢復正常，「小霜，我好累。」說完這一句，她一頭栽進了他懷裡，失去了知覺。

聞人霜抱住她，眉頭一點一點皺緊。

這種令人不舒服的感覺是……

惡靈？

13 惡之花

第二天一大早，換了新的馬車出城，貝克駕的車一樣地穩。

克洛怡坐在賴加身側，仰頭笑著跟他說著什麼，她的笑容那樣明朗，一點也不像在逃亡，倒彷彿是與心愛的人出遊一般。賴加卻總是心不在焉的樣子，不時瞥向車廂對面的角落。茉伊拉正屈膝坐在那裡，面色平靜而安詳，彷彿什麼事都沒有發生，彷彿從來也沒有受過傷。

賴加疑惑的目光掃過某隻狐狸，牠該死的也一副正襟危坐的樣子，完全無視他眼裡的疑惑。

昨天晚上回到房間的時候，茉伊拉和聞人霜都不在，他坐在房裡枯等了一整夜，直到凌晨的時候，那隻狐狸才將茉伊拉帶回來，卻什麼都不說。他正想盤問的時候，克洛怡來敲門了，然後……一直到現在，他都沒有機會問清楚昨天夜裡究竟發生了什麼事情。

而且……他總覺得茉伊拉有哪裡怪怪的，卻又說不上來。

「賴加，賴加？」克洛怡推了推他，「你怎麼了？」

賴加回過神來，收回視線，「沒什麼。」

「傷口還在痛嗎？」克洛怡有些擔憂地看著他。

賴加忽然有點明白是哪裡怪怪的了，若是往常他受了傷，茉伊拉肯定是第一個用治癒術來治好他的，可是這一次，她沒有。

而且……從她回來之後，就一直沒有跟他講話，甚至……沒有看他。

是的，她沒有看他，她就那樣安靜地坐在那裡，她和他的視線沒有交集。

想通這一層，賴加的眉頭蹙得更緊了。

「別擔心，再往南就是約特了。」克洛怡抬手撫平他眉間的皺褶，「那些殺手應該不會再來了。」

賴加拉下她的手，點點頭。克洛怡看著自己被握住的手，面色緋紅。

「啊，被囚禁的公主，披荊斬棘英勇無敵的騎士，真是美得像童話一樣呢。」一個細細的聲音在心底這樣喟嘆。

茉伊拉坐在自己的位置上目不斜視，一手按住心口的位置。

聞人霜告訴她，她這是被惡靈附身了。

聞人霜說過，這些可怕的、會窺探人心的小東西，在漫長的、無止境的歲月中，被孤獨寂寞吞噬了心靈，從而變成那種失去自我的怪物。它會抓住人心的弱點，引誘被附身者成為它的同伴。

而現在，她要做的就是抑制心底那個聲音。

馬車忽然停了下來，賴加面色一肅，「貝克，發生什麼事了？」

「我們好像闖進戰場了。」車前響起貝克有些無奈的聲音。

那是真正的戰場，伊里亞德和約特的數千兵馬正相互廝殺，短兵相接，血肉橫飛，空氣裡飄浮著的是濃重的血腥味。

大約是戰場的戾氣太重，整個戰場見不到一個守護天使。

茉伊拉扭頭看向窗外，一片人間煉獄的景象。伊里亞德和約特的戰爭，葬送了多少無辜者的性命，而挑起這一場戰爭的人……

她緩緩垂下眼睛，忽然不想去看。

「人類自相殘殺，連天使也無能為力呢。」聞人霜趴在窗口看了半天，忽然拋出一句感慨。

茉伊拉捏緊了拳頭，淺褐色的眼睛裡盈滿了哀傷。

「天使也拯救不了墮落的靈魂，是他們拋棄了天使，不是天使背棄了他們。」一個平淡的聲音冷不防地在馬車裡響起。

茉伊拉和聞人霜都好奇地看向那個聲音，竟是自始至終都保持透明狀態的克洛怡的守護天使。

「你……」茉伊拉瞪大眼睛，要知道她曾經試圖搭話N次，卻都慘敗而回。

「我在妳的身上感覺到了邪惡的氣息。」那個守護天使看向茉伊拉。

見他居然搭理自己，茉伊拉有點受寵若驚的感覺。

「第五天的茉伊拉，居然也會被邪惡的東西纏住？」

「……你知道我？」茉伊拉眨眨眼睛，不知道自己什麼時候變得那麼有名了。她在天界應該沒有什麼知名度吧，純屬默默耕耘的勤奮刻苦型小天使呀。

「囉唆，不知妥協，記性差忘性大，工作責任感超級強，有著不切實際的目標和理想，第五天的看守天使，茉伊拉。」某守護天使用一種極平靜淡然的表情吐槽。

「……我哪裡囉唆了。」茉伊拉反駁。

「不要害怕，不要徬徨，屏棄黑暗，向著光明前行，因為天父在指引著我們……」某守護天使面無表情地緩緩開口。

茉伊拉目瞪口呆，他他他……他怎麼知道她的臺詞！那是她在巡查第五天的時候常跟關押在第五天的天使同行和半魔們說的話呀！

「我怎麼記性差了！」茉伊拉再次反駁。

「我是誰？」某守護天使看著她，溫柔地問。

「咦……」茉伊拉疑惑，是熟人嗎？

某守護天使一臉「果然如此」的淡定表情。

「我是伊凡。」

「伊伊伊……凡！」茉伊拉瞪圓了眼睛，拍著翅膀便飛撲了過去，抱了個滿懷，「真的是你！」

伊凡斂起翅膀，垂下頭任她抱了個過癮。

「為什麼不跟我講話嘛！」茉伊拉一想起之前他板著臉裝透明就鬱悶。

「我在想，妳什麼時候能想起我是誰。」伊凡淡淡道，「我送給妳的禮物呢？」

茉伊拉想了半天，才想起伊凡的確有送給她一根羽毛，可是……可是……她把那根羽毛當成勵志禮物送給關押在第九道走廊的那個……

「我拿去做更有意義的事情了！」茉伊拉一拍胸脯，正氣凜然。

伊凡淺笑，沒有再問。

大約是雙方力量懸殊的關係，戰鬥很快變成了一場屠殺，然後迅速接近了尾聲。於是停在路邊的馬車終於被發現了，數十把長弓迅速對準了馬車。

「主人。」貝克握緊了手中的劍，只待賴加一聲令下。

「先別急。」克洛怡按住了賴加拔劍的手，她一手挑開車簾，仔細看了看那面迎風飄揚的旗幟，然後笑了起來，脫下手上的戒指交給賴加，「領軍的是尤金伯爵。」

賴加也看到了旗幟上約特的標記，遂鬆開握著劍柄的手，接過戒指，推開車門走下馬車，他的手上，拿著克洛怡的戒指。

那枚戒指在陽光下熠熠生輝。

雕刻著火焰皇冠的戒指，是約特帝國皇族的信物。

殺紅了眼的士兵們立刻放下手中的長弓，一名身著鎧甲的中年男子從中走出，正是尤金伯爵。他仔細辨認了一下那枚戒指，才疑惑地看向賴加，「閣下是？」

「克洛怡公主在馬車上。」賴加收起戒指，淡淡道。

「克洛怡公主？」尤金伯爵驚訝不已，隨即整了整鎧甲，面色肅然，「事關重大，可否讓我見一下公主殿下？」

賴加點點頭，貝克拉開車門。

見到坐在馬車裡雍容美麗的公主殿下，那些刀口舐血的士兵們都下意識放下手中的兵器，單膝著地。

「公主殿下！」尤金伯爵也顯得激動不已，「陛下很擔心您……」

克洛怡微笑，「伯爵大人果然英勇不減當年。聽聞布萊茲·伊里亞德戰死的時候，我還在想是誰那麼大本事呢，原來是您，這也算是報了您的殺子之仇吧，想必亞爾曼如今定可瞑目了。」

尤金伯爵面上的肌肉似乎抽動了一下，隨即低頭，「為國而戰，萬死不辭。」

「伯爵大人，這是我的騎士賴加先生，他一得知布萊茲的死訊，便將我從伊里亞德王宮救了出來，若非如此，如今恐怕我早已經……」克洛怡輕咳了一下，掩去後面的話，然後又笑了起來，「一路行來凶險至極呢。」

「在下惶恐。」

聞人霜抱著胳膊坐在馬車頂上，笑咪咪地晃了晃腦袋，「這個公主殿下，不簡單呢。」

尤金伯爵當下便派人傳信回帝都，並撥出一隊車馬護送公主回京，他自己帶兵繼續向北，一路收復約特的國土。

馬卡斯二世得知克洛怡已經逃出伊里亞德，立刻派兵出城相迎。迎接公主的馬隊奢華無比，克洛怡看起來卻並不開心，只是默默地坐進了那輛鑲金鍍銀的專用馬車，賴加自然地坐進另一輛馬車裡。

馬車一路走走停停，賴加的視線第N次瞥向某個角落，茉伊拉仍然縮在角落裡扮透明，自從那一日受傷之後，她已經整整快半個月沒有跟他講話了。之前是因為有克洛怡在，他不方便跟她講話，可是現在馬車裡只有他一個人，她卻仍然縮在那裡，一動不動，連看都不看他一眼。

那一晚究竟發生了什麼事情，她的傷勢究竟怎麼樣了……還有那天在馬車裡，她忽然興高采烈是為了什麼。

該死的他什麼都不知道。

聞人霜左右看看，第一次識趣地離開了馬車，留給他們二人世界。他並沒有走遠，只是坐上了前面克洛怡公主專用馬車的車頂。

不一會兒，克洛怡公主的守護天使伊凡便出現在車頂上。

「咦？」聞人霜擺了擺手，「我沒有惡意喲。」

「茉伊拉被什麼纏住了？」伊凡在他身邊坐下。

「惡靈。」聞人霜看了他一眼，攏住袖口，「她被惡靈附身了。」

伊凡沒有出聲。

「那隻惡靈雖然強大，可其實也不是沒辦法弄出來，只是需要一點強制手段。」聞人霜聳了聳肩，「結果她……」

「結果她不願意傷害一隻惡靈，心甘情願地被附身，並且相信她可以引導那隻惡靈棄惡從善。」伊凡淡淡地接上他的話。

聞人霜驚訝，「哦呀，你可真是了解她。」那個單純到了極點的小天使那天果真是這麼說的。

「她本來是在天界第五天看守天使牢獄的看守天使，因為犯了錯才被貶到人界來當守護天使，你知道她犯了什麼錯嗎？」

「什麼？」

「她試圖引導淨化一隻千年的妖獸，結果反而被利用，讓那隻妖獸成功逃獄了。」

「人界有句話，叫『吃一塹，長一智』，可見她的智慧沒怎麼長嘛……」聞人霜笑著抖了抖眉毛。

伊凡竟然也笑了起來，「你知道我怎麼認識她的麼？」

「說說看。」聞人霜八卦兮兮地豎起了耳朵。

「我曾經是被關押在第五天的罪天使。」伊凡看著遠處起伏的山巒，聲音平和，「那時她天天都來說教，整個第五天的罪天使和半魔們一看到她就頭疼，她卻依然如故，並且始終相信可以淨化他們。」

「她成功了。」聞人霜笑瞇了眼睛。

「你別看她那樣，雖然看起來有點不可靠，其實……她是我見過最強大的天使。」伊凡笑了起來，「你知道她的目標是什麼嗎？」

「拯救世界。」聞人霜說著，自己忍不住先「噗哧」一下笑了起來。

伊凡也笑，「看來她果然還是常把這個目標掛在嘴上啊。」

「怎麼跟我說這麼多？我記得茉伊拉說過天界有保密條例的呢。」

「沒什麼。」伊凡站起身，「只是忽然想說說話。」說完，他便回到了馬車裡。

聞人霜笑咪咪地躺下，雙手枕在腦後，抬頭望天，天很藍。

公主殿下平安返回帝都的時候，已經入了冬。賴加因為救回公主，得到了馬卡斯二世的召見，並且封為伯爵，成了上院貴族之一。

在慶祝舞會上，克洛怡公主盛裝出席。那一晚，她喝了很多酒，直至賓客都散去，她也沒有離開。

「公主殿下，公主殿下，醒醒。」賴加輕輕推了推伏在天鵝絨沙發上的克洛怡。

克洛怡嚶嚀一聲，抬起臉來。

「還好嗎？」

「賴加……」她喃喃著，面色酡紅，似乎醉得不輕的樣子。

「您該回去了。」

「你不開心嗎？」克洛怡一手撫上他的臉，她的掌心很熱，他的臉很冷，「父皇只賜了爵位，並沒有將兵權和封地給你，你不開心對嗎？」

賴加皺了皺眉。

「很快的。」克洛怡公主笑著將臉挨近他，「尤金這一次回來，戰功赫赫，父皇定要升他的爵位。伊里亞德叛變之後，約特帝國已經無人可以與他抗衡，父皇需要一個人來壓制他，父皇很滿意你呢……」

她的唇幾乎碰上他的唇。

站在旁邊的茉伊拉一手抵住心口，那裡有個聲音在嘲笑她，用無比刻薄的聲音。

「妳在嫉妒，妳在嫉妒。」

「妳守護著的賴加，已經不再需要妳了。」

「妳守護著的賴加，已經宣誓要守護別的女人了。」

茉伊拉捂著心口，咬唇。

「賴加，賴加……」克洛怡低喃。

賴加垂下眼簾，輕輕推開她，「公主，您醉了。」

將克洛怡公主送上馬車，賴加站在新的府邸前，出了一會兒神。約特的帝都十分繁華，新賜的府邸也很不錯，可是這裡……沒有薔薇園。

就算是在伊里亞德，這個時候，薔薇的花期也已經過去了吧，滿園應該只剩下枯黃的梗和葉了。

曲終人散，徒留一地蕭瑟。

賴加站了許久，終於轉過身，看向某個安靜無比的天使。她正站在他身後，眼觀鼻，鼻觀心。

「妳在生氣？」再也忍不住，他上前一步，先開了口。

長長的眼睫毛微微顫了一下，她沒有吭聲，也沒有動。

「為什麼生氣？」他又上前一步，抬手去碰她。

茉伊拉下意識躲開。

「妳在嫉妒嗎？」咧了咧嘴，他看著她，笑得狡黠。

淺褐色的眼睛微微一黯，她似乎要辯解什麼，卻終究沒有說出口，只是垂下頭，無比恭順地道：「我只是在學習如何成為一個合格的守護天使。」

「合格？」賴加瞇了瞇眼睛，「比如呢？」

「比如，讓你看見我，便是一個錯。」

「妳說，讓我看見妳，是一個錯？」賴加不敢置信地瞪著她，伸手便想去拉她，卻拉了一個空。

他的手穿過她的肩膀，卻什麼都沒有碰到，就那樣孤零零地僵在空氣中。

「茉！伊！拉！」他咬牙，一個字一個字地從牙縫裡擠出來，彷彿要將她生吞活剝。

茉伊拉依然低著頭，不看他。

賴加點點頭，怒極反笑，「妳在我身邊十幾年，到現在才想起要當一個合格的守護天使？」

茉伊拉沉默。

「為什麼？」賴加低吼，「究竟發生什麼事情了！」

「什麼……都沒有發生。」茉伊拉搖了搖頭，「不是你的錯，是我不好。」

賴加狠狠瞪著她。

第二天一大早，伯爵府的管家艾德剛出門便看到他們年輕的伯爵大人正站在門口，一臉苦大仇深地瞪著門邊的一棵樹。

「伯爵大人？伯爵大人？」管家戰戰兢兢地走上前，「您怎麼了？」

賴加瞪著茉伊拉瞪了一夜，瞪得他眼睛都酸了，某天使還是作垂頭不語狀。

「茉伊拉，妳真的不告訴我原因？」賴加磨牙，因為一夜沒睡的關係，聲音帶著些許的沙啞，「妳到底怎麼了？」

管家看看他的伯爵大人，再看看那棵萬分無辜的樹，他也想知道怎麼了……

「好好好，妳想當一個合格的守護天使嘛，天界有保密條例嘛！」賴加閉了閉有些酸痛的眼睛，一把扯住管家，指向茉伊拉，「你，看這裡，她叫茉伊拉，是我的守護天使。」

「呵……呵呵……伯爵大人您真風趣……」管家嘴角抽搐了一下，乾笑著道。

「她，叫茉伊拉，是我的守護天使！」賴加咬著牙，一字一頓地說。

「記……記住了。」管家被他寒颼颼的眼神煞到，顫巍巍地抬手指著那棵已經掉光了葉子只剩光禿禿枝椏的樹，萬分委屈地道，「它叫茉伊拉，是您的守護天使……」

得到了滿意答案的賴加終於大發慈悲地鬆開手，放過了可憐的管家。

管家一路跌跌撞撞地跑回府裡，不知道這個新主子什麼毛病，大清早地給一棵樹取名字，還守護天使……

茉伊拉垂著腦袋站在那棵已經掉光了葉子的樹前面，還是沉默。

就在賴加伯爵府裡多了一棵名叫「茉伊拉」的樹時，尤金的軍隊一路向北，在接連幾場勝仗之後，終於在諾德亞城吃了一回敗仗，自此，竟是再也無法向北一步，久久僵持不下。

據說，伊里亞德又出了一員猛將。

聖誕前夕，伊里亞德王朝的凱里王子出使約特，帶來了伊里亞德一世病危的消息，要求和解。

賴加知道這個消息的時候，正寒著一張臉坐在寬大的高背椅子裡，與他冷冰冰的氣質毫不相符的是……他懷裡抱著一個大號的蜜糖罐子，正用勺子舀著蜜糖往嘴巴裡塞。

看著這位年輕的伯爵大人眼睛眨也不眨地把甜得嚇人的蜜糖大勺大勺地往嘴巴裡塞，站在一旁的管家忍不住起了一層雞皮疙瘩，看來是時候通知廚房多買一些蜜糖回來了……

「你說什麼？凱里王子出使約特？」握著勺子的手停了下來，賴加終於抬頭，正眼看向管家。

感覺自己終於有了一點存在感，管家老淚縱橫，忙上前一步，「是的，據說伊里亞德一世病危，凱里王子此行是來求和的。」

聽到凱里的名字，茉伊拉瞪大了眼睛。他才失去哥哥，現在父親又……在這種時候，他卻必須出使約特來求和，對於一個孩子，是否太過殘忍？

賴加下意識回頭看了一眼站在他身後的茉伊拉，見她聽到凱里的名字時臉上露出來的關心，有些不爽，哼了一聲繼續啃蜜糖。

只不過，伊里亞德一世……病危嘛……

似乎連嘴巴裡的蜜糖都失去了味道，賴加低頭沉吟，那個強悍的男人果真會這樣輕易倒下？

「伯爵大人？伯爵大人？」見自己的存在再一次被無視，管家再次老淚縱橫，「伯爵大人……您理理我呀……宰相大人還在大廳裡候著呢……」

「你說什麼？」賴加揚了揚眉毛，有些驚訝。

「宰相大人帶來陛下的旨意，說要召見您……」

「……艾德。」賴加忽然撇頭看向他。

「哎？」見伯爵大人記住了他的名字，管家艾德有些受寵若驚。

「以後講話，請直接講重點。」賴加站起身，輕飄飄說完，丟下在風中石化的可憐管家，徑直大步走出書房。

宰相巴萊特年輕的時候也是風靡帝都的貴公子，據說也留下了不少風流帳，如今雖然已到垂暮之年，卻依然神采奕奕的樣子。

賴加走進大廳的時候，便見他正悠哉地品茶吃點心，「宰相大人，讓您久候了。」

「你們家糕點師傅不錯。」巴萊特抹了抹鬍子，笑咪咪地站起身。

賴加笑了一下，「不知道是什麼事情，竟勞您親自前來。」

「呵呵，這話真是見外，其實我早就想來拜訪一下傳說中的賴加了。」

「傳說？」

「一個盲眼的年輕人，僅憑一己之力就解決了在西北一帶盤踞了五年之久的悍匪『惡魔之子』，這則消息傳到帝都的時候，不知道引起了多少名媛淑女的愛慕之心呢。」巴萊特喝了一口紅茶，笑道，「更何況之後代表伊里亞德出戰約特，又幾次三番救克洛怡公主於危難之中。」

看來帝都，果然沒有簡單的人物。

他說盲眼的年輕人，他說他曾代表伊里亞德出戰約特，這些都是禁忌，就算是馬卡斯二世召見他的時候，也刻意略過沒有提及，眼前這個看似已經垂垂老矣的宰相大人卻彷彿毫不在意地說了出來。

有些事情不用挑得太明，賴加自然心中有數，他淡笑一下，「不知道陛下有什麼旨意？」

「瞧我，竟是老糊塗了。」巴萊特愣了一下，笑著撫了撫額頭，「陛下要召見你。」

「那便不宜耽擱，我們這就進宮吧。」

剛走到大門口，賴加便見幾個女傭正圍著一棵樹忙裡忙外地貼金箔纏銀線，把那棵掉光了葉子的樹弄得好不花枝招展。

「呃……這是在？」巴萊特疑惑。

賴加也是一腦子問號，「妳們在幹什麼？」

「啊，伯爵大人，」侍女們紅著臉，一邊偷看年輕的伯爵一邊回稟，「艾德管家說您很重視這棵樹，要我們好好照顧。」

重視這棵樹？賴加更是丈二金剛摸不著頭腦，他沒事為什麼要重視這棵蠢樹？

「啊！茉伊拉要倒了！」忽然，其中一個侍女大驚失色，尖叫出聲。

賴加大驚，下意識看向茉伊拉，茉伊拉卻好端端站在他身後什麼事都沒有，他狐疑地扭頭看向那個尖叫的侍女，結果便見她們正誠惶誠恐地看著那被貼金纏銀的樹，那棵光禿禿的樹顯然受不起重壓，已經搖搖欲墜。

然後……倒了下來。

「啊！茉伊拉……」侍女們悲傷萬分。

賴加的嘴巴抽搐了一下，「妳們叫它什麼？」

「艾德管家說，這棵樹叫茉伊拉，是您的守護天使。」一個侍女雙眸含淚，萬分悲切地回答，「想不到它竟然這麼薄命……」

賴加一頭黑線地想起那天早上他指著茉伊拉給管家看的時候，茉伊拉正站在這棵樹前面。

「呵……呵呵，賴加先生的嗜好真有趣。」巴萊特乾笑。

「噗……」一旁，茉伊拉終於忍不住，笑了出來。

賴加微微紅了臉，面帶慍色地瞪了茉伊拉一眼，「茉伊拉，不准笑！」

茉伊拉哪裡忍得住。

見她笑得前仰後合的樣子，賴加的眼神一點一點變得溫柔起來。

這樣，也好……

「汪汪……」一隻小狗正好從他眼前走過。

在眾人的眼中，伯爵大人正充滿溫情地望著那隻毛茸茸的小狗。於是，伯爵府很快多了一隻叫茉伊拉的小狗……

14 成長的代價

巴萊特熱情地邀請賴加與他共乘一輛馬車，於是坐在入宮的馬車裡，各自心懷鬼胎的兩人開始假作惺惺相惜狀。

「看著這些街道，這些房子，彷彿歲月從未前行過呢。」巴萊特摸著鬍子，望著馬車外面三三兩兩的行人，感慨萬分的樣子。說著看了賴加一眼，「只不過看到賴加先生，才真正感覺到自己已經老了，後生可畏呀。」

「宰相大人說笑了。」賴加也笑，視線卻透過車窗看向外面，只不過他的視線沒有落在地上，而是看著那被車窗框出來的小小的一片天空。

天色暗暗的，似乎要下雨的樣子。

「有沒有人說過，賴加先生的眼睛很特別？」巴萊特深深地看了賴加一眼，眼角的皺紋因為笑容而加深，「特別的漂亮。」

「因為顏色太淡，看起來像無瞳吧。」賴加勾了勾唇，「聽聞在約特，無瞳會被視為惡魔之子。」說著，帶著淡淡笑意的眸子瞥向巴萊特，「不過這樣的傳聞也只是傳聞而已吧。」

「那可不，傳聞害人哪。」巴萊特眯了眯眼睛，湊近了賴加，「就有那麼一個蠢貨因為這麼一個傳聞，狠心對自己的兒子下毒手呢。」

「哦？」賴加挑眉。

「伊里亞德那個病危的陛下呀。」巴萊特呵呵低笑，「聽聞他的第一個兒子出生時因為眸色極淡，被視為惡魔之子，一出生就被關進了『死亡之塔』呢。」嘆了一口氣，巴萊特連連搖頭，「都說虎毒不食子，那可不是比老虎還毒嗎？」

「是呢。」賴加低笑，長長的眼睫毛蓋住了眼中的情緒。

看著賴加臉上模糊不清的笑，茉伊拉微微皺眉，那個宰相大人，究竟想幹什麼？

「不過……」巴萊特話頭一轉，又道，「如果那個無瞳的孩子還在，可是伊里亞德家名正言順的繼承人呢。」

賴加又笑了一下，「一個剛出生的孩子，不吃不喝，怎麼可能活下來。」

「是啊，他是怎麼活下來的呢？」略略浮腫的眼睛裡閃過一抹精光，又迅速地掩去，巴萊特笑道。

「唔，也許是因為他有守護天使吧。」賴加摸了摸下巴，銀灰色的眸子裡透出一絲暖意。

「啊？」巴萊特一愣，隨即想起了伯爵府門前那株纏金繞銀最後不堪重負轟然倒地的樹，乾笑連連，「賴加先生好風趣，好風趣……」

賴加帶著笑意的眸子瞥向茉伊拉，茉伊拉微微一愣，一時竟挪不開視線。

「啊，下雪了。」巴萊特的聲音再度響起，打破了靜謐的氣氛。

賴加和茉伊拉都看向車窗外，果然，暗沉沉的天空不知道什麼時候開始飄起了雪花。

「今年的第一場雪。」巴萊特輕嘆，「只是尤金伯爵恐怕沒有這賞雪的心情了，他最近可是敗績連連啊，帝國遠征軍的威名怕是不保囉。」

賴加沒有回應。凱里能夠在這個時候出使約特來求和，是因為伊里亞德有求和的本錢吧，而這個本錢，恐怕就是最近將尤金伯爵那號稱戰無不勝攻無不克的帝國遠征軍死死壓制在諾德亞城的那個人物。

「這麼說起來，尤金伯爵與賴加先生也有些過節呢。」冷不防地，巴萊特又道。

「宰相大人何出此言？」

「恐怕精明如尤金伯爵，也會意識到單憑那個草包布萊茲，是不可能輕易置亞爾曼於死地的吧，如果不是賴加先生已經將其拖得疲憊不堪的話……」

「不知道陛下有什麼旨意？」賴加淡淡截斷他的話，乾脆直截了當地問。巴萊特拐彎抹角，一再提醒他和尤金有過節，又一再地示好，無非是想提醒他留在帝都就必須贏得足夠自保的力量，這些當然不會是巴萊特自己的主意。

在凱里出使約特的節骨眼上，巴萊特給他來了這麼一齣，又一再提醒他身為伊里亞德家長子的身分，以及不容置疑的繼承權，究竟是何用意，用腳趾頭也想得出來。

「聰明如賴加先生，陛下的意思一定早就猜出來了。」巴萊特笑出一臉的皺紋，「明人不說暗話，賴加先生的真實身分陛下早就瞭若指掌，這一次伊里亞德公爵病危，身為長子的您有絕對的權力繼承他的一切。」

他說伊里亞德公爵。公爵，而不是伊里亞德一世，陛下。

如此微妙的稱呼。

「十幾年前他們沒有承認我的存在，我不認為十幾年後會有所改變。」賴加淡淡地道。

「如果有馬卡斯陛下的承認呢？」

賴加怔了一下，的確，如果有約特帝國皇帝陛下的承認，那麼他……就可以有一個名正言順的身分。

「伊里亞德一族叛變，倘若連年征戰，苦的還不是天下百姓？但如果是賴加先生繼承了伊里亞德家，一切就大大地不同了。」巴萊特說到這裡，頓了一下，又神祕兮兮地笑著湊近了賴加，「而對於賴加先生本人而言，好處可不只這一個呢。」

「哦？」

「陛下只有兩個女兒，唯一到了適婚年齡的克洛怡公主可是對您青睞有加呢，如果伊里亞德和約特聯姻，那麼非但可以平息戰爭，將來約特帝國的皇帝寶座，又捨您其誰呢？」

巴萊特宰相說，您。

雪越下越大，洋洋灑灑。

茉伊拉因為賴加久久的沉默而有些難受，以至於馬車停下的時候，她還沒有察覺。抬起頭來時，才發現宮門已在眼前。

隨著領路的宮人走進大殿的時候，並沒有看到馬卡斯陛下。

「伯爵大人，凱里王子在偏殿等候您。」侍衛長走上前，行了一個禮，恭敬地道。

「陛下呢？」賴加訝異。

「這……」侍衛長猶豫了一下，看了一眼巴萊特。

「發生什麼事了？」巴萊特也有些奇怪。

「是祁月小姐又在鬧脾氣……」侍衛長嘆了一口氣，有些無奈地道。

祁月？茱伊拉愣了一下，好奇怪的名字呀。

巴萊特卻露出一副恍然大悟的神情，笑了一下，回頭對賴加擠了擠眼睛，「自古英雄難過美人關，看來我們的陛下也是如此呀。」

「英雄難過美人關？」賴加疑惑，「很奇怪的話。」

「呵呵，這是祁月小姐家鄉的話。」侍衛長也笑了起來，「隨我來吧，凱里王子在等您呢，他說您是他的老師，在約特的時候希望能夠住在您府上。」

賴加淺笑。雖然這麼說，可這應該也是馬卡斯的意思吧。

英雄難過美人關，這句話茱伊拉也聽聞人霜說過。不管是祁月這個聽起來十分具有東方氣息的名字還是這句話，都不像是這個國度的人可以說出來的。

那麼……這個祁月小姐，有可能是聞人霜在找的東方曉嗎？

正在苦苦思索的茱伊拉感覺到賴加停下腳步，她也停了下來，順著賴加的視線看向前方。偏殿的走廊前，站著一個小小的少年。

他穿著白色的毛皮大氅，背對走廊，仰頭望著天空。晶瑩剔透的雪花從天而降，彷彿要將那個小小的白色身影掩埋住，與雪色融為一體，再也分辨不出來。

感覺到身後的腳步聲，他緩緩轉過頭來，小小的臉兒埋在毛裘領中，空茫的眼裡一點一點染上了色彩。

「老師。」他喚。

站在冰天雪地中的少年，臉上帶著一點怯怯的笑意。

「凱里王子。」賴加站在原地，彎腰行了一個禮。

那一抹笑意就這樣凍僵在小小的臉上。凱里咬了咬唇，視線在賴加周圍飄了一圈，然後默默垂下頭。

坐上馬車隨賴加回府的時候，凱里異常地沉默，沉默到令茉伊拉感覺有些不可思議。換了往日，即使剛剛在宮裡他遵守保密的約定沒有和她打招呼，這個時候也早該撲到她身上聊開了呀。

可是現在，他只是靜靜地坐在賴加對面，乖巧得不可思議。

回到伯爵府的時候，管家艾德正率領一眾僕傭在大門口忙得雞飛狗跳。

「這是……怎麼了？」賴加皺眉。

「回……回稟伯爵大人，是茉伊拉……茉伊拉牠不肯回家！」管家艾德好不容易喘勻了一口氣，直起腰回答。

聽到「茉伊拉」三個字，凱里猛地抬起頭來，「茉伊拉？在哪兒？」

「這位是……」管家艾德看著站在主人身旁那個衣著華麗的小小少年，疑惑。

「伊里亞德的凱里王子。」賴加淡淡地道。

「啊，王子殿下。」管家艾德忙行禮。

「茉伊拉，茉伊拉在哪裡？」凱里哪裡顧得上這麼多，忙上前一步，扯住他的衣角，問。

艾德有些奇怪這位王子殿下為什麼和伯爵大人一樣對「茉伊拉」如此情有獨鍾，但奇怪歸奇怪，礙於對方的尊貴身分，他還是恭敬地抬手一指，「在那兒！」

順著艾德的手，凱里有些急切地看去。

……只見一隻黑白相間的小花狗正被十幾個僕傭追得嗷嗷亂叫。

正是賴加離開伯爵府的時候出現在他眼前的那一隻小花狗。

沉默。

「呵呵……」捧場地笑了一下，凱里再一次垂下頭。

站在一旁的茉伊拉一頭黑線地看著那隻跟她「同名」的小花狗，然後又疑惑地看了看凱里，他這是怎麼了？

「咳，那麼，把茉伊拉捉住，好好養著吧。」賴加輕咳一聲，發了話。

「是！」艾德大聲回應，然後再偷眼瞧瞧自家主人，發現主人微揚著脣角，竟是破天荒地在笑。

看來伯爵大人心情不錯啊……

晚上的時候，伯爵府設宴招待凱里王子。

餐廳裡靜悄悄的，凱里和賴加兩人隔著長長的桌子，氣氛顯得有些沉悶，一旁伺候的女傭大氣也不敢出一下，連走路上菜都下意識地放輕了腳步。

「汪，汪汪……」在這種環境下還能夠如此囂張而肆無忌憚地發出聲音的，也只有伯爵大人新收的寵物「茱伊拉」了。

賴加瞥了某個天使一眼，然後嘴角含笑，心情甚好地將自己的餐盤放到桌腳邊。

小花狗「茱伊拉」動了動鼻子，警惕地看了一眼，又低頭嗅了嗅，最後開始放開肚皮大快朵頤。

「老師，我吃完了。」長長的桌子那邊，凱里低低地道。

「艾德，帶王子殿下去休息吧。」賴加說著，視線仍然沒有離開地上的小花狗，還伸手摸了摸牠毛茸茸的腦袋。

「嗚——」拜倒在美食魅力下的小花狗討好地蹭了蹭他的手，還發出低低的撒嬌聲。

凱里站起身，跟著管家艾德離開餐廳。

自始至終，賴加都沒有看他一眼。

茱伊拉看了看那個孤孤單單的小小背影，又看了看跟小花狗表演相親相愛的賴加，最終決定去看看凱里。

找到凱里的時候，他並不在房間裡，而是坐在伯爵府外的牆角處。

小小的一團，蜷在那裡。

「茱伊拉……」凍得有些發白的唇微微抖了一下，凱里低低地開口。

「怎麼坐在這裡啊？回房間吧，這裡太冷了。」茱伊拉以為他發現了自己，乾脆走到他面前蹲下，溫柔地道。

「茉伊拉，我父王病了，他們說父王挨不過這個冬天……」吸了吸鼻子，凱里輕聲說著，眼眶有些發紅。

茉伊拉微微皺眉。

「我好想陪在父王身邊，可是母后說哥哥死了，我就是伊里亞德唯一的繼承人，她要我到約特來向陛下求和……」凱里垂下頭，低聲喃喃，「我就想到約特的話，至少可以看到老師，看到茉伊拉……」

「可是老師為什麼……為什麼不理我，他和別人一樣，叫我王子……」再一次吸了吸鼻子，他咬唇，「我很喜歡老師，我真的很喜歡老師的……」因為天冷的關係，隨著那低低的語調，他的口中吐出淡淡的白色霧氣。

茉伊拉悲憫地看著小小的少年。血濃於水，可是……賴加的心卻被仇恨綁住了。

「茉伊拉……茉伊拉……」凱里抬手，握住掛在頸間的那個小小的透明玻璃瓶。

茉伊拉認得那個瓶子。凱里曾經捉了一個願望小精靈裝在裡面送給她，後來她將願望小精靈放走，留下一個願望鎖在瓶子裡，將瓶子重新送給了凱里。

「我只能……許一個願望，對不對……」他握緊了手裡的玻璃瓶，「可是我好貪心，我希望父親能夠平安無事，我希望老師可以像以前一樣，我希望……」彷彿再也抑制不住般，淚水終於從眼眶裡滑下，凱里抬起頭，「我希望可以看到茉伊拉……」

茉伊拉愣了一下，終於發現凱里從頭到尾都沒有看她，明明……她就蹲在他的面前，他一抬頭就可以看到她的呀。

「茉伊拉……我再也看不到妳了，我再也看不到小精靈了……」凱里抬手捂住眼睛，淚水從指縫裡流了出來。

這是……怎麼回事？

茉伊拉看向凱里的守護天使。

那個胖胖的小天使也一臉悲憫地看著茉伊拉。

「在人界，有些孩子出生的時候可以看見自己的守護天使，可是隨著他慢慢長大，便會失去看見天使的能力，凱里已經比一般孩子特別了，但……從他父王生病的那一日起，他便再也看不到我了。」那個胖胖的小天使第一次開了口。

是……這樣啊。

茉伊拉有些悲哀地看著蹲在地上的凱里。

他……已經看不到她了。

這，便是成長的代價嗎？

「凱里王子，您在哪裡？凱里王子……」這時，艾德管家的聲音遠遠傳來。

凱里有些慌亂地抹了抹眼睛，站起身來，深深地呼吸了一下，才不慌不忙地走向門口。

「我在這裡，艾德管家。」凱里微笑著回應。

儘管眼睛還是紅紅的，可是他微笑得很成功。

「哎呀，王子殿下，外面這麼冷，您出來幹什麼呀？」艾德管家忙跑了過來，隨即疑惑地看著他，「您的眼睛怎麼了？」

「紅了嗎？被風吹得有些疼。」凱里抬手揉了揉眼睛，「我有些累了，回去吧。」

小小的身子披著厚重的大氅，凱里緩緩走進伯爵府，他的手裡，始終捏著那個透明的玻璃小瓶。

瓶子沒有打開，他的願望還留在瓶中。

因為……茉伊拉說，他只可以許一個願望。

只有一個。

雪，輕輕的，軟軟的，一層一層覆蓋在房頂上，樹枝上。

萬籟俱寂，雪落無聲。

茉伊拉站在原地，望著凱里的背影消失在伯爵府門口，然後又垂下眼，望著他坐過的地方。

沒來由地，感覺有些寂寞。

又少了一個可以看到她的人。

「小天使——」冷不防地，一個輕輕的聲音在她耳邊響起，不用回頭就知道是某隻狐狸，只有他喜歡這樣神出鬼沒。

……並且，總來得這樣及時。

茉伊拉忽然想起了在皇宮裡聽到的那個……祁月。要告訴他嗎？告訴他那個人有可能就是他一直在尋找的東方曉？

「想什麼呢？」聞人霜又湊近了些，「不說的話我自己看啦，我會窺心術哦！」

「沒什麼。」茉伊拉搖頭，覺得還是先去證實一下比較好，如果不是……沒有讓他心存希望的道理，畢竟希望越大失望也就越大。

那樣對他……太過殘忍。

「不要胡思亂想哦，別忘記那個住在妳心裡的小惡靈。」聞人霜抬手，輕輕一下彈在她的眉心，「小心變成它的同伴。」

是在擔心她嗎？茉伊拉呆了一下，然後笑了起來，「謝謝。」

「嗯哼，我可不是在擔心妳哦。」聞人霜豎了豎眉毛，此地無銀三百兩。

茉伊拉很捧場地笑。

正當茉伊拉計畫著要去皇宮替聞人霜探一探虛實的時候，機會便來了，克洛怡公主邀請賴加參加宮廷舞會。

數千枝燭火妝點得會場如夢如幻，盛裝的名媛淑女往來其間，衣香鬢影，言笑晏晏，惹得人眼花繚亂。

「呀，那不是尤金家的羅密歐嗎——」精巧的扇子掩著唇，紅色裙裝的少婦輕嘆，「那個風流的西亞也來了呢，他傷了多少少女的心啊。」

「他們可都是公主殿下的忠實追隨者，而且公主殿下也到了適婚年齡……」

賴加悠閒地坐在角落的長椅上，交疊著雙腿，閉目養神。沒過多久，走廊上便是一陣騷動，他微皺著眉頭睜開眼睛，便看到姍姍來遲的克洛怡公主，一襲白色高腰拖尾晚禮服令她如花朵般綻放在那雙銀灰色的眸中。

「賴加！」一眼看到坐在角落的賴加，克洛怡高興起來，提著裙襬走到他身邊。

親昵的稱呼令在場的眾人忍不住為之側目。

賴加站起身，彎腰吻了吻她的手背。

茱伊拉看了他們一眼，張開翅膀從彩色玻璃花窗飛了出去。

飛過圓形的大廳，一抬頭便能看到高高的圓頂上繪著的天國景象，雖然不盡詳實，卻也美得驚心動魄。大廳兩側各有十扇雕著火焰皇冠圖案的木門，猶豫了一下，茱伊拉飛進了左側第一間。

房間裡一盞燈都沒有，出乎意料地黑暗，一進門茱伊拉便發現了異常，因為如果是她的話，不應該什麼都看不到才對。試了許久都沒有摸到進來的門時，茱伊拉意識到自己被困在這間屋子裡了。

在黑暗中站了許久，耳邊聽到「啪噠」一聲響，四周便驀然亮了起來。刺目的光線從四面八方湧了進來，刺得眼睛有些痛。

然後，一點帶著腥味的液體潑到了她的身上。

「啊！是惡魔！」

「天哪，她長著黑色的翅膀……」

「好可怕！」

一迭連聲的驚叫……

茱伊拉有些不適地閉了閉眼睛，感覺頭痛得厲害。睜開眼睛的時候，她看到無數的目光，或驚恐，或嫌惡，或鄙夷。

「你們……能夠看到我？」茱伊拉疑惑，一時有些反應不過來。

「啊！她在說話！這個惡魔！」精巧的摺扇掉在地上，有人尖叫。

「異教徒！惡魔！燒死她！燒死她！」

茉伊拉仔細看了看周圍的環境，這才發現自己竟是被困在一個透明的玻璃房間裡了，而且這個房間就在剛剛那個舞會會場的上方。

此時，剛剛那些參加舞會的人類正隔著一層玻璃帶著驚異恐懼的神情圍觀她。

「我不是惡魔，我是天使。」茉伊拉正色道。

「哈哈哈，她居然說自己是天使……」

「滿口謊言的惡魔！」

無數的指責，無數的漫罵。

茉伊拉透過面前的玻璃，看清了自己的影像，她的翅膀竟然變成了純黑色，白色的衣袖上沾滿了斑斑的血跡……

這是……她嗎？

究竟……發生什麼事情了……

賴加，賴加在哪裡？茉伊拉有些驚慌起來，她驚慌失措地在人群裡尋找賴加的身影，最終，在沙發裡看到了他。

他正閉著眼睛倒在克洛怡的懷裡。

「看哪，賴加不需要妳了。」

「他不要妳了……」

「妳自己也知道的，只有克洛怡公主可以幫助他復仇，妳的存在只是他的絆腳石而已呢……」

心底，那個細細的聲音又開始惡毒地嘲笑她。

不，不是這樣的，賴加不會這樣對我，我不相信。茉伊拉搖頭，思緒陷入混亂。

「那妳怎麼解釋呢？除了賴加，還有誰知道妳的存在，還有誰能將妳帶進這個陷阱呢？」

「沒有了妳的聒噪，賴加可以順利地踢走凱里得到伊里亞德的繼承權，他可以和克洛怡公主聯姻，他可以成為約特帝國的國王！那才是他想要的……那才是他想要的……」

「那才是他想要的！」

不……不……不……

不是這樣的……

不是這樣的……

茉伊拉想反駁，可是卻無從反駁，她只感覺自己身體裡的力量一點一點被抽走，然後失去了意識。

15 誰是惡魔

天色灰濛濛的，茉伊拉醒過來的時候，發現自己被關在一個鐵籠子裡遊街。街道兩側圍觀的群眾都手持十字架和避邪物，還不時將一些骯髒汙穢的東西丟向她。

有些狼狽地躲開一串氣味刺鼻的大蒜，茉伊拉發現自己一點力氣都使不上來，只能無力地靠在籠子的鐵欄杆上，頭髮凌亂地散在臉上。

到現在，她都沒有釐清，究竟是發生了什麼事情。

押送的隊伍在一座高臺下停了下來，有人打開了鐵籠子，將茉伊拉拽了出來。茉伊拉被拉上了高臺，綁在巨大的圓柱上，腳下很快擺滿了乾柴。

「燒死她！燒死她！」

「燒死她！」

茉伊拉茫茫然望著底下群情亢奮的民眾，她明明是天使……她明明是天使啊。

一陣風撩開她金色的長髮，怒吼的聲音忽然小了下來。

「你看……她是不是很像那個……」人群中，有人開始竊竊私語。

「……神教的命運女神！她長得跟神教的命運女神一模一樣！我見過女神的雕像，就是這樣的……」

「可是女神的翅膀是白色的！」

「但真的很像啊……」

茉伊拉感覺頭很痛，那個小小的惡靈在她心底惡毒地尖聲大笑，她的意識又開始模糊起來。

很快，有人來點上了火。

炙熱的感覺從她的腿部開始蔓延，火舌肆虐著舔上她的腳心，沿著她潔白如玉的腿緩緩向上爬行，一點一點……

很快，熊熊的大火把她吞噬殆盡。

綁著她的繩子也被燒成了灰燼，被縛在圓柱上的雙手鬆開，垂下。

烈火中，茉伊拉緩緩睜開眼睛，淺褐色的眼眸顏色逐漸加深，變成純黑色，如夜一般的黑。

黑色的翅膀驀然從烈焰中張開，彷彿涅槃的鳳凰一般，帶著無盡的殺戮之氣。圍觀的人群被這一幕嚇呆了，紛紛怔在原地，再也發不出任何的聲音。

「這汙濁的人世……」溫柔的聲音從豔麗的脣中吐出，黑翼的天使微笑，「就讓我來淨化吧。」

那笑，如盛開的罌粟一般，令人目眩。

話音落下，她已俯身衝下高臺，一手撕裂了行刑的官員。鮮紅的血液飛濺而出，更添幾許豔麗。

「茉伊拉！」聞人霜適時出現。他本想來救茉伊拉的，結果卻發現現場的情形已經超出他的意料。

茉伊拉微微側頭，看向聞人霜，瞇了瞇純黑的瞳仁，「這個世界已經妖孽橫行了嗎？果然需要淨化呢。」說著，她抬手抓著一團光球襲向聞人霜。

聞人霜被嚇了一跳，慌忙閃開，「啊喂！小天使，妳不要六親不認啊！我是小霜小霜小霜呀呀呀！」

茉伊拉不管不顧，招招致命。聞人霜打不得，只得拚命地躲，躲著躲著彷彿忽然想起什麼來，又「咻」的一下消失了。

失去了聞人霜的蹤跡，茉伊拉也不理會，繼續先前的「淨化」。

看著那個在鮮血中獨舞的黑翼少女，人們心中明明驚恐萬分，卻無法從原地挪動半步，只能眼睜睜看著她溫柔地殺人。

「茉伊拉！」遠遠地，有人高喊。

聲音是那樣地熟悉……

黑翼的少女停下腳步，低頭望著腳下汩汩流淌著的新鮮血液，有片刻的迷惑。

脖子被她捏在手中的中年男子抖動著雙腿，涕淚齊下，「救……救我……不……不要殺我……」

「茉伊拉！茉伊拉！」那策馬奔馳而來的人越來越近，近到可以聽清他的聲音。是……賴加。

「救……救命……」中年男子看到了一線生機，尖叫求救。

賴加是被聞人霜弄醒的，醒來的時候才發現昨天舞會上喝的酒有問題，導致他昏睡不醒。聽到茉伊拉有危險，他搶了皇家禁衛軍的馬，直接衝開了宮門。

「茉伊拉……」看清現場的情形後，賴加愣住了。

這分明……是修羅場。

那個滿身都是鮮血的黑翼少女……是茉伊拉嗎？

茉伊拉僵了一僵，緩緩轉過臉來，濺到她臉頰上的新鮮血液正匯聚在一起，沿著她尖尖的下巴滑落。鬆開手中已然昏倒的中年男子，茉伊拉有些驚恐地低頭，瞪向自己沾滿了鮮血的雙手。

她在……幹什麼……

賴加翻身下馬，走到茉伊拉身邊，緩緩伸出手。茉伊拉彷彿受驚一般後退一步，躲開他的手。

「別動。」賴加輕喝。

然後，他的指尖撫上她的臉，輕輕拭去她臉上的血跡，伸手將她拉入懷中，緊緊抱住。

這是第一次，他可以這樣擁她入懷。她是一個真實的形體，而不只是一個虛幻的影像。

「對不起，我來晚了。」他緊緊抱著她，道歉。

茉伊拉仍是怔怔地，還陷在剛剛那瘋狂的境地回不過神來。

暫時來不及安慰她，賴加抱著她跨上馬背，狠狠一夾馬腹，又迅速向城門口的方向飛馳而去。

貝克已經駕著馬車在城外等候，賴加丟下那匹從宮裡搶出來的馬，抱著茉伊拉跨上了馬車，「貝克，快走。」

「是！」貝克應了一聲，揚起馬鞭。

直到此刻坐在馬車裡，賴加才安下心來，低頭看向安靜地坐在他懷中的茉伊拉，她一副神智尚未恢復的樣子。

「到底發生什麼事情了？」賴加皺眉。

「你的克洛怡公主幹的好事呀，她在酒裡添了藥將你放倒，然後一門心思地對付你的小天使。」聞人霜看向茉伊拉，「難以想像，茉伊拉竟然有那樣的力量，克洛怡到底在她身上做了什麼？」

「可是，克洛怡怎麼知道守護天使的事情？」賴加疑惑。

「誰知道呢？」聞人霜攤了攤手，「如果不是茉伊拉有那樣的力量，現在恐怕早已在火刑中被燒成灰燼了。」

賴加抿脣，抱著茉伊拉的手猛地緊了。

「疼。」茉伊拉輕呼，深黑的瞳孔顏色漸淡，恢復了淺褐色。

「啊，正常了！」聞人霜一拍手。

「還好嗎？」賴加忙放鬆了手，低頭看她。

「發生什麼事了？」茉伊拉疑惑地四下看了一下，「怎麼又在馬車上？」

「唔，小賴加聽說妳有危險，來不及讓我使用障眼法，直接英勇無敵地搶了皇家禁衛軍的馬，又無畏地闖了宮門，這個時候再不逃，恐怕伯爵大人就要變成階下囚了。」聞人霜擠了擠眼睛。

茉伊拉猛地想起剛剛發生的事情，面色一下子變了，「我……我……」她下頭，看向自己血跡斑斑的手掌。

「不是妳的錯。」賴加拉住她的手，替她將手上的血跡仔細擦去。

茉伊拉垂著頭，不語。

不是她的錯……嗎？

她低頭定定地看著自己的雙手，雖然上面的血汙已經被擦去，可是殘留在掌心的腥甜味道，還有指尖那些溫熱的觸感，卻是怎麼也擦不去忘不掉。

最令她不安的是……這些感覺於她而言，竟然並不陌生。

她是第五重天看守天使牢獄的看守天使，她因無意中放走了第九道走廊的妖獸而被降職為守護天使……這些，都是她知道的。

可是，她不知道的，還有什麼？在火刑場上，那些殺戮，竟是似曾相識。似乎……有某一部分丟失已久的記憶，開始漸漸復蘇。

「茉伊拉……」正當她陷入冥想的時候，有一隻溫暖的大手輕輕托起她的下巴，她抬頭，對上那雙熟悉的銀灰色眼眸。

那是……沙利葉的眼睛。

溫熱的唇落在她的眉心，茉伊拉怔怔地看著他。

不，那是賴加的眼睛。

看到那雙澄澈眼眸裡的迷茫，賴加心裡一痛，他抬手輕輕捂住她的眼睛。

她的世界驟然一片黑暗，然後，她聽到他在她的耳邊，輕聲說：「對不起……」

「啊喂，注意一下影響啊，這裡有個很可憐的孤家寡人啊，不要用這樣刺眼的畫面來傷害人家弱小的心靈啊喂——」對面，某隻趴著的大狐狸不爽地動了動尖尖的耳朵，連聲抱怨。

被賴加緊緊扣在懷裡的茉伊拉側頭看了看牠，輕輕地笑了起來。

「還笑！只可憐人家形單影隻，顧影自憐，無人疼惜，真是慘絕人寰啊——」抬起兩隻爪子蓋在眼睛上，某隻狐狸眼不見為淨地哼哼。

出了城，為了避開可能的危險，賴加讓貝克避開官道走山路。

在馬車的一路顛簸中，夜幕降臨。山中霧氣繚繞，不時響起令人毛骨悚然的聲音，彷彿有一隻巨大的猛獸正潛伏在黑暗深處，準備伺機而動，食人果腹。

貝克掛起了馬燈，趕了一天的路，他也稍稍有些疲憊，只是語氣還算輕鬆：「主人，出了這片山林就走出帝都的兵力範圍了，您打算往哪裡去？」

「去伊里亞德。」賴加一手撐著下巴，一手細細地把玩著茉伊拉的長髮，微鬈的髮絲從他的指縫間滑下，如流金一般。

那些金色的鬈髮，柔柔的，軟軟的，帶著細膩微涼的觸感，如他想像中一般，他已經覬覦很久了。

「我想去親眼看看，那個男人，是不是真的要死了。」指尖輕繞，將那金色的髮絲一圈一圈纏上自己的手指，像一枚戒指。似乎非常滿意這樣的傑作，他的眼睛柔和下來，有些散漫地道。

雖然不明白她為什麼還沒有變回天使的形態，可是他對現在的情形滿意極了，可以這樣隨心所欲地碰到她，觸到她，可以擁她入懷，可以親吻她，就彷彿……是戀人一般。

薄薄的脣微微勾起，銀灰色的眼睛因心底那一個隱祕的念頭而顯露出愉悅的笑意。

車前的馬燈散發出熒熒的光，在這夜裡，如一隻幽幽的獨眼。

驀然，一陣夜風吹過，馬燈熄滅了。山林間所有的聲音隨著熄滅的馬燈，一瞬間全都消失。萬籟俱寂，四周安靜得有些詭異。

坐在馬車裡的賴加感覺到一些異樣，然後便感覺到指尖癢癢的，那細膩微涼的觸感正一點一點從他的手中離開。

「茉伊拉……」他想握住，可是卻忽然意識到自己已經動彈不得了。

不要走……

茉伊拉……不要走……

他想叫住她，可是卻發現自己已經一點聲音都發不出來了，他只能無力地坐在原地，感覺著她的氣息一點一點從他身邊消失。

烏雲蔽月，夜色沉悶。

茱伊拉隨著那團黑影走出馬車，一路慢慢向前。四周很黑，幾乎是伸手不見五指，可是那並不影響她的視覺。

「納斯加，出來。」在湖邊站定，茱伊拉面對著湖面，冷不防地開口，聲音很淡。

隨著她的聲音，身後忽然響起不輕不重的腳步聲，踩踏著林中枯黃的落葉，一步一步走向站在湖邊的茱伊拉。

夜風徐徐，吹開烏雲吹散霧氣，皎潔的明月剎那間放出光華，流出一湖的碎銀。

「克洛怡能夠看到我，是因為你吧？」茱伊拉沒有轉身，只是忽然道。

那腳步聲猛地一頓，停滯許久。

「那個令我在人類面前現出形態的東西，是你的血吧？」久久沒有得到他的回答，茱伊拉又道。

身後一片沉默。

茱伊拉緩緩轉過身，看向站在她身後不遠處的男子。

他安靜地站在那裡，披著白色的斗篷。深紫色的長髮在夜風裡飛揚，月色模糊了他的容顏，掩住了他的表情。

「為什麼？」茱伊拉問，「你不是說並不怨我將你從河邊撿走嗎？」

「怨？」納斯加似乎是愣了一下，然後低低地笑了起來，他笑了很久，越笑越大聲，「妳真的不知道？妳真的不知道？」他連聲問，笑聲裡竟隱隱透著淒厲。

茱伊拉皺眉，「你到底想要什麼？」

「我想要什麼？」身形迅速移動，納斯加一瞬間站在茱伊拉面前，他那樣近地看著她，眼裡隱約透著瘋狂，「我想要妳！」

「你是魔，不可能有守護天使。」看著那雙已然變成豎瞳的紫色眼眸，茉伊拉有些頭疼，感覺他像一個討要糖果的孩子，帶著蠻橫不講理的表情。

「守護天使？」納斯加猛地抬手緊緊扣住她的肩膀，「妳真的以為妳只是守護天使？妳還沒有明白妳是什麼嗎？還是……」他瞇了瞇眼睛，「妳只是在逃避事實？」

茉伊拉臉色微微一變，猛地推開他，「我不知道你在說什麼。」

「要我告訴妳嗎？」納斯加步步緊逼，「千年前，天界與魔界大戰，月之天使沙利葉被邪魔入侵，成為擁有雙重性格的天使，一個是正義的天使「沙利葉」，另一個則是墮天使，位列『地獄七君』之一的『邪眼沙利葉』。當時，妳是司掌第五重天的殺戮天使，掌管天界的律法，妳親手將沙利葉淨化，並且把邪眼沙利葉從他體內分離出來，封印在第九道走廊深處，設下三重結界。但是，妳也因受傷過重，失去了記憶，此後過了千年，妳陰差陽錯放走了曾經親手封印的邪眼沙利葉，也因此被貶職下凡，成為賴加的守護天使。」

「不要說了。」茉伊拉撇開眼睛，冷靜地打斷他的話。

「妳不會不知道賴加是誰吧？」納斯加並不打算放過她，笑盈盈地看著她，眼中卻跳躍著火焰。

「不要說了！」

「他是邪眼沙利葉的轉世！」

茉伊拉捏緊了拳頭，止不住地顫抖。

是的，是的，她已經想起來了，在刑場的時候她就已經想起來了，她一心想要守護的賴加，就是曾經被她親手封印在第九道走廊的邪眼沙利葉！

看著茉伊拉微微顫抖著的樣子，納斯加逼近她，淺紫色的眼睛裡閃動著凜冽的光芒，比月色更寒。

「妳都知道的，對不對？妳都知道的。」他抬手輕撫她的臉頰，魔魅的臉上帶著一點淺淺的笑意，勾魂奪魄。

「妳都知道的。」

「妳都知道的……妳都知道的，妳都知道的……」心底，那一個細細的聲音不停地說服她，一遍一遍，彷彿她不承認就誓不甘休般。

「我都……知道的……」茉伊拉的目光一點一點渙散開來，有些失神地重複。

納斯加將她抱進懷裡，微涼的臉埋進她的頸間，貪婪地聞著她身上熟悉而溫暖的味道，無限依戀，「茉伊拉，我們回天界好不好？」

茉伊拉如木偶娃娃一般，不動。

他抬起頭，捧起她的臉，看著她的眼睛，「說好。」

「好……」

「乖。」他的目光越加地溫柔起來，拇指的指腹輕輕劃過她的唇，然後低下頭親吻她。

茉伊拉睜著眼睛，愣愣地看著他。

「閉上眼睛。」他說。

茉伊拉仍然愣愣的。

他抬起一隻手，覆上她的眼睛，然後逐漸加深了那個吻。

「真可憐。」一個淡淡的聲音在這夜裡響起。

納斯加一僵，隨即抱緊了茉伊拉，將腦袋輕輕靠在她的肩上，偏過頭看向聲音的來處。

一隻白色的九尾狐正站在不遠處，狹長的眼睛在月色下如寶石一般透出幽幽的冷色，在納斯加的視線下，牠幻化成一個白衣的男子。

「不要礙我的事。」納斯加瞇了瞇眼睛。

「催眠術。」看了木偶一般任由納斯加抱在懷裡的茉伊拉，聞人霜淺笑，「做到這一步，你也真可憐。」

「總比你追著一個影子好。」納斯加反脣相譏。

「影子嗎？」聞人霜笑，「也許吧，可是我知道總有一日我會再見到她。」

「再見到她？然後呢？如果她的心已經屬於別人，你還會這樣悠哉嗎？」

聞人霜微微怔住，隨即失笑，抬手撫額，「真到那一日，再說吧。」

「所以，不要多管閒事。」納斯加冷哼一聲，抱起茉伊拉便要離開。

聞人霜上前，抬手攔住他，「放下她。」

「不要多管閒事！」淺紫的眼眸瞬間變成豎瞳，納斯加抱緊茉伊拉。

「你趁她最虛弱的時候對她下了催眠術，若她醒了，定不會原諒你。」

「呵呵，她不能原諒我的事情已經不差這一樁了。」淺紫色的眼睛裡閃過一絲淒然，納斯加後退一步，「所以，不用你管！」

「我不想與你為敵，放下她。」聞人霜抬手，掌心彈起一團狐火。

「休想。」

「難道你要永遠讓她陷在催眠術中？你想永遠抱著一個無知無覺的傀儡？就算你願意，她也承受不住，她身上的惡靈也是你弄出來的吧？這樣下去，不出兩年，她就灰飛煙滅了。」

納斯加沉默，抱著茉伊拉的手微微收緊。

「把她交給我，我會消去她這一段的記憶。」收起了掌中的狐火，聞人霜伸手，「在事情還沒有發展到不可收拾的地步之前。」

茉伊拉睜開眼睛的時候，發現自己正躺在湖邊，剛爬起來便看到坐在身邊的聞人霜。

「醒了？」聞人霜側頭看了看她。

「我怎麼在這裡？」茉伊拉有些疑惑。

「妳不記得了？妳被當成惡魔，差點被架到火上烤熟，賴加帶妳逃出了帝都，現在我們正在逃亡呢。」聞人霜閒閒地道。

「啊……是這樣。」茉伊拉拍了拍腦袋。

「謝謝。」聞人霜看著她，忽然道。

「呃？」

「謝謝妳幫我找曉曉。」聞人霜抬手揉了揉她的腦袋，然後笑瞇了眼睛，「雖然鬧了一個大烏龍，還連累了賴加。」

「喂！我是天使耶！不准揉我的頭！」茉伊拉拍著翅膀不滿。

「那個祁月不可能是東方曉。」聞人霜眨了眨眼睛，「我們都知道，不是嗎？」

茉伊拉有些喪氣。對的，他們討論過，東方曉不是人類，而且可能已經不在這個時空了，

「可是你不是說過，只要有一點希望，都不能放過嗎？」

「回去吧，賴加估計要急瘋了。」聞人霜站起身，拍了拍衣襬上的草屑。

「啊？」茉伊拉不明所以地跟著站起來。

「妳跟賴加鬧了彆扭跑出來的呀。」聞人霜回頭，笑嘻嘻地道。

「鬧彆扭？怎麼會！我是天使耶！」

「是啊是啊，妳是天使，善良可愛的小天使，以拯救世界為己任的小天使——」

茉伊拉飄飄然，跟著聞人霜走向馬車。

岸邊，她坐過的地方，不知道什麼時候盤了一條蛇，牠靜靜地看著她走遠，然後回頭游進了冰冷的湖水裡。

深到湖底，一動不動。

茉伊拉飛進馬車，便看到賴加面如死灰地坐在馬車裡。想起聞人霜的話，她是天使嘛，怎麼可以跟人類一般見識，於是輕輕推了推他，「賴加。」

賴加猛地抬頭，看到茉伊拉站在他面前，鬆了一口氣，然後狠狠瞪了她一眼，想去抱她，伸出手的時候，才發現她早已經恢復了天使的形態……

16 一生的陪伴

出了那片森林，馬車一路往北，天氣也一日冷似一日。

「他要回伊里亞德，妳不阻止嗎？」聞人霜坐在馬車頂上，望著一路銀白的積雪，任風揚起他寬大的白色衣袖，衣服上繡著的那隻九尾白狐隨風而動，無比地飄逸。

「你擺那瀟灑樣做什麼，又沒有人看得見。」茉伊拉一頭黑線。

「嗯哼——瀟灑是我的風格。」聞人霜習慣性地甩了甩腦袋，隨即白了她一眼，「不要岔開我的話題。」

「他不會聽的。」茉伊拉默默地看了坐在馬車裡的賴加一眼，低低地道。

「我們打賭。」聞人霜仰頭望了一眼灰濛濛的天，忽然開口。

「賭什麼？」茉伊拉回頭，看向他。

「賭他會後悔。」聞人霜笑。

「唔？」茉伊拉眨了眨眼睛，不甚了解。

「看著吧，他會後悔的。」看她一臉茫然的樣子，聞人霜抬手揉了揉她的腦袋，「他的眼睛只看到他已經失去的東西，卻看不到他還擁有的。等他連現在擁有的也失去的時候，他就知道什麼才是他想要的了。」

「……」

「很有哲理吧，崇拜我嗎？」聞人霜飛了個媚眼，「嗯，有時候我也挺崇拜我自己。」

茉伊拉默默地回到了馬車上，留聞人霜一個人坐在車頂吹冷風兼自我膨脹。

「估計今天傍晚就能到伊里亞德了。」感覺到茉伊拉在他身邊坐下，閉著眼睛假寐的賴加道。

「嗯。」茉伊拉輕應了一聲。

一陣熟悉的香甜味道飄進了賴加的鼻端，賴加愣了一下，睜開眼睛。

茉伊拉雙手捧著一個小盒子，正笑咪咪地歪著頭看他，「生日快樂。」

賴加伸手接過盒子，銀灰色的眼睛由驚詫轉為柔和，「謝謝。」

自她賜予他能夠看見天使的眼睛之後，每一年的生日都是她陪著他度過。茉伊拉說生日的時候靈魂會比較脆弱，最容易被惡魔入侵，所以每年的生日，她都會準備一盒杏仁糖泥替他慶生。

今年發生了那麼多事，他以為……她會忘記。

就在這時，馬車忽然停了下來。因為太突然，賴加手裡的盒子一下子滑了下去，杏仁糖泥掉在馬車上，沾了灰。

「貝克！」看著那些散落的杏仁糖泥，賴加有些惱怒。

「主人，有埋伏。」貝克的聲音在馬車前響起。

賴加哼了一聲：「衝過去。」

「是。」貝克揚起鞭子，駕著馬車往前衝。

……然後，馬車又停了下來。

「又怎麼了！」

「主人……您自己看吧……」貝克的聲音十分無奈，他是很英勇沒錯啦，可是這力量懸殊也太大了不是？

賴加推開車門，擋在他面前的不是什麼殺手，而是一個軍隊，至少有兩千人，是火焰皇冠的

旗幟。

約特帝國的軍隊。

還是追來了嘛。

賴加皺眉，正當他琢磨著請聞人霜出手幫忙的時候，圍住他們的軍隊忽然分開，中間緩緩駛出一輛華麗的馬車，賴加認得，那是克洛怡公主的馬車。

馬車門打開，克洛怡公主提著裙襬，在侍從的攙扶下走出馬車。

賴加站在原地，冷冷看著她。

「賴加伯爵，我奉父王的命令陪您一起去伊里亞德。」彷彿絲毫不在意賴加的冷淡，克洛怡公主微笑著看著他道。

粉飾太平，當作什麼事情都沒有發生過嗎？賴加冷冷地看著她表演。

「父王說，您是伊里亞德家長子的身分誰也不能否認，而我，將是最佳的人證。」克洛怡又道。

很不錯的條件，可以證明他是伊里亞德家長子的身分，可以讓他光明正大地踏進伊里亞德王宮，而不是偷偷摸摸地去。

賴加瞇了瞇眼睛，終於上前一步，彎下腰行了一個吻手禮，「是，我的公主。」

他這一彎腰，表明之前種種都當作沒有發生過，包括她對他下藥，包括茉伊拉差一點被施以火刑……

茉伊拉回過頭，望著馬車裡撒了一地的杏仁糖泥，清澈的眼睛微微一黯。

回到馬車上，賴加手裡拿著從馬車地板上撿起來的杏仁糖泥剛要往嘴裡送，卻被攔住了。

「髒了。」茉伊拉一揮手，他手裡的杏仁糖泥便連著盒子都不見了。

「不要緊，我想吃。」賴加伸手想要。

「明年再做給你吃。」

「我想吃。」賴加堅持。

茉伊拉「咻」的一下坐上車頂，和聞人霜排排坐。

「小天使，妳在生氣嗎？」聞人霜笑咪咪地問。

「怎麼會。」茉伊拉側過頭看著他，微笑，「我是天使，善良可愛的小天使，以拯救世界為己任的小天使——」

聞人霜抖了一下，確定她在生氣。

兩千軍隊留在城外，克洛怡和賴加的馬車一前一後被迎進了伊里亞德城。

「喲，公主殿下這算不算為你以身犯險？上一回她可是被軟禁在這裡呢。」車頂上傳來聞人霜涼涼的聲音。

「凱里在約特為人質，公主自然不會有危險。」賴加淡淡地道。

凱里啊……那個小小的少年……茉伊拉的眼睛更黯了。

她看了看走在前面的馬車，忽然想起一件事情，「小霜，你說那個時候克洛怡為什麼能夠看到我？剛剛卻沒有看到？」

聞人霜又抖了一下，他該怎麼說？告訴她之前都是因為有納斯加在搞鬼？

「小霜？你在想什麼？」

「沒……沒什麼。」

「算了，我去問伊凡。」茉伊拉動了動翅膀，打算去問問克洛怡的守護天使。

聞人霜嚇了一跳，忙扯住她，「能夠看到天使也是論天時地利人和的，和以前凱里可以看到，後來又看不到是一樣的道理啦！」

「是這樣嗎？」茉伊拉疑惑，總覺得哪裡怪怪的。

「就是這樣！」聞人霜保證，就差沒有發誓了。

「那就這樣吧。」茉伊拉無所謂地聳了聳肩，又在他身邊坐下，「你那麼緊張幹什麼？」

聞人霜差點抓狂，他這麼緊張幹什麼？要不是因為他答應了納斯加……

馬車停在了伊里亞德王宮前，貝克拒絕了走上前的宮廷侍從，跳下馬車拉開了車門。

賴加踏下馬車，便看到宮門口站了整整兩排的宮廷侍從，十分盛大的歡迎場面，嘴角不禁輕輕扯開一絲譏笑。

人生果然就是一場輪迴，來來去去，他還是回到了這裡。

「賴加先生，歡迎您回來。」一個有些熟悉的聲音。

賴加有些訝異，看向聲音的來處，竟是管家艾維斯！他依然戴著一雙黑色的手套，恭敬地站在那裡，目光平和，彷彿對他忽然睜開的眼睛一點都不意外和好奇。

艾維斯還是和以前一樣，辦事乾淨俐落，讓人挑不出一點兒毛病來，完美得簡直不像人類。

賴加沒有想到的是，他又住進了那間木屋。經歷了兩次火災，這裡居然又被翻修一新。

「賴加先生一定很懷念這裡吧。」艾維斯微笑，「這裡的一切都是比照先生在的時候擺放的，凱里王子一直很想念先生。」

「費心了。」

「您先休息一下，陛下身體抱恙，明天一早皇后會接見克洛怡公主殿下和您。」艾維斯說著，欠了欠身子，轉身離開。

賴加在屋外站了許久，最終嗤笑了一下，大步走進房間。

一入夜，賴加便換了身衣服走出房間，直奔皇帝的寢宮。

「你就如此地迫不及待？」隱了身的聞人霜悄悄跟上，「明天見皇后的時候，那個克洛怡公主一定會表明你的身分的，那個時候再見不也一樣？」

賴加笑了一下，銀灰色的眼睛裡閃過一絲陰霾，「嗯，有些事情，我真的是迫不及待。」

藉著聞人霜的力量隱了身，賴加輕鬆地避開重重守衛走進皇帝的寢宮，站在了他的床前。

大床上躺著一個老人，他的臉頰上布滿了皺紋，皮膚鬆弛，眼眶也深深凹陷著。

真的……只是一個老人而已了。

曾經那麼狠心絕情、叱吒風雲的人物呢。

這個時候，他正微張著渾濁的眼睛，似乎想喝水的樣子，可是旁邊的侍女都被聞人霜施了催眠術，一時半會兒醒不來。

賴加撤去了隱身術，大剌剌地在他床沿坐下。

伊里亞德一世瞇縫著眼睛看了許久，然後眼睛驀然睜大，他顫抖著伸出手，「是你……」

「嗯，是我。」賴加笑著俯下身，似乎想讓他看得更清楚一點。

伊里亞德一世望著那雙銀灰色的眼睛，不可抑制地顫抖起來，「惡……惡魔……」

「不要這樣說，我會傷心的。」賴加抬起手，一臉傷心地輕輕捂住心口，然後忽然微笑著做了一個口形，「父王。」

伊里亞德的眼睛瞪得更大了，喉嚨裡發出咕嚕咕嚕的聲音，卻再也說不出話來。

「記得我們第一次見面的時候，哦，記錯了，是第二次，我出生那一日你見過我一回。」賴加笑了一下，「記得我們第二次見面的時候，你問我全名是什麼，我現在可以回答你了，我的全名是……」他俯下身，將嘴唇貼著的他的耳朵，一個字一個字地將那個令他恐懼的名字灌進他的耳朵，「賴加．伊里亞德。」

伊里亞德一世瞳孔微微放大了一下，他猛地伸出如枯木一般的手，緊緊扼住了賴加的脖子。

「真是令人傷心，都到這個時候了，您還想著要殺我，我可是您的兒子呢。」感覺到頸間的溫度，銀灰色的眼眸微微一黯，隨即薄唇微微勾起，他笑得不痛不癢，「只可惜啊，您已經老了。」

說著，他毫不費力地扯開了那隻軟綿綿沒有一點力量的手。

「您的王國，我會好好接手的。」賴加冷眼看著在床上掙扎，卻連坐起身都辦不到的老人，「以您繼承人的身分。」

說完，不再管他，轉身大步離開了房間。

當然，他用了隱身術。

一路沉默地走回房間，賴加陰沉著臉，一聲不吭地坐在床上。

房間裡沒有點燈，他就那樣一個人靜默地坐在黑暗中。

那個人……為什麼到了這一步，還執意要他死？

明明……他也是他的親生兒子啊！

「茉伊拉。」賴加閉著眼睛，忽然開口。

「嗯？」茉伊拉就站在他的身旁，看著他。做到這一步，他並沒有開心，只是讓自己更難受罷了。嘆息了一下，她終於還是伸手，輕輕抱住了他。

「妳會不會離開我？」明明觸不到她的形體，卻可以感覺到很溫暖的一圈光將他圍住，很舒適，很安心的感覺。

「不會。」她輕聲回答。

「為什麼？」

「因為……我是你的守護天使啊。」茉伊拉垂下眼簾，一切彷彿回到了那一日他剛進伊里亞德府，見到他的母親費羅拉夫人，卻形同陌路時一樣。

她對他說，我會守著你，保護你，期限……是一輩子。

她這樣說，是因為她知道，只有當賴加心裡極度寒冷、極度孤獨的時候，才會這樣問，才會這樣尋求一個保證。

而她，願意給他這樣一個保證。

「只是因為妳是我的守護天使……而已嗎？」賴加忽然睜開眼睛，銀灰色的眼眸在黑暗中灼灼地看著她，追問。

茉伊拉怔怔地對上那雙眼睛，一時竟不知道該怎麼回答，只覺得心口微微發熱。

「茉伊拉……」他故意微微拖長了嗓音，用幾近撒嬌的腔調。

茉伊拉張了張嘴，正要回答時，門突然被推開了。

「賴加！」克洛怡披著一身銀白的月色站在門口，微喘著看向屋內，面帶驚惶。

「公主殿下？」賴加站起身，看向站在門口的克洛怡，有些驚訝，「這麼晚了，您來這裡幹什麼？」

「快走。」克洛怡衝進房間，拉起他的手就走。

「發生什麼事了？」賴加皺眉，輕輕拉住她。

「我剛剛得到消息，凱里已經被祕密接回伊里亞德了，沒有人質，他們隨時會置我們於死地。」克洛怡拉著他的手，「我們必須盡快離開這裡。」

「恐怕，來不及了。」克洛怡的話音剛落，一個涼涼的聲音便在門口響起。

克洛怡聽到那個聲音，有些驚恐地回過頭，看向不知道什麼時候站在門口的男子，「艾維斯將軍？」

莫非他一直跟著她？

這個想法令她恐懼起來，她的一舉一動竟然都在這個可怕男人的眼中嗎？

賴加順手將克洛怡拉到身後，然後抬頭看向站在門口的艾維斯。那個總是束著長髮的年輕管家，此時身上帶著一種奇異的感覺，猶如在黑夜中盤旋著準備覓食的禿鷲，看起來分外地危險。

「艾維斯……將軍？」賴加想起剛剛克洛怡惶惶然喊出的稱謂，莫非他就是那個打敗尤金，並且將尤金部隊死死壓制在諾德亞城的人物？

「我也不介意你叫我一聲哥哥的。」艾維斯笑得親切而從容。

「你說什麼？」賴加錯愕。

「我們是同父異母的兄弟啊。」艾維斯笑得很是溫和，他張開雙臂，「我很開明的，並不像陛下那樣，既不敢承認一個有著惡魔之瞳的兒子，也不願承認一個和侍女廝混生下的私生子。」

私生子……原來他是伊里亞德一世的私生子。

茉伊拉了然，難怪一直覺得他和賴加有幾分相似。

「對了，告訴你一個好消息。」有些神經質地搓了搓戴著黑色手套的雙手，艾維斯忽然又道。

「什麼？」賴加下意識地問。

「我們的父王，就在剛剛，死了。」艾維斯笑著說。

賴加愣住。

「是不是很高興？」艾維斯做出一副喜笑顏開的樣子，「我也很高興。」

賴加微微捏緊了拳頭，一時想不出該用什麼表情來面對這個消息。那個人竟然就這樣死了。

他一直恨著的人，死了。

他怎麼能就那樣死……

「對了，聽說你很怕火？」冷不防地，艾維斯又道。

賴加警覺地抬頭，卻發現艾維斯已經退出房間，房間裡所有的門窗不知道什麼時候都被封死了，只剩下一個大門，艾維斯卻笑盈盈地站在那裡。

他只抬了抬手，燃燒著的火把便扔到了早就澆了油的乾草上。大火一下子燃了起來，賴加的臉色瞬間變得慘白。

是的，他怕火。

非常地……怕。

幼時恐怖的記憶在他的骨血裡根深蒂固，無法拔除。此時，在這一片火海裡，他彷彿又回到

了十歲那年，他又成了那個被親生父母設計困在火場的孩子。

無助而恐慌。

「為什麼……」賴加看向艾維斯。

明明他說……他是他的哥哥啊。

「因為，你擋了我的路。」火光下，艾維斯的臉有些變形，「我們的父王說，只要你死了，我便是他的繼承人。」

原來那個人連死……也不願放過他。

賴加怔怔地看著火光中的哥哥，到了今天這一步，他面對這樣的場面早該習慣了不是嗎？竟然還問為什麼，真是愚蠢，他果然還是太愚蠢了。

眼見著火舌捲著柱子砸向賴加，茉伊拉忙張開翅膀設下結界。

賴加反手握住緊緊拉著他的克洛怡，習慣性地回頭尋找茉伊拉，在對上那雙淺褐色的溫柔眼睛時，他忽然便安了心。

彷彿回到十歲那年，那個被困在烈火中倉皇不已的少年第一次聽到了天使的聲音。

她說，別害怕，往前走，不要回頭，那些火傷不了你。

那樣溫柔的聲音。

「門窗都被封死了，那裡是唯一的出路。」茉伊拉看向站在門口的艾維斯，輕聲對賴加說。

賴加拔出劍，指向擋在門口的艾維斯。

「不要白費力氣了，你們是不可能從這裡出去的。」艾維斯不屑地嗤笑了一下，緩緩脫下黑色的手套，露出一雙因為常年不見陽光而略顯蒼白的手。

他緩緩抬起手，猛地指向賴加，無數的火舌瞬間幻化成蛇形，竟然如活了一般凶猛地撲向賴加。

感覺到奇異的熱浪撲面而來，賴加被逼著後退，再一次退入火的包圍之中。

茱伊拉衝上前替賴加擋住火蛇的攻擊，驀然發現，在艾維斯的雙手手背上，都紋著詭異的圖案。

那些圖案在烈火的掩映下，分外猙獰。

那是……魔之手？

他與魔族做了交換嗎？

茱伊拉緊張起來，她下意識回頭找聞人霜，卻發現那個靠不住的傢伙居然關鍵時候又不在。

「在找那隻九尾狐妖嗎，」艾維斯冷笑，「小天使？」

茱伊拉驚詫地看向艾維斯，他果然能夠看到她！以前那些都不是她的錯覺！不過隨即釋然，他既然與魔族做了交換，能夠看到她也不奇怪。

「那隻狐妖不會來了。」艾維斯側頭看向賴加，「放棄吧，我親愛的弟弟，這裡註定是你的葬身之處。」

烈火燒著了他的衣袖，賴加銀灰色的眼睛染了火一般紅，他抿脣，看向站在門口的艾維斯，一字一頓地緩緩道：「我不會死。」

只要他不死，茱伊拉就不會離開他，她是這麼保證的。

所以，所以……他怎麼能夠就這樣窩囊地死在這裡？

若她只能是他今生的天使，他怎麼能夠讓他的今生就這樣結束！

不再理會賴加，艾維斯心情甚好地看向被賴加護在身後的克洛怡，「公主殿下，我無意與約特為敵，您可以自由地離開這裡。」說著，他甚至紳士地欠了欠身子，「您將被奉為上賓。」

克洛怡公主握緊了賴加的手，「賴加是我父王親封的伯爵，你竟敢如此放肆！」

「公主殿下，您不出來嗎？」艾維斯似乎很溫和地打著商量。

「除非他一起出來！」克洛怡緊緊拉住賴加的手。

「那麼，妳就待在那裡吧。」艾維斯說完，隨手關上門，命人將門也封死。

「你竟敢！」克洛怡尖叫。

「我有什麼不敢？」門外，傳來艾維斯低低的笑。

是啊，他有什麼不敢，隱忍了那麼多年，苟且偷生了那麼多年，好不容易可以大權在握，他有什麼不敢？

煙霧滾滾，嗆得克洛怡連連咳嗽，賴加甩開了她的手，「妳走吧。」

「我不！」克洛怡搖頭。

「妳想死在這裡嗎？」

克洛怡緊緊抱住他，「你……你是我的騎士啊！」

房子在烈火中搖搖欲墜，無數燃著的木料和石塊砸了下來，茉伊拉忙張開翅膀飛了過去，擋在他們上方，將那些燃燒著的碎屑擋住。

那些火不是普通的火，帶著魔族的氣息，茉伊拉感覺到那些熾熱的火焰已經將她的翅膀燒著了。明明很痛，可是卻放不下賴加，她在火光中尋找賴加的身影，卻看到兩個在煙霧中緊緊相擁的身影……

「放棄吧。」

「妳在堅持著什麼呢？」

「根本沒有人會注意到妳，沒有人知道妳的存在……」心底，那個細細的聲音又開始叫囂起來。

茉伊拉狠狠甩頭，不讓那個住在她心裡的惡靈影響她。

「作為一個守護天使，妳已經仁至義盡了，妳的工作已經結束了，放棄吧……放棄吧……」

「難道妳愛上了一個人類嗎？妳在執著些什麼呢？」

「看吧，就算妳愛上他，他還是抱著別的女人……」

「妳在執著些什麼呢？」

「妳在執著什麼呢……」

火越來越大，茉伊拉感覺自己的力量越來越小，越來越小……

她眼睜睜看著整間房屋坍塌下來。

「不——」

17 天使斷翼

賴加……死了。

那個有潔癖的、喜歡陽光和甜食的賴加……死了。他那樣怕火，卻死在了火中。茉伊拉站在那片廢墟前，站了許久，直到一雙手輕輕握住她的肩。

「小霜，賴加死了。」沒有回頭，茉伊拉只是輕聲道。

「對不起，我來晚了，因為……」聞人霜難得皺眉，想要解釋。

沒有等他繼續說下去，茉伊拉便打斷了他的話，低聲喃喃：「你知道嗎？賴加有潔癖，是因為在被關入『死亡之塔』的那十年裡，他沒有洗過澡……賴加喜歡陽光，是因為他被關在暗無天日的死亡之塔裡十年；賴加怕火……是因為小時候被親生父母設計，差一點便葬身火海……」

「茉伊拉……」

「可是，他那樣怕火，卻死在了火中……」茉伊拉垂下頭，「他一定很孤單，很害怕……我就在旁邊，卻救不了他……不，不是這樣，我明明有機會救他的，可是我卻因為嫉妒而失去了機會……」

她緩緩抬起手，撫上自己的眼睛，那裡乾巴巴的，什麼都沒有。

天使，是不會流淚的。

聞人霜的手抬了抬，終究還是落在了她的頭上，輕輕揉了揉。

「小霜，我想哭。」茉伊拉抬頭，看向聞人霜。

那雙淺褐色的眼睛裡流動著的，是滿滿的哀傷，可是卻沒有一滴眼淚。那些眼淚彷彿一滴一滴都逆流回她的心底，把她的心泡得又酸又澀。

就連聞人霜，也不忍再看，他抬手覆住她的眼睛。

「我要回去了。」許久，茉伊拉打破了沉默。

「回哪裡？」聞人霜一愣。

「天界。」

是啊，她守護的人已經死了，她自然要回到她的來處。她曾向賴加許諾，會一生都陪伴他，可是他的一生，為什麼竟會如此的短暫。

「我會每天都替你祈禱的，祈禱你早日找到東方曉。」茉伊拉張開翅膀，伸手輕輕覆上他的頭頂。

「我不相信妳的天父。」聞人霜習慣性地眯著那雙狐狸眼睛笑了起來，在茉伊拉發飆前忙補充，「可是我相信妳，小天使。」

茉伊拉微微一笑，忽然感覺到一絲異樣的氣息，回頭便看到站在她身後的納斯加。

他正倚在被大火燒剩下的那根金屬門框上，手裡捏著一枝不屬於這個季節的白色薔薇。這個時候，他正專心致志地低著頭，細細地除著薔薇梗上的刺，深紫色的長髮細密地垂下，在這黑夜裡泛著冷冷的光。

金屬門框被大火熏得黑黑的，他的白色斗篷卻一塵不染。

除下最後一根尖刺，他抬起頭，笑盈盈地走向茉伊拉，然後單膝跪下，「茉伊拉，我來接妳回天界。」

他將白色的薔薇送到茉伊拉面前。

聞人霜看了納斯加一眼，如果不是他故意引開他，賴加也許不會死，可是這個傢伙現在就這樣若無其事地出現在這裡。

茉伊拉定定地看著他執著白色薔薇的手，然後輕輕笑了起來。她伸手，接過那枝薔薇。

納斯加微微勾起脣，低頭吻上她的手。

她看著他，然後，輕聲說：「願主寬恕你的罪。」

納斯加微微僵住。

她都知道！她知道艾維斯的惡魔之手是他給的，她知道附在她身體裡的惡靈是他指使的，她甚至知道賴加的死與他有關……

可是她說，願主寬恕你的罪。

第五重天還是那樣荒涼，恍惚間，茉伊拉差點以為自己從來沒有離開過，彷彿之前的種種都只是一場夢境。

魯那在第一時間跑出來迎接她，熱淚盈眶，「茉伊拉妳可回來了，這裡又來了幾個可怕的罪天使，我正好應付不過來呢，妳回來就好了——」

茉伊拉摸摸魯那的腦袋表示安慰，又摸摸環在她手臂上成臂環狀的小蛇，讓牠少安毋躁。

魯那彷彿怕她忘記回去的路怎麼走，一邊在前面領路一邊好奇地問起茉伊拉在人界經歷的事情。

「茉伊拉，這次妳守護的是個怎麼樣的人？」跳躍性思維的魯那問。

茉伊拉愣了一下，見魯那已經好奇地回過頭來，想了想，才道：「他是個害怕孤單的孩子，有點小小的潔癖，愛吃甜食，嗯，還很喜歡陽光。」

「哇，聽起來很可愛呀。」

「嗯。」茉伊拉頓了頓，「……很可愛。」

「他叫什麼名字呀？」

「……賴加。」茉伊拉心口微微一疼，「賴加．伊里亞德。」

「咦？賴加？這不是妳以前給那顆蛋取的一堆名字中的一個嗎？」魯那笑了起來，「那個時候呀，妳對著一枚還沒有孵化的蛋，天天念叨著給它取名字，還有一些叫什麼來著……納斯加、美娜、朱莉亞？」

盤在茉伊拉手臂上的小蛇吐了吐信子。對，那些都是牠的名字，都是牠的名字，是賴加搶了牠的名字。

「對了，我還見到伊凡了，你還記得伊凡嗎？」見他一直問，茉伊拉有些困難地試圖轉移話題。

「啊，伊凡那個傢伙啊！從這裡成功淨化的罪天使。」魯那興奮起來。

見成功地轉移了話題，茉伊拉輕輕吁了一口氣。經過第九道走廊的時候，她忽然停下了腳步。

「怎麼了？」魯那回頭看她。

「那隻妖獸，後來怎麼樣了？」茉伊拉望著那黑漆漆的通道，問起那隻害她被貶職的妖獸。

「不知道，一直沒有回來過。」

茉伊拉怔怔地看向那黑洞洞的走廊，覺得記憶裡有一塊被阻塞了，掛在她手臂上的那條小蛇微微收緊。

被聞人霜消去的那一段記憶……她會想起來嗎？

站在長長的廊道裡，茉伊拉定了定心神，在心裡默念無數遍天使的責任之後，才在嘴角掛起微笑，然後張開雙臂，充滿感情地看著那些被關押在廊道兩旁的老朋友們，大聲道：「我回來了，你們有想我嗎——」

「啊！那個聒噪的小天使又回來了！」墮天使甲哀號。

「上帝啊……」墮天使乙慘叫。

「救救我……」半魔丙瘋狂了。

「咚咚咚，饒恕我吧……咚咚咚，我棄惡從善，我棄惡從善了……」半魔丁不停地用頭撞牆。

「呵，呵呵，他們真熱情呀。」茉伊拉一臉感動。

魯那滿頭黑線，乾笑不已。

茉伊拉似乎還是那個茉伊拉，她勤勤懇懇，一絲不苟地看守著第五重天，她敬愛天父，熱愛工作，依然是天界標準的好青年。

忙碌了一天之後，茉伊拉獨自去了第五重天南面的森林，坐在撿到納斯加的湖邊發呆。

「妳後悔了。」盤在她手臂上的小蛇忽然開口。

「什麼？」茉伊拉低頭看他。

「妳後悔撿到我了。」小蛇微微昂起頭，看著她。

「我沒有。」茉伊拉輕輕撫了撫牠的腦袋，「我很高興你會因為我而感覺到溫暖。」

「那妳……」小蛇輕輕依偎著她的手心，「為什麼不讓我替妳除去附在妳身上的惡靈？」她那樣做，只是想讓他難受，不是嗎？

她恨他害死了賴加，她恨他讓惡靈附在她的身上，她不願意原諒他。

「你看。」茉伊拉指了指心口。

那裡，竟然綻放了一朵純白的花。

小蛇愣住。

「等花朵脫落的時候，附在我心裡的惡靈，就會被淨化了。」茉伊拉輕輕撫了撫那純白的花朵，微笑。

惡靈之花，居然是純白的。

突然，嘩的一聲水響，湖裡站起一個天使。茉伊拉嚇了一跳，一邊安撫「嘶嘶」吐著信子的小蛇，一邊瞪大眼睛張大嘴巴望著從湖裡站起來的那個天使。

「沙……沙利葉大人……」茉伊拉開始顫抖。

那一張被水浸潤過的臉龐，那泛著淡淡光華的華麗形象……

沙利葉淡淡瞥了一眼被茉伊拉抱在懷裡的小蛇，然後無視他們，「嘩啦啦」從水中走了出來。

「那個……沙利葉大人！」茉伊拉忙上前一步，扯住他。

沙利葉停下腳步，回頭，銀灰色的眼睛看向她。

看著那雙無比熟悉的眼睛，茉伊拉差點產生錯覺。她搖了搖腦袋讓自己清醒了一點，才喏喏地問：「我想問一下……那個……」

「什麼？」沙利葉大人發話了。

茉伊拉抖了一下，「你知不知道一個叫賴加·伊里亞德的人，他的靈魂怎麼樣了？」正直不阿的小天使生平第一次徇私，試圖走後門。她閉著眼睛一口氣說完，然後惴惴不安地低頭，不敢看沙利葉大人。

沙利葉是月之天使，他掌管著人類死後的靈魂，並且守護那些靈魂不被惡靈侵蝕。

沉默，沉默，沉默。

茉伊拉緊張不已。

「沒有這個人。」許久，沙利葉大人終於開恩，開了口。

「啊？」茉伊拉顧不得其他，傻傻地抬頭看向那雙熟悉的眼睛，然後眼睛猛地一亮，「那他是不是沒有死？」

「妳是他的守護天使嗎？」沙利葉大人淡淡地道。

「嗯嗯。」茉伊拉點頭。

「妳都回天界了，妳還認為他沒死？」

「……」茉伊拉的心又從雲端摔到了谷底，「那是怎麼樣？」明明死了，卻不在沙利葉的守護之中。

「只有兩個可能了。」沙利葉忽然微笑。

「什麼？」茉伊拉瞪大眼睛。

「一個是他消失了，連同靈魂一起；另一個就是……」沙利葉嘴角的笑意消失，「他成為死靈了。」

「怎麼會……」

「大概他前生犯下了大罪，死也不能贖的大罪。」沙利葉說完，轉身離開。

只剩下茉伊拉呆呆地站在原地。

小蛇略略收緊，茉伊拉回過神來，拍了拍腦袋，「啊呀，到了傳教的時間了，我得去看望我的老朋友們了。」

小蛇額頭滑下黑線，那些老朋友似乎一向不怎麼歡迎她的……

不過正是那樣的茉伊拉，才是茉伊拉吧。

「對了，上次我要煉的治癒草還差一味藥，你幫我找找，我回頭來找你。」茉伊拉拍拍小蛇的腦袋，將牠放在草地上，然後張開翅膀飛走。

小蛇看著她飛遠，幻化成人形，神色淡淡的，隱身跟上了她。

茉伊拉並沒有去看望她的那些「老朋友」，而是潛入了第七天，納斯加卻被擋在第七天之外，只能眼睜睜看著她飛上了第七天。就算是淨化的魔族，他也永遠不能飛進第七天。

比起荒涼的第五天，這裡處處可見天使和聖潔者的靈魂，茉伊拉跟著朝聖的靈魂一起走進了神殿。

那裡有生命之水，可以令人起死回生的聖水。

茉伊拉跟著虔誠的靈魂一起聆聽聖音，她的視線卻始終注視著那一汪閃著光的湖水。只要有那個，賴加便可以起死回生了。

第一次做壞事的茉伊拉顫抖著手，小心翼翼地裝了一小瓶藏在羽翼下……

「噹，噹，噹……」

渾厚的鐘聲響徹天空。

茉伊拉傻了……

被發現了！

她呆了呆，然後一抬手，將瓶中的生命之水一飲而盡。

在看清那個偷取生命之水的小偷之後，眾天使都愣住了，誰也想不到那個出身良好的小天使居然會一時想不開跑來偷竊。

「茉伊拉，妳太令我失望了。」大天使出現在茉伊拉面前。

茉伊拉垂著腦袋不語。

「妳可知道，上一個偷盜生命之水的天使已經被砍去雙翼，墮入凡塵了？」

茉伊拉把腦袋垂得更低一點，還是不開口。

「妳執意如此？」大天使看了她許久，忽然嘆息。

這冤孽。

「妳愛上那個人類了。」

茉伊拉咬唇，是愛嗎？這便是愛？這便是吧。

知道他的靈魂沒有得到保護，知道他有可能變成那些可悲的死靈，知道他有可能永遠消失，她便無法不去管他，不去想他。

這便是吧……

18 生命之水

你知道靈魂被生生剝離的感覺嗎？你知道與生俱來的雙翼被齊根折斷的感覺嗎？

那是用言語無法表達的痛楚，如無數隻螞蟥鑽進心底，將血與肉一點一點啃噬殆盡。痛到麻木，卻連昏迷都不行，只能無比清醒地忍受著那樣的痛。

——那是她必須得到的懲罰。

——是她該受的。

——因為她背叛了自己的信仰。

「可憐的茉伊拉，妳失去所有，去換取的，註定只能是一場悲劇。」大天使嘆息著，睿智而通透的眼中帶著無盡的憐憫，「總有一天，妳會明白。」

茉伊拉淺淺地笑，她並沒有失去所有，她還有生命之水，她喝下了生命之水，那些聖潔的液體已經融入她的血液。

只要她找到賴加，她就可以救活他。

帶著安心而滿足的笑意，茉伊拉終於結束了無盡的折磨，陷入黑甜的昏迷。

從這一刻開始，她是人類了。

她不再是天使，她跟賴加一樣是人類。

他們，已經是同類了。

她迫不及待……想告訴他。

醒來的時候，她並沒有在人界，有些疑惑地四下看了看，發現她竟然坐在雲端上。

「別怕，我奉大天使的命令送妳去人界。」一個有些熟悉的聲音。

茉伊拉側過頭，有些驚喜，「伊凡，你回來了？」

「嗯，克洛怡的生命結束了，我也回來了。」他說，聲音淡淡的，不帶一點波動，對他而言，克洛怡只是一件工作，一個任務。

「哦。」茉伊拉喏喏地回應，忽然覺得自己有點丟臉，曾經那樣大言不慚地對他說教，如今真是風水輪流轉了。

「妳知道，我為什麼會被關進第五重天嗎？」伊凡沒有看她，只是輕聲問。

「為什麼？」茉伊拉說不好奇是假的，伊凡被關在第五重天的時候，她曾經找他談過無數次，試圖挖出他心底的罪之源，以便對症下藥。

可是那個時候，他總是沉默，嘴巴上了鎖似的任她怎麼說都不回應。現在，他居然主動提起？

「很久之前，我愛上了自己守護的人類。」

伊凡的開場白讓茉伊拉目瞪口呆，隱約間，她有些不安，「然後呢？」

「人類的生命真的很脆弱，而她的身體，甚至比一般人類更加孱弱。」伊凡抬頭看向遠方無盡的雲海，眼中閃過一絲不易察覺的溫柔，他的聲音很輕，「我看著小小的她日復一日在病床上掙扎，明明活得那樣辛苦，卻從來不曾放棄。可是有些時候，有些事情不是堅持就可以得到勝利的。她撐得那樣辛苦，結果一場小小的風寒便輕易奪走了她的生命。」

茉伊拉忽然有些明白了，「大天使說的那個被斷翼的天使，是你？」

「對，我去偷取了生命之水。」伊凡輕輕笑了起來，「沒有懸念地，我被發現了，在最後一刻，我喝下了生命之水，然後自斷雙翼，墮了天。」

「自斷雙翼？」茉伊拉怔住。

斷翼有多痛，她知道。

那麼，要有多大的意志力，才能自斷雙翼？

「對，我愛上了那個小小的人類女孩，我想以人類的形體陪伴她。」

「結果呢……」茉伊拉低低地問，她知道這個故事的結局肯定不是大團圓，否則……她便不會在第五重天的天使牢獄中認識他。

她還記得第一次見到伊凡的時候，他被重重的鐵鏈鎖著。她至今都忘不了他當時的眼神，如幽冷的冰泉，深不見底。

一片黑暗的眼中，除了絕望，還是絕望。

「結果，我用自己的血救活了她。」伊凡轉頭望向茉伊拉，「而她，知道我的血可以起死回生，便將虛弱的我送給了她深愛的王子殿下，以換取王妃的位置。」

「怎……怎麼會……」茉伊拉怔怔地看著他。

「妳知道嗎？變成人類的天使有一個致命的弱點。」

「什麼……」

「不能受傷。」伊凡輕輕撫過茉伊拉白皙的手臂，「所以雖然喝了生命之水，但妳只有一次機會，只能用妳的血救一個人，那是妳的極限，倘若第二次受傷，等待妳的，便是永恆的死亡。」

「永恆的……死亡？」

「對，連和普通人類一樣轉世的機會都沒有。」伊凡微笑，「很悲哀是不是？斷翼算什麼，這才是真正的懲罰，人類都是貪婪而不懂得滿足的，當他們知道了妳的血有那麼神奇的用處時，有我這樣的下場，便也不足為奇了。」

「那你……」

「我為什麼沒有死，還被關進了第五重天？」伊凡撇開眼，「因為我在她的婚禮上親手殺了她，連同她的王子殿下和所有觀禮的賓客，從此墮落為魔。」

為了愛的人甘願忍受莫大的痛楚，自斷雙翼，放棄永恆的存在，和所有的一切，只企盼可以救回她，可以以人類的身分光明正大地出現在她的面前，可以以人類的身分光明正大地說愛她，可以以人類的身分陪伴她走過一生。

……儘管，那一生相比天使永恆的生命是那樣的短暫。

可是結果，得到的卻是如此難堪的背叛。

斷翼的痛楚，放棄信仰的折磨，最終只是一個可悲的笑話。

「你還愛著她。」茉伊拉看著他，說。

「妳在開玩笑嗎？」伊凡一點也不符合他天使形象地嗤笑。

「你知道嗎？你說起她時的眼神，溫暖而悲涼。」茉伊拉抬手輕輕撫摸他的眼睛，「縱然結局並不完美，可是你還愛著她。」

「茉伊拉，妳真是不可思議。」伊凡看了她半天，終於還是笑了起來，「妳知道我為什麼要在這個時候跟妳說這些？」

「賴加不會那樣對我的。」茉伊拉看著伊凡，這樣堅定地告訴他。

「但願。」伊凡垂下眼簾，神色淡漠。說著，他站了起來，對她伸出手，「好了，時間到了，我送妳下去吧。」

茉伊拉將手放在他的掌心，伊凡握緊了她的手，張開白色的翅膀，抱著她飛下了七重天。

「祝妳好運。」他最後看了她一眼，消失在她的視線中。

茉伊拉知道，她再也不是天使了。

腳踏實地的感覺讓她稍稍有些不適應，茉伊拉赤腳站在冰冷的雪地裡，不一會兒，便感覺腳開始微微發麻，還有些痛意。

身上單薄的白裙被風吹起，她瑟縮了一下。

「妳準備一直站在那裡，然後直接被凍死嗎？」一個有些無奈的聲音在她身後響起。

茉伊拉呆了一呆，扭過頭去。

「納斯加？」她笑了一下，想轉身走近他，被凍僵的腳卻開始不聽使喚，她下意識驚呼了一下，倒在了雪地上。

納斯加抬手撫了撫額，走到她身邊，蹲下身看著她。

「納斯加？」被他盯著，茉伊拉有些心虛。

是的，她堂而皇之地騙了他。

見她被凍得臉色發青的樣子，納斯加嘆氣，解下身上的白色斗篷裹在她的身上，「妳準備好做一個人類了嗎？」

「準備！好了……」茉伊拉雄糾糾氣昂昂的宣誓在他的視線下一點一點弱了下去。

「那妳知不知道，作為一個人類，在這樣的大冷天裡，穿成這樣在雪地裡行走，直接導致的後果就是被凍死？」

茉伊拉低頭。

「我帶妳去找賴加。」

「真的？」茉伊拉眼睛一亮，伸手拉住他的衣袖，隨即又有些遲疑，「你不會再……」

納斯加看著她，淺紫色的眼睛驀然黯了下來。

「對……對不起，我不該懷疑你！」茉伊拉忙道歉。

「呵呵。」納斯加笑了起來。

「你笑什麼？」茉伊拉被他弄糊塗了。

「妳這樣單純，怎麼在人界生存下去？」納斯加雙手捂在她被凍得發青的臉上，揉了揉，「不要這樣輕易原諒一個傷害過妳的人。」

明明他害她變成這樣，她卻在第一時間道了歉；明明被惡靈附了身，卻能在心口開出一朵純白的惡靈之花，並且將其淨化。

這天底下，怎麼會有這樣的女孩？

茉伊拉的臉被他揉得有點變了形，淺褐色的眼睛卻還是一副茫茫然的樣子，那樣溫溫潤潤的眼睛彷彿一張細密的網，將他的心網住，勒得發疼。

「對不起。」他垂下頭，靠在她的頸邊，輕輕吐出三個一直不願意說出口的字，然後在茉伊拉還沒有回過神來的時候，一把抱起她，「我送妳去找賴加，他在伊里亞德王宮。」

「嗯。」茉伊拉揪緊了他的衣袖。

懷裡的少女依然信任他，納斯加的心底漸漸浮起一層苦澀，面對著那樣一雙眼睛，他又怎麼忍心再為難她？只恨不能將一顆心挖出來，送到她的面前。

……還惟恐薄待了她。

蒼茫的雪地裡只留下一串腳印，納斯加走得很慢，他知道以後或許再也沒有這樣相互依偎的時刻了。她屬於他的時光，永遠只能這樣短暫。

在天界是這樣，在人界也是這樣。

伊里亞德城家家戶戶都掛著白布，納斯加帶著茉伊拉進城的時候，已經是深夜了。

「在約特的施壓下，艾維斯承認了賴加的身分，並且以繼承人的身分公布了伊里亞德一世和賴加的死訊，這個時候賴加應該還在神廟裡。」納斯加抱著茉伊拉隱了形，繞過正在打瞌睡的守衛，走進神廟。

茉伊拉點點頭，看向放在大殿中央的兩具棺木。

其中一個，便是賴加。

納斯加放下茉伊拉，走近左邊的黑色棺木，一揮手，輕鬆掀開了看起來很厚重的棺蓋。

賴加一身華服，閉目躺在棺木中，面色如生，竟是一點都看不出火燒的痕跡。

看到那張臉的時候，茉伊拉有一剎那的怔忡。

因為這一刻，她忽然發現她已經把那張臉思念了千百遍。許久，她終於鬆了一口氣，快步走近那具棺木，跪坐在他身旁。她不想知道他的靈魂為什麼沒有被帶進天界，她也不想知道他的靈魂為什麼沒有得到月之天使沙利葉的守護。可是，她知道，不管他前世犯下多大的罪，她都無法眼睜睜看著他就這樣消失或者變為惡靈。

茉伊拉低頭看了看自己，琢磨著怎麼下手弄出血來。

眼見著她從地上撿起一塊尖利的木片照著自己的手臂就要扎下去，納斯加忙拉住她。

「怎麼了？」茉伊拉有些緊張地看著他，惟恐他又反悔來阻止她，這個時候她可沒有力量去對抗一個魔族。

「用這麼髒的東西割傷自己，妳想感染然後死掉嗎？」納斯加淡淡地看著她，淺紫色的眼睛平靜無波。

「那怎麼辦嘛。」茉伊拉有點苦惱，然後把手伸到他的面前，「要不然，你幫我。」

納斯加垂下眼簾，看著那隻纖細的手。

「快點呀。」茉伊拉催促。

納斯加握住她的手，許久，他閉上眼睛，指尖飛快地劃過她的手腕。溫熱的血珠一下子滑了下來，納斯加的手彷彿被燙著了一般縮回身後，微微顫抖著。

茉伊拉顧不上疼痛，忙將受傷的手送到賴加脣邊。

溫熱的、殷紅的液體滴在他蒼白的脣上，那些融合在茉伊拉血液裡的生命之水讓賴加泛著死灰的臉色一點一點好轉過來。

長長的眼睫毛微微動了一下，賴加緩緩睜開眼睛，他第一眼看到的，是他的守護天使。

「茉伊拉……」他輕聲喃喃。

「賴加！」茉伊拉驚喜地瞪大眼睛，「你醒了！你真的醒了！」她輕呼著，完全忘記了自己還在滴血的手。

賴加掙扎了一下，從棺木中坐了起來，一把將茉伊拉抱入懷中。

「賴……加？」茉伊拉在他懷中怔住。

「我以為……再也見不到妳了。」賴加埋首在她的頸邊，聲音微顫，帶著害怕。

她說過的，只要他不死，她便不能離開。

他不怕死，只怕再也見不到她。

他不怕死，只怕她會離開他。

「我再也不會離開你了。」茉伊拉靠著他，微笑，「死也不會。」

「妳的……翅膀呢？」賴加終於發現了不對勁。

「為了給你盜回生命之水，被斷了雙翼，貶下天界了。」背對著他們的納斯加忽然開口，沉沉地道。

看到茉伊拉面色蒼白的模樣，賴加慌忙解開外袍，從乾淨的襯衣上撕下一塊布來替她包紮。

「你哭了？」茉伊拉忽然輕聲說。

「胡說什麼，我怎麼可能哭。」賴加低著頭仔細地將布裹在她的手腕上。

茉伊拉輕輕笑了起來。

聽到她的笑聲，賴加呆呆地抬頭看她，一滴透明的液體剛好從眼角飛落而下，他醒悟過來，有些狼狽地擦去。

「一點都不痛哦。」茉伊拉眼睛笑得彎彎的。

賴加看著他，銀灰色的眼睛帶著深深的痛。

怎麼可能不痛……

他為她痛。

「賴加，我是人類了，你不高興嗎？」茉伊拉歪了歪頭，看著他。

賴加感覺喉間微微一哽，他將她拉入懷中，抱得緊緊的，感覺著懷裡溫暖而纖細的身體，那樣實實在在地嵌在他的懷裡。

茉伊拉乖乖地任由他抱著。

納斯加悄悄隱去了身形，走出門外，獨自消失在黑暗之中。

「你真的看到賴加復活了？」黑暗而冷寂的宮殿裡，坐在高高的王座上的艾維斯危險地瞇起眼睛，看向跪在他面前瑟瑟發抖的侍衛。

「是……是的，屬下小解完回來，看到有個少女闖進了神殿，剛想進去將她帶出來，卻看到賴加王子他……他活過來了！」那侍衛趴在地上，「我想想事情不對，便立刻來向您稟報了。」

死而復生這種詭異的事情常人應該是難以接受的，可是艾維斯並不覺得奇怪，畢竟他連魔之手都可以擁有，還有什麼是不可能發生的？

天剛濛濛亮的時候，艾維斯便帶了全體禮儀官員和文武大臣到神廟祈福。

在伊里亞德有一種說法，先人的靈識可以庇護後世子孫。因此，按規矩艾維斯會先在神廟繼承王位，然後再以伊里亞德新王的身分為伊里亞德一世和第一繼承人賴加．伊里亞德舉行葬禮。

「開門。」艾維斯面色如常，下令。

侍衛將神廟的大門推開後，所有人都驚呆了，已故的第一繼承人賴加．伊里亞德正好端端地坐在大殿中央！

茉伊拉眼見有人闖進來，立刻條件反射一般警覺地站起身，赤著腳便擋在賴加身前。

賴加又感動又好笑，忙一把將她扯回懷裡，「安分點，我的小天使。」

茉伊拉一聽，腦袋立刻耷拉了下來，她一時不能習慣自己的新身分，她已經不是他的守護天使了。

已經皇袍加身的艾維斯看著大殿裡的賴加，又看了看坐在他身旁裹著白袍的少女，最終視線落在她裹著白布的手腕上。

莫非……她的血有起死回生的功效？

這下，可真是有趣了。

茉伊拉被他的視線盯得起了一層雞皮疙瘩，有些不安地動了動。

「親愛的哥哥，讓你擔心了。」賴加不動聲色地將茉伊拉護在懷中，銀灰色的眼睛裡寒芒閃動。

艾維斯的眼神詭異地閃了一下，臉色迅速地平穩下來，甚至帶了一絲笑意，然後他快步上前，眼神熱切地望著茉伊拉，「哎呀，這不是命運女神嗎？」

命運女神？

面對艾維斯的驚人之語，大殿門口的官員開始竊竊私語。

茉伊拉有些奇怪地看著艾維斯，在她還是守護天使的時候，他明明就看到過她，為什麼現在要說她是命運女神？

「傳說中命運女神的血液便是可起死回生的生命之水，竟是真的呀！」艾維斯繼續大聲道。

茉伊拉的臉色微微變了。

大殿門口的官員們面上帶了敬畏的神色，畢竟他們是親眼見到賴加入棺的，而現在他可是活生生地出現在大家面前。

「艾維斯，你究竟想說什麼？」賴加冷冷地問。

「火災發生的時候，克洛怡公主也在現場，雖然她的屍身已經被送回了約特帝國，不過如果命運女神可以仁慈地救她一命，從此伊里亞德和約特之間也許可以和平共處呢。」艾維斯狀似恭敬地單膝著地，「請女神憐憫。」

「請女神憐憫。」他身後，殿外黑壓壓跪下一片的人。

茉伊拉瑟縮了一下，揪緊了賴加的衣袖。

命運女神降臨伊里亞德，並且以生命之水救活了賴加的消息傳入了約特帝國。馬卡斯二世聞訊大喜，傳下旨意將克洛怡公主送入伊里亞德，並允諾如果公主殿下可死而復生，便指婚給賴加·伊里亞德，在其百年之後，由賴加·伊里亞德繼承約特帝國。

屆時，兩家合一，天下大統。

「為什麼？就算克洛怡公主真的死而復生，對你也沒有任何好處。」賴加站在後花園的廢墟前，感覺到身後的腳步聲，淡淡地問。

「誰知道呢？也許我忽然想做好人了呢。」艾維斯輕笑，「公主殿下的遺體已經在送往伊里亞德的途中了，由尤金伯爵親自帶人護送，日夜兼程，估計不出五日便可到伊里亞德，你真的準備見死不救嗎？」

賴加沉默。

「真可憐，當日，在這裡，火場之中，克洛怡公主可是甘願為了你去死呢，現在只是讓你的小天使出一點血來救她，你都不願意嗎？」艾維斯走上前，「一個傷口和一條人命，怎麼看都是人命更重要吧，更何況……馬卡斯可是承諾百年之後將約特帝國交給你呢。」

艾維斯抬手，想拍拍他的肩，賴加偏了偏身子，躲開他的手。他的手落了個空，也不惱，只是笑了一下，「這個選擇題並不難，你仔細考慮一下吧。」說完，轉過身，不甚意外地看到了站在走廊邊的茉伊拉。

可憐的小天使，面色煞白呢。

艾維斯心情忽然變得很好，憑什麼他就必須永遠孤孤單單一個人？既然他是如此的不幸，那就讓所有人都陪他一起不幸好了。

他愉快地從她身邊走過，離開了園子。

賴加面對那片廢墟站了很久，彷彿看到了那一日在火中，克洛怡公主被煙火熏得淚流滿面，她緊緊拉著他的手，哭著說：「你是我的騎士啊。」

她是如此地信任他。

握緊的拳頭微微鬆了鬆，他轉過頭，看到站在走廊上的茉伊拉時，微微愣了一下。

「天氣這麼冷，怎麼穿成這樣就跑出來了？」賴加脫下外袍，走上前替她披上。

茉伊拉靠在他溫暖的懷裡，「睡了起來，有點餓。」

「呵呵，妳終於也會餓了呀。」賴加笑著擰了擰她被凍得微微發紅的鼻子，「走吧，帶妳去吃東西。」

「我不要吃恐怖的甜糕。」茉伊拉皺了皺鼻子，說。

「好，不吃甜糕。」賴加笑了起來，隨即又咕噥了一句，「甜糕明明很好吃呀。」

茉伊拉低頭鑽進他的懷裡，抱緊了他。

他拉著她鑽進廚房，趕走了礙手礙腳的宮廷大廚，親手做了她最喜歡的玉米濃湯。

圍著爐火坐在桌前，茉伊拉低頭喝湯，她忽然能夠體會賴加第一次吃到食物時的感覺，那些熱熱的、香甜的食物從喉嚨吞下，真的很舒服。

然後，賴加的下一句話讓她寒徹心扉。

他說：「茉伊拉，妳救救克洛怡公主，好不好？」

好不好？好不好？

茉伊拉低頭一勺一勺將一整碗的玉米濃湯喝光，然後她抹了抹嘴巴，抬頭看向賴加。

那雙銀灰色的眼睛裡，有著深切的懇求。

「好。」茉伊拉聽見自己說。

「真的？」賴加站起來，欣喜地抱緊了她，「我就知道，妳那麼善良，一定會同意的。」

茉伊拉感覺自己在微笑。

她忽然想起了大天使的嘆息。

他說，可憐的茉伊拉，妳失去所有，去換取的，註定只能是一場悲劇。

他說，總有一天，妳會明白。

她忽然想起了伊凡說的故事。

他說，祝妳好運。

他們所有人都輕易看穿了她的下場，他們所有人的話在此刻，都像一句句無比真實的預言。

裹著厚重的斗篷坐在花園的臺階上，茉伊拉抱著膝蓋發呆。

「小霜，我知道你來了。」許久，茉伊拉輕聲說，「你出來吧。」

一道白色的身影在走廊後出現，一點也沒有偷窺被發現的不自在，攏攏袖子，他十分坦然地走到茉伊拉身邊坐下。

「看星星呀，我陪妳啊。」聞人霜抬頭望天。

「現在是白天。」茉伊拉悶悶地道。

「哦呀，妳可真是沒有幽默感呢。」聞人霜作不滿狀，隨即又好奇地湊近了她，「我躲得那麼神祕，妳為什麼知道我來了？」

「你忘記隱身，我看到你的影子了。」

「……妳又知道影子是我？」

「哦，因為你忘記藏起狐狸尾巴。」

「……」聞人霜定定地瞅了她半天，撇嘴捂臉，「妳好壞呀，欺負人家——」

茉伊拉「噗哧」一下，笑了出來。

「哎呀，總算是笑了。」聞人霜拍了拍她的腦袋，笑咪咪地作嘉許狀，然後臉一變，轉手擰她的耳朵，「妳呀妳，變成人了都不來找我，枉費我拿妳當朋友。」

「痛痛痛。」茉伊拉捂住耳朵哀哀地叫，「我不知道去哪裡找你嘛，我現在是人類嘛，又沒有靈識！」

「這倒也是。」聞人霜想想，覺得也有道理，便收回了手。

茉伊拉鼓著腮幫子瞪他，天底下怎麼會有這麼不講道理的人，呃不，是妖。

一番插科打諢之後，看著茉伊拉生動起來的臉色，聞人霜覺得甚是滿意，又戳戳她鼓起的腮幫子，「不如跟我走吧。」

「什麼？」

「我說，跟我走吧，我保證給妳吃香的喝辣的，天天吃得好穿得暖。」

茉伊拉「噗」的一下又笑了，也抬手，有樣學樣地輕輕擰住他尖尖的狐狸耳朵，「你呀你，怎麼變得這麼花心了，你把你的東方姑娘擺在第幾位呀！」

「唔，她排第一，妳排第二好了。」聞人霜捂著耳朵，煞有介事地道，「反正暫時也見不著她，妳就留著給我解悶吧。」

茉伊拉鬆開手，看著他，輕聲道：「謝謝你。」

「咦？正常情況下，我說出這種混帳話，妳不是應該賞我一巴掌的嗎？」聞人霜眨眼作不解狀。

茉伊拉淺笑，眼睛清澈。

聞人霜被她的眼神打敗了，輕嘆：「值得嗎？」

「嗯。」茉伊拉輕應。

「後悔嗎？」

「不。」

「原來我不是最傻的。」聞人霜抬手揉了揉她的腦袋，「那個傻小子不知道妳救克洛怡，不只是受一次傷那麼簡單吧。」

茉伊拉沉默了一下，才道：「他雖然死而復生，可是依然身陷險境。艾維斯已經掌了大權，但是如果救了克洛怡，賴加就有了約特作後盾。」

「我可以帶你們離開這裡，只要賴加願意放下一切。」聞人霜看著他，正色道。

他……會願意放下一切嗎？

19 永生不死

克洛怡公主的遺體被送進伊里亞德神廟的那一天，天氣十分晴朗。

賴加推開茉伊拉的房門時，她正趴在窗臺上，冬日薄薄的陽光覆在她的臉上，讓她的膚色純白得近乎透明，彷彿隨時都會被曬化在這陽光之中。

「茉伊拉。」不知道為什麼，賴加感覺有些心慌。

茉伊拉聽到他的聲音，笑著回過頭來。

「妳在看什麼？」賴加走上前。

「園子裡的花。」茉伊拉輕聲說。

「這個季節，哪裡有花？」賴加走到她身後，將她擁入懷中。從她的視角看去，是那片薔薇園，只是這個季節裡，滿園都是破敗的氣息。

「花也有靈魂的，雖然我現在看不到了，可是我總感覺它們就在那裡。」茉伊拉順從地靠在他的懷裡。

賴加沉默半晌，收緊了抱著她的手。

「克洛怡公主來了？」感覺到他的不尋常，茉伊拉輕問。

「嗯。」賴加悶悶地應。

「賴加。」茉伊拉仰起頭，看向他，「如果，我是說如果，如果我們有機會可以離開這裡，你走不走？」

「離開這裡？」

「嗯，放下一切仇恨，離開這裡。」茉伊拉看著他。

「放下？」銀灰色的眼睛猛地一黯，賴加低聲道，「怎麼放下，放下誰？那個臨死都想殺了我的父親？那個對我置之不理的母親？還是對我下毒手的哥哥？」他搖頭，「我放不下。」

這個答案，她早就知道了不是嗎？

她沒有再接這個話題，只是回頭看了一眼擺在桌子上的木盒，「我可不可以不穿艾維斯送來的女神服？我不喜歡。」

只要救了克洛怡公主，他就可以和約特聯姻，就可以繼承王位。

這樣……他就會開心了吧。

「好，不穿。」賴加親吻她的額頭，然後越加地抱緊她，「對不起，我保證，這是妳最後一次為我受傷。」

茉伊拉微笑。

陽光下，她的笑意近乎透明。

她說：「嗯，這是我最後一次為你受傷了。」

以後……

以後……再也沒有這樣的機會了。

長長的宮廷車隊在皇家侍衛的護送下向神廟緩緩而行，街道兩旁擠滿了人，他們有的是伊里亞德城裡的，有的則是特意從外地趕來一睹女神真容的。

圍觀的人們帶著敬畏和好奇望向車隊中央那輛雕有蛇形圖案的馬車，那輛馬車前後各有四名白袍神職人員守護著，一看就是非同尋常。

「那肯定就是命運女神的馬車！」

「命運女神！命運女神！命運女神……」

不知道是誰高聲喊了一句，人群越發地激動起來。沿途維持治安的警備隊忙大聲喝止，將激動的群眾趕到警備線以外。

命運女神嗎？坐在馬車裡的茉伊拉聽著外面嘈雜的聲音，感覺有些不可思議，若她真是命運女神，又豈會連自己的命運都無法掌控？

她下意識地撫了撫手腕，那裡還留著一道淺淺的傷疤，已經結了痂。人類的身體真的很不可思議，一旦受了傷，縱然痊癒，也必定會留下傷痕；縱然傷口結痂脫落，那些新長出來的皮膚也必定與周圍的膚色不同。

而且，那些淺色的新肉，也會比其他地方更脆弱，更易受傷……

周圍那些吵吵嚷嚷的聲音似乎漸漸遠去，茉伊拉望著車壁上一個小小的蛇雕出了神，然後嘴角微微彎出了一點笑意。納斯加，真是一個喜歡亂來的傢伙，居然自戀無比地以蛇作為神教的標誌，還有神教門口那一尊照著她的樣子塑起來的命運女神像——

馬車微微頓了一下，停了下來。

車門被打開的一瞬，陽光猛地刺入她的眼睛，刺得她的眼睛又酸又痛。茉伊拉有些不適應，她下意識閉了閉眼睛，然後便感覺溫熱的液體一下子從眼中滑落。

「……茉伊拉？」賴加一拉開車門，便看到茉伊拉眼中落下淚來的樣子，呆怔住，感覺彷彿有一隻無形的手將他的心狠狠握住，讓他喘不過氣來，「妳哭了？」

哭？

茉伊拉再一次眨了眨眼睛，感覺那些溫溫熱熱的液體從她的眼中不停地落下，怎麼也止不住，彷彿一顆心已經被泡得脹脹的，再也負荷不了，然後那些曾經倒流進心臟的眼淚再一滴一滴地從眼中流了出來。

茉伊拉不說話，賴加緊張地看著她，卻找不到一點言語來安慰她。

「王子殿下。」身後，有人開始催促。

賴加仍然怔怔地看著茉伊拉，看著她流淚的樣子，整個人僵在了馬車前。

「王子殿下。」見他不應，那人又輕輕拉了拉他。

賴加茫茫然才醒悟過來，那一聲「王子殿下」喊的竟是他。

茉伊拉低頭，抬起手摸了摸臉上的淚，放在脣邊舔了舔，然後看向賴加，「鹹的。」

「什麼？」賴加又愣了一下。

「原來人類的眼淚是鹹的。」茉伊拉笑著道，因為笑彎了眼睛，原本蓄在那雙明眸中的淚水再一次滾落了下來，「今天天氣真好，只是陽光有點刺眼。」她揉了揉眼睛。

「皇弟，克洛怡公主已經在大殿等候多時了。」艾維斯不知何時出現在賴加身後，微笑著提醒。

賴加戒備地回頭看向他，艾維斯卻笑盈盈地錯身上前伸出手。

茉伊拉早已經抹去最後一滴眼淚，她定定地看了艾維斯一會兒，然後伸出手，將小小的手掌放進艾維斯的掌心。

感覺到掌心的柔軟，艾維斯有一剎那的恍惚，然後竟不自覺地如燙著了一般甩開了她的手。聽到周圍的竊竊私語聲，艾維斯知道自己失態了，他忙彎了彎腰，再一次執起了茉伊拉的手，將她帶下馬車。

茉伊拉踏下馬車的一瞬間，所有人都安靜了下來。

許多年以後，在約特帝國的傳說和野史中，總有那麼一位美貌而善良的女神出現。傳說中，約特帝國的守護女神不忍見天下大亂生靈塗炭，特意用自己的血救活了已經死去的公主，令其與伊里亞德家的長子聯姻，結束了一場戰爭。

茉伊拉在人們敬畏的眼神中，一步一步走上階梯。

「不恨賴加嗎？」微笑不變，艾維斯微微低著頭，用一種只有茉伊拉能夠聽到的聲音，輕聲道，「為了他的公主殿下，為了他的王位，他寧可令妳再一次受傷呢。」

「艾維斯，你和賴加一樣可憐，你們都被仇恨綁住了心。」茉伊拉側過頭看他，語調輕柔，近乎憐憫，「我不恨他，也不恨你。」

艾維斯笑盈盈地看著她，眼中卻是連一點溫度都沒有，然後他微彎著脣角，輕聲道：「妳，真是虛偽善良得令我作嘔。」

一隻微涼的手握住茉伊拉的手腕，將她拉離艾維斯的身邊，賴加冷冷看著艾維斯，「我不知道你在打什麼主意，可是請你離她遠一點。」

艾維斯的視線落在賴加握著茉伊拉的手上。曾幾何時，他也有屬於自己的守護天使，可是為了得到力量，他與納斯加交換了魔之手，親手扼殺了守護自己的天使，從此與魔為伍。

就算有天使又怎麼樣？他一樣被人欺負，他堂堂伊里亞德公爵的兒子，卻連低等奴役都可以欺負他，那種溫和的、不知所謂的天使……他才不需要！

「請讓一下。」賴加握著茉伊拉的手，皺眉。

艾維斯回過神來，聳了聳肩，後退一步，抬手做了一個「請」的動作。

明明救回公主對他來說只是多了一個絆腳石，一點好處都沒有，可是他還是將茉伊拉的血可以起死回生的消息傳了出去。他倒要看看，這個小天使可以為這個男人做到哪一步，他真想親眼看著這個自詡善良的小天使崩潰。

他冷眼看著賴加扶著那個小天使走到裝著克洛怡公主的水晶棺旁，他冷眼看著茉伊拉面色平靜地從賴加手中接過鋒利的匕首。

看到茉伊拉從自己手中接過那把寒光閃閃的匕首，賴加的心忽然微微一緊，他下意識上前一步，握住了她的手。

茉伊拉抬頭看他。

那雙總是溫暖含笑的淺褐色眼睛裡平和得不見一絲波瀾，如死水一般安靜。

巨大的不安襲上他的心頭，到了這一刻，他才忽然開始害怕。

「皇弟，時間到了。」艾維斯冷笑著提醒。

賴加遲疑著鬆開了手。

茉伊拉垂下眼簾，握著仍帶著賴加溫度的匕首，對著自己的手腕重重劃下一刀。

血色蜿蜒。

茉伊拉聽到了自己的心碎裂開來的聲音……

她感覺自己的身體不停地下墜，落入了塵埃裡……

伊凡，故事的結局，應該是公主和王子一起幸福快樂地生活下去。

艾維斯怔怔地看著那個小小的身體從祭臺上墜落，譏誚的笑意僵在脣邊。

七天七夜，舉國同慶。

那一場婚禮盛大無比，馬卡斯二世親自主婚。上至宮廷貴族，下至黎民百姓，無一不歡欣鼓舞，每一個人臉上都洋溢著快樂的氣息。

「皇兄，你怎麼了？」賴加拍了拍艾維斯的肩，笑著道，「今天是我大婚的日子，你給點笑容行不行？」

艾維斯放下手中的酒杯，側頭看向賴加，然後忽然有點憤怒，他狠狠揮開他的手。

「怎麼了？」賴加驚訝。

「陛下，公主到了。」貝克上前稟報。

賴加無意多問，點點頭，大步走了出去。

艾維斯看著他輕快的腳步，隨手拿起一杯酒，一飲而盡，然後他抬起手，看著自己的手心發呆，彷彿那一日溫暖而柔軟的觸感仍在。

那一天，她那樣微笑著對他說，「艾維斯，你和賴加一樣可憐，你們都被仇恨綁住了心。」

她說：「我不恨他，也不恨你。」

他說她善良得近乎虛偽，他不相信她的心裡沒有怨恨。

可是他怎麼也無法想到，那個少女竟然在那樣微笑著跟他說了「不恨」之後，在他面前死去。

……沒有人記得她的死亡。

連她為之付出生命的賴加也一樣。

因為那隻九尾狐妖適時地出現，洗去了所有人的記憶。

據說，這是她最後的願望。

據說，等待她的，將是永恆的死亡。

皇宮外的護城河邊，聞人霜屈膝靠在一棵樹旁，閉目養神。他的肩膀上靠著一個金髮的少女，似乎睡得很沉的樣子，一動不動。

「傻瓜。」他忽然罵了一句，抬手輕輕彈了一下她光潔的腦門。

她還是不動。

「聽到沒有？妳的賴加啊，在裡面和別的女人結婚呢，妳卻只能灰頭土臉地坐在這裡。」聞人霜閉著眼睛喃喃，「誰也不記得妳了，誰也不記得妳了呀。」

她還是不動。

有風吹過，吹亂了她金色的長髮。

聞人霜撫了撫她的頭髮，突然感覺身後一道冷風襲來，他忙抱起茉伊拉一個跳躍躲開襲擊，然後站穩，轉身看向身後。

「納斯加？」看到身後那個白衣紫髮的男子時，聞人霜愣了一下。

納斯加死死瞪著被他抱在懷裡的少女，淺紫色的雙瞳一剎那成了豎瞳，他猛地揮拳衝向聞人霜。

聞人霜一時沒躲開，竟然結結實實地挨了他一拳，手一鬆，他懷裡抱著的少女掉進了河裡。眼見著茉伊拉在水中浮浮沉沉，越漂越遠，納斯加嘶叫一聲，一頭砸入了水中。茉伊拉閉著眼睛，無知無覺地在水面漂浮著，金色的長髮散在河面上，襯得她蒼白的臉頰幾近透明。

納斯加將她緊緊抱住，緊得幾乎可以聽到她的骨骼發出響聲。冰冷的河水中，他緊緊將茉伊拉抱在懷裡，彷彿回到第五重天，那一日，是她將他撈出了水面。

「是誰？是誰殺了她！」恐怖的豎瞳盯著站在河岸上的聞人霜，他嘶聲道。

「你應該猜得到的。」聞人霜看著他。

納斯加似乎平靜了下來，他抬頭，聽著皇宮裡喜慶的鐘聲，豎瞳染了血色。

他一躍而起，將茉伊拉帶出了冰冷的河水，直奔皇宮。

「這是茉伊拉的願望，賴加的記憶已經被我消除了。」聞人霜攔住他，「如果你傷害了賴加，豈不是讓她的死變得毫無意義？」

納斯加頓了一頓，「我跟她說過，不要輕易原諒一個傷害過她的人，我也說過，她不適合當一個人類，你看，她果然就這樣白白送了性命。」

「納斯加。」聞人霜抬手。

納斯加躲開他的手，「你知道什麼是永恆的死亡嗎？她將永遠一個人在無止境的黑暗中徘徊，永遠找不到出路！」納斯加咬著牙，面色痛苦而扭曲，「她怎麼可以，她怎麼可以為了那個人類做到這一步！」

聞人霜看著他懷裡的金髮少女，說不出話來。

納斯加垂下頭，深紫的長髮遮住了他的眼睛，他忽然低低地笑，「這麼說起來，如果不是因為我設計要置賴加於死地，她也不必為了賴加斷翼，她也不必為了那個公主弄得送了性命。」他看著懷中的少女，「怎麼會有這樣的白痴，她以為她是聖母嗎？誰都可以原諒，誰都不想去恨，她以為她真的可以拯救世界嗎……」

他抱著茉伊拉走向皇宮。

聞人霜再一次攔住了他。

「你放心，我不會殺了賴加的。」納斯加冷聲道，「可是，他沒有資格忘記茉伊拉。」他抬頭，看向聞人霜，「唯一有資格忘記這一切的人，只有我。而他，只配在無盡的愧疚悔恨中度過餘生。」

聞人霜看著他，緩緩收回了手。

納斯加抱著茉伊拉，一步一步走向皇宮。

「祭……祭司大人？」守衛的士兵遠遠看著神教的祭司納斯加抱著什麼溼淋淋的東西走向皇宮，忙上前查看。

納斯加目不斜視，繼續往裡走，一步一個水印。

這一次，那個士兵終於看清了，祭司大人懷裡抱著的，是一個少女！但是她面色青白，全身僵硬，一動不動，明顯已經死去多時了！

「祭司大人！今天是陛下大喜的日子，您這是做什麼！」他厲聲大喝，拔出腰間的佩劍。

納斯加還是全然無視他的存在，接近了宮門。

被無視的士兵被逼得連連後退，終於舉著劍衝了上去，卻連他的衣角都沒有碰到，便被一股詭異的力量甩向宮牆，扭斷了脖子。

「祭司大人瘋了……祭司大人瘋了！」其他的守衛驚慌失措，紛紛拔劍。

一灘灘鮮血如薔薇一般綻放開來……

踩著鮮血鋪就的紅毯，納斯加一路直闖皇宮。

華麗的宮殿裡，無數祝福的燭火妝點得婚禮的禮堂聖潔無比，盛裝的克洛怡公主矜持地微笑，碧藍的眼睛裡是掩不住的羞澀和幸福。

賴加從侍從的手中接過一束火紅的玫瑰，轉身獻給美麗的新娘。

指尖忽然一痛，玫瑰花掉在地毯上，他低頭看著被玫瑰刺扎到的手，一點殷紅的血珠正緩緩從細小的傷口滲透出來。他怔怔地看著那血的顏色，有些出神。

「賴加？」克洛怡公主疑惑地看著他。

賴加回過神來，笑著搖了搖頭，執起她的手，低頭輕輕吻向她的脣。

「砰」的一聲巨響，幾名侍衛滿身鮮血地倒了進來，打破了喜慶祥和的氣氛，賓客們一下子慌亂起來。

納斯加就這樣抱著茉伊拉的屍體出現在了賴加和克洛怡的婚禮上。

「祭司先生，能否請你解釋一下發生什麼事了？」賴加轉過頭，微微皺眉。

納斯加瞇了瞇眼睛，驀然笑了起來，「你倒還記得我呀，那你還記不記得她？」他低頭看了看懷裡的少女。

賴加順著他的視線，看向他懷裡的少女。
因為掉進河裡的關係，茉伊拉全身都溼漉漉的，金色的長髮還在滴著水，衣裙貼在身上，讓她本就瘦弱的身體看起來更加地小。
平靜的心猛地顫了一下，賴加下意識捂住心口，「她是誰？」
她是誰？看起來已經死了吧。
明明不記得。
可是為什麼……心會這樣痛。
「賴加……」克洛怡公主有些慌亂地握住他的手。
賴加回過神，回握住她的手。
「祭司先生，你最好可以給我一個解釋。」他沉著聲道。
「你要解釋？」納斯加低笑，「好，我就給你一個解釋。」指尖輕彈，一滴清涼的水珠飛入賴加的額頭。
賴加猛地頓住。
失去的記憶，一瞬間回籠。
他說：「茉伊拉，妳救救克洛怡公主，好不好？」
她說：「好。」
那時，他沒有發現她眼睛裡濃厚得化不開的悲哀。
她小心翼翼地問，「如果，我是說如果，如果我們有機會可以離開這裡，你走不走？」
她要他放下一切仇恨，離開這裡。

他這樣回答她，他說：「怎麼放下，放下誰？那個臨死都想殺了我的父親？那個對我置之不理的母親？還是對我下毒手的哥哥？」

他搖頭，「我放不下。」

她微笑著繞開話題。

他抱緊她，向她保證，他說：「對不起，我保證，這是妳最後一次為我受傷。」

她說：「嗯，這是我最後一次為你受傷了。」

然後，果然，那便是她最後一次為他受傷……

在神殿上，她劃開自己的手腕讓鮮血流出，如那日救他一樣，他看著克洛怡轉醒，他驚喜。

可是下一秒，他的守護天使便從高高的祭臺墜下……

那雙淺褐色的眼睛看著他，溫柔而哀傷。

然後……再也無法睜開。

現在，她再一次出現在他的面前。

而他在幹什麼？

他在幹什麼！

他在和另一個女人……結婚。

和另一個女人許下一生一世的諾言。

他垂下頭，抬手撐住額，「呵呵，我真的……像個傻瓜一樣。」

「賴加，你不要這樣。」克洛怡著急地拉住他的手。

賴加低頭甩開她的手。

「你竟……」克洛怡不敢置信他會這樣當眾令她下不了臺，「父王答應過我，婚禮結束之後，約特和伊里亞德將永無戰爭……」

「與我何干？」賴加抬起頭，看著她，「與我何干呢？就讓這人間，變成地獄好了。」

「你……」克洛怡被他的表情嚇得連連後退，跌坐在地，「惡……惡魔……你真的是……」

惡魔嗎？

臉上的皮膚似乎一寸一寸地龜裂開來，賴加痛苦地跪坐在地，雙手捂面。

惡魔……

惡魔啊……

他真的是惡魔……

「眾生平等，不管你是什麼，我都不會懼怕你。」

「相信我，我會引導你走出困境的。」在幾千幾萬年的寂寞中，有一個小天使托起他滿是血汙的臉，這樣說。

「茉……伊……拉……」他半跪在地上，捂著臉，啞著聲音，低低地念出她的名字。

明明是曾經親手將他封印的天使，如今卻為他失去了永恆的生命……

他想起來了嗎？終於想起自己便是邪眼沙利葉，地獄七君之一的邪眼沙利葉。

納斯加垂下頭，緩緩將茉伊拉放在柔軟的地毯上，然後伸出手，五指成刃，徑直刺入自己的心口，取出一顆透明的心臟來，放入茉伊拉的心口。

那顆透明的心臟一點一點消失在茉伊拉的心口處。

深紫色的長髮一點一點變淡，他彷彿一下子老了好多歲，納斯加撫了撫茉伊拉的臉頰，淺紫色的眼睛中有著無限的眷戀。

茉伊拉，以我的力量無法使妳復活。

但是，我以我的心臟換取妳轉世重生的機會。

茉伊拉，在我失去法力被浸在天界第五重天冰冷的湖水中幾千幾萬年時，是妳給了我溫暖。

聞人霜曾經告誡我，奢望那樣的溫暖，無異於飛蛾撲火。

可是妳給的溫暖已經深深地植根在我的心裡，拔不出，忘不掉，只能一日一日被思念和嫉妒啃噬，並且不惜一切手段讓妳回到我的身邊。

甚至是……傷害妳……

如今，一切終於都結束了。

就讓我把一切的溫暖、記憶，連同這顆不堪的心一起歸還給妳。

茉伊拉，妳知道嗎？只有我才是最有資格忘記妳的。

沒有人會比我更有資格忘記妳。

他眼中的眷戀一點一點消失。

從此刻起，他將徹底忘記她。

因為，他已經失去了愛她的心。

無心的人，怎麼還會有眷戀……

轉過身，他獨自離開了皇宮。

約特帝國一百三十四年，伊里亞德二世賴加・伊里亞德抱著金髮少女的屍體離開了王宮，自此不知所蹤。

伊里亞德和約特聯姻失敗，重起戰端，伊里亞德二世成了遺臭萬年的罪人。

小王子凱里接管伊里亞德，是為伊里亞德三世，艾維斯輔政。三年之後，凱里與約特的小公主聯姻，馬卡斯二世逝世。

天下一統。

伊里亞德三世連殺十七名史官，自此，所有史實紀錄均對這一段歷史記載不詳。只有在傳說中，約特帝國的守護女神不忍見天下大亂生靈塗炭，特意用自己的血救活了已經死去的公主，令其與伊里亞德家的長子聯姻，結束了那一場戰爭。

「這裡，妳喜不喜歡？」賴加低頭，望著懷裡的少女。

少女無聲無息。

「妳不喜歡伊里亞德，也不喜歡約特，我們便不去伊里亞德，也不去約特。」賴加捏了捏少女的鼻子，「妳看這裡，多安靜，多適合我們一起長眠。」

月色微涼，一片荒涼的地裡，無數野薔薇隨風輕擺。

「嗨——」一個涼涼的聲音冷不防響起。

正是陰魂不散的聞人霜。

「你還跟著我們幹什麼？」賴加小心翼翼地將茉伊拉放在一旁，轉身挖坑。

「哇，你給自己挖坑呀？」聞人霜湊上前，「你不是有潔癖嗎？你不是喜歡陽光嗎？躺在這種黑暗的地方被蟲叮被蛇咬，你受得了啊？」

「茉伊拉告訴你的？」

「咦，你怎麼知道？」聞人霜眨了眨眼睛。

那一次，她對聞人霜說：賴加有潔癖，是因為在被關入「死亡之塔」的那十年裡，他沒有洗過澡；賴加喜歡陽光，是因為他被關在暗無天日的死亡之塔裡十年；賴加怕火，是因為小時候被親生父母設計，差一點便葬身火海。

「可惜她忘記了最重要的，」賴加一邊挖坑一邊淡淡道，「我嗜吃甜食，是因為在我人生最悲慘的那一個生日裡，她給了我生日的杏仁糖泥，那些甜可以驅除心底的寒意，令我感覺自己還活著，那一天，是她第一次出現在我面前，賜予了我可以看見天使的眼睛，我從來沒有告訴過她，那是我收到的……最好的生日禮物。」

說話間，他已經挖好了一個坑。

直起身子，他轉身抱起茉伊拉，躺進坑中。

「勞駕，幫我填一下土。」

聞人霜一頭黑線，「那條蛇把心臟給了她，她有轉生的機會的。」

「那就等她轉生的時候，我再出來吧。」

「……你確定那個時候你還活著？」

「你填了土，就滾吧，繼續找你的東方曉去。」賴加頓了一下，才輕輕吐出一句，「有點希望，也是好的。」

下一刻，一抔泥土扔進了他的嘴巴裡。

有潔癖的、喜歡陽光的賴加，抱著那一個已然冰冷的少女，躺進了深深的坑中，被埋在泥土之下。

就讓他……陪著她，在此長眠吧。

他閉上眼睛，擁緊了懷中的少女。

我是魔，是妖獸，也許我的祈禱更像是一個笑話。

我從未如此虔誠地祈禱過，從未如此虔誠地祈禱過，但是現在我在這裡，請求祢，請求祢將一切的罪過都降罰在我這骯髒的軀體之上，茉伊拉……茉伊拉是最虔誠不過的，她是那樣地敬愛著她的天父……

她不該得到懲罰。

填上最後一抔土，烏雲蓋住了清冷的月亮，天地驟然陷入無邊的黑暗，不消片刻，大雨傾盆而下。

「又是一個人了。」拍了拍掌中的泥土，聞人霜直起腰，笑吟吟地兀自喃喃。

這泥土之下，埋葬著死去的少女和幡然悔悟、與愛同眠的男子。

荒涼的野地裡，無數的野薔薇被大雨打得東倒西歪，唯獨中間那一襲白衣的男子，長髮飄然，決然出塵，那些雨半滴也淋不到他身上。

靜靜地站立了許久，他攏起袖子，轉身離開。

很久很久以前，聽人說，這個世界最殘酷的是時間，最仁慈的也是時間，因為時間可以帶走一切美好，也可以洗去一切悲傷。

可是對於他，時間卻彷彿一直都是靜止的。

因為他，永遠、永遠都是獨自一人在靜止的黑暗中慢慢摸索，慢慢前行。

血族

01 賴加的祈禱

不知道過去了幾個世紀……連滄海也變成了桑田，惟有那一片野薔薇依然無休無止地在寂靜的荒野中肆意生長。

那些無止境的哀慟和悔恨在漫長的歲月中慢慢發酵，腐朽……卻永遠無法消散。

時間一寸一寸啃噬著少女的血肉，光陰一點一點消磨著少女的容顏。最終，塵歸塵，土歸土，只剩下一副潔白的骨架。

賴加終於崩潰了，他等了幾個世紀，等不來她的復活，卻只能眼睜睜看著她一寸一寸在他懷裡腐爛。

茉伊拉，一個從生命初始便一直陪伴著他的天使。她的存在已經成為了一種習慣，她只屬於他一個人，她可以為他衝鋒陷陣，她可以為他不顧性命，她甚至可以為他……拋棄信仰……

可是有一天，她忽然……不見了。

他失去了她。

可是他已經習慣了她的陪伴，習慣了她的存在，習慣了她的笑靨，習慣了她給的溫暖。

習慣，真是一個可怕的詞語。

而現在，他躺在這冰冷的泥土之下，他緊緊擁著懷中少女的骨架，讓她得以安然地靠在他的懷中，以一種無比契合的姿態。

他怎麼忍心讓她一個人孤獨地躺在這溼冷的泥土之下？

天剛下過一場雪，巫馬雪加背著長長的木劍，踩著厚厚的積雪往森林深處邁進。

天氣很冷，她行走得有些艱難，搓了搓被凍僵的雙手，她往手心裡哈了一口氣，然後從懷中掏出一個水晶盤。

「指魔針上顯示這裡有妖魔的氣息啊，在哪裡呢……」她縮了縮脖子，四下打量了一番，整個森林都被覆在皚皚的白雪中。

正打量著，腳下忽然一滑，她驚叫一聲，這才發現白雪之下竟是一片斷崖。一時收不住腳，她整個人都滑下了山崖。

呆呆地坐在鬆軟的泥土上，她許久才回過神來，身上竟是一處傷都沒有。

更奇特的是，這裡不見一點積雪的痕跡，空寂的荒野中，大片本該早已過了花季的野薔薇隨風搖曳。

這是……什麼地方？

巫馬雪加正驚奇著，手裡握著的指魔針卻開始發紅，這裡有妖魔？她慌忙站起身，從背上拔出木劍，靠著指魔針的引導慢慢接近那妖魔所在。

巫馬家族是除魔世家，姐姐巫馬火野更是天賦異稟的除魔者，五歲便被宗教裁判所的長老們選中，作為所長的接班人進行專門的培養和訓練。如果說巫馬火野是巫馬家族的榮耀，那麼巫馬雪加便是巫馬家族的恥辱。

她是巫馬家最無用最懦弱的一個女兒，毫無除魔的天賦不說，還因為早產而體弱多病。可是不管怎麼樣都好，今天是她十七歲的生日，按家族規矩，她必須進行成人禮的試煉。事實上，十五歲就該舉行成人禮了，可是她從十五歲開始，連著兩年都沒有通過試煉……

如今已經是超齡試煉了……

她已經可以想像如果今天再沒有收穫，回去會接受怎麼樣的懲罰和嘲笑。

指魔針的顏色已經進階到了刺目的血紅，十級妖獸？巫馬雪加有些膽怯地停下腳步，看著不遠處一個略略凸起的小土丘。

十級……十級是什麼概念？據說宗教裁判所捕殺過的最厲害的妖魔也不過七級而已……

因為是雪天的關係，天色很暗，巫馬雪加捏緊了手中的木劍，最終還是壯起膽走近了那個小土丘。

是墳墓嗎？

可是沒有墓碑。

裡面埋的……是誰呢？

手中的指魔針在瘋狂地示警，巫馬雪加卻定定地看著那一片黝黑的土壤，心裡產生了一種奇怪的感覺。

一種……似曾相識的感覺。

還有一些……悲傷。

暖風拂過她的臉頰，彷彿溫暖的指尖在輕觸著她，撩起她微亂的長髮。暖風吹得遍地的野薔

薇輕輕搖擺，那些或白色，或黃色，或粉色的花朵在她眼前綻放。

剎那間，香氣襲人。

「巫馬雪加，妳在那裡幹什麼！」冷不防，一聲怒喝從崖上傳來。隨著一陣泥土滾落的聲音，一個穿著黑色滑雪衫、手持一根銀色短棍的男子從山崖上滑下來。

「小天，」巫馬雪加回過神來，吶吶地開口喚他，「你怎麼……在這裡？」

向天一眼注意到了巫馬雪加手裡閃爍著紅光不停示警的指魔針，他陰沉著臉快步上前，一把將巫馬雪加拉到身後，然後，執著銀色短棍的手向前一揮，那棍子立刻變得足足有一公尺長。

「小天……」

「閉嘴，好好待在這裡不要動，再惹事我不管妳了！」向天低吼一聲，做出備戰的姿態，只有額前滑下的冷汗洩露了他心底的緊張。他怎麼也沒料到，小小一次試煉，她居然能惹上一隻從未遇到過的十級妖獸。

巫馬雪加咬咬唇，不出聲了。

靜待許久，那個凸起的小土丘卻始終沒有動靜，向天眼中閃過一抹狠戾，他一揮手中的銀色長棍，前面的泥土「砰」的一聲，立刻爆裂開來，形成一個巨坑。

巨坑裡，側躺著一個穿著中世紀宮廷禮服的男子。零零碎碎的泥土散落在他的臉上、髮上，襯得他的膚色越發地蒼白，那樣的姿態，唯美宛如畫中人，只是令人膽寒的是，他懷中抱著一副白色的骨架。

他側身躺著，雙臂微曲，將那副骨架牢牢擁在懷中。

他的側臉五官近乎完美，只是與那極漂亮的側臉相對的，卻是一個骷髏頭，看起來無比的詭異。

在看清巨坑內的情形後，向天下意識後退一步，認定是妖獸將那人儲存作了食物，吃得只剩下一副骨架了，他握緊手中的長棍，「可惡，居然如此明目張膽地傷人！」

站在向天身後的巫馬雪加卻是微微愣住了，「不是。」

「什麼？」向天皺眉。

「他們是戀人。」巫馬雪加輕聲道，她看著墓中男子，那樣擁抱著的姿態，怎麼可能不是戀人。

「妳又在胡說八道些什麼？」向天的眉頭皺得越發地緊了，他執著銀棒上前，狠狠一棒掃向那巨坑。

墓穴中的男子忽然微微動了一下，以一種不可思議的速度抱著懷中的骨架離開了攻擊範圍，在那片野薔薇前站定。

「茉伊拉，吵醒妳了嗎？」他並沒有睜開眼睛，只是輕撫著懷中的骷髏，語氣溫柔，彷彿情人間的耳語。

向天見一擊落空，又迅速結了一個印掃出一個火球襲向那男子。

他護著懷中的骷髏側身閃過，隨手摘下一朵白色的野薔薇，指尖微動，那朵薔薇便帶著如刀鋒般銳利的氣流刺向向天。

巫馬雪加呆呆地看著他們交手，眼見著向天落了下風，她忙握緊了手中的木劍，刺向那男子。

「巫馬雪加！」向天見她如此不自量力，驚吼出聲。

巫馬雪加被嚇了一跳，腳下一滑，速度一下子失去控制，直撲向那相貌冷峻的男子。許是瞎貓碰到死老鼠，她手中的木劍竟然直指他的胸口，巫馬雪加還沒來得及高興，便發現那木劍竟然卡在那具骷髏上，再也刺不進一分。

「夠了。」那男子低下頭，「都這樣了，還想著要保護我嗎？」

骷髏自然無法回答他，他抿了抿蒼白的唇，緩緩伸出手，握住巫馬雪加的脖頸。

所有的空氣一下子被奪走，她張大嘴巴，驚恐地看著那面色詭譎的男子，「放……放開……」手中的木劍一下子落在地上，她下意識地伸手抓住他的手臂，想到扯開他，卻感覺像抓著冷硬的岩石一般，無法撼動半分。

感覺到手臂上溫暖柔軟的觸感時，賴加僵住了，手上的力量彷彿一下子消失不見，他微微顫抖起來。

這種感覺……

這種感覺分明是……

他記起那時聞人霜說，那條蛇把心臟給了她，她有轉生的機會的。

他說的是轉生，不是復活。

那麼……

是她……回來了？

長長密密的眼睫毛微微動了一下，他緩緩睜開眼睛，看清了眼前的少女。她看起來有些瘦弱，五官精巧細緻，黑色的長髮，黑色的眼睛。

明明相貌與茉伊拉完全不一樣。

可是……她的身上，有茉伊拉的味道。

眼見著就要氣絕，巫馬雪加卻忽然感覺握著她脖子的手稍稍鬆開了些許，空氣猛地灌了進來，她難受得皺著眉咳嗽起來，剛調整好呼吸，卻見那男子不知道何時已經睜開了眼睛。他的眼睛是很淺的銀灰色，彷彿夜空中的月亮一般皎潔。此時，他正看著她，神色有些奇怪，彷彿哀傷，彷彿釋然，彷彿欣喜，彷彿愧疚……

他忽然拉住她的手，巫馬雪加猛地一驚，想要掙扎，卻已經來不及收回手，只能任由他拉著她的手碰上他懷中的骷髏。

奇異的事情發生了，她的指尖只輕輕一碰，那具骷髏便瞬間化為粉塵，消失無蹤了……

「妳回來了。」銀灰色的眼睛染上一層濛濛的霧氣，帶著刻骨的傷與疼，帶著濃濃的依戀，他上前一步，輕輕擁住她，將頭抵在她的頸間。

巫馬雪加僵住身子，不敢動彈。

向天被擋在氣流之外急得直冒火，卻無法衝過去。

賴加抱著懷中那溫暖而柔軟的身體，失而復得的喜悅令他剎那間忘記了千年的孤寂與黑暗，所有塵封的悲傷與喜悅都彷彿已經近在眼前。

「放……放開我。」被他扣在懷中的巫馬雪加握緊了手裡的木劍，她雖然不濟，可也不能任由這妖獸如此放肆，向天總覺得她無用又累贅，現在一定會更加地輕視她。

「茉伊拉……」賴加靠著她，感覺到她的氣息，無比的安心，以至於沒有看到她手中出鞘的劍。

事實上，那並不是一柄普通的木劍，那是由千年的玄木所造，比鋼鐵更堅硬鋒利的木劍。

「巫馬雪加，不要做蠢事！」向天眼見她拔出劍來作攻擊狀，忙大聲勸阻，連他都不是那妖獸的對手，她想傷他無異於痴人說夢、自取滅亡。

巫馬雪加咬唇，把心一橫，將手中握著的木劍送入了那妖獸的心口。

很準。

一劍穿心。

賴加的身體微微一震，卻沒有鬆開手。

血的味道慢慢在空氣中蔓延開來，那種如鐵鏽一般腥甜的味道讓巫馬雪加愣住，她側過頭看著自己沾了血的手。

是紅色的血，莫非……他是人類？

可是，一個人類，為何會擁有那樣強大而詭異的力量，又為何會被埋在這泥土之下，且還抱著一具白骨？

巫馬雪加猛地抽出刺在他心口的木劍，推開他。賴加被推得後退一步，胸口處，有血霧噴湧而出。被隔絕在氣流之外的向天驚詫不已，憑巫馬雪加那種三腳貓的功夫，怎麼可能傷到一個十級的妖獸。

「你到底是什麼東西？」巫馬雪加看著他胸前可怖的傷口，蒼白著臉低叫。

「我是賴加，賴加啊。」銀灰色的眼眸一刻也捨不得從她的臉上挪開，賴加貪婪地看著她，輕聲道。

「你是瘋的嗎？你受傷了，在流血！」巫馬雪加的臉色更白了，她驚慌失措地回頭找向天，

「向天，向天，他是人類，快叫救護車！」

「妳這個笨蛋……」向天低咒著，終於奮力破開了氣流，衝了過來，一把拉住巫馬雪加，「快跑！」

「可是他受傷了！他是人類！」巫馬雪加回頭看向賴加，他站在原地，仍在看著她，胸口的血液汨汨往外流。

「想死不要連累我！妳沒看到他的血是泛著青的嗎？」向天頭疼地白了她一眼，按了一下手腕上的黑色手環，一條鋼索彈了出來掛上崖壁，他一手勾住巫馬雪加的腰，藉著鋼索的力量攀上了崖頂。

眼睜睜看著她消失在眼前，賴加往前追了幾步，胸口處卻突然一陣劇痛，他喘息著彎下腰，跪坐在地。

「很痛吧？」突然，一個淡淡的聲音在頭頂響起。

賴加抬頭，看到一張和自己一模一樣的臉，微驚了一下，立刻反應過來，「月之天使沙利葉。」

沙利葉低頭看著滿身血汙的另一個自己，對他伸出手，「我來帶你回天界。」

「要將我重新關進第五天的囚牢嗎？」賴加瞇了瞇眼睛。

「你的戾氣已經被這近千年的歲月消磨得差不多了，我可以將你淨化，畢竟……我們本是同體。」沙利葉看著他，表情平和而認真。

「如果我拒絕呢？」賴加試圖站起身，卻因為心口的傷而吃痛地再一次彎下腰。

「你可以回到天界，且可以得到自由，不必再被關進第五重天的囚牢，你有什麼理由拒絕？」沙利葉問。

「我拒絕。」賴加緩緩直起身子。

「是因為她嗎？」

「是。」沒有任何猶豫，賴加斬釘截鐵地回答。

除了她，不會有別的理由。

只有她。

「難道你不知道她原是天界的殺戮天使，是她親手將你封印在第九道走廊的？」

「我知道。」

沙利葉定定地看著他，「那你應該知道，你們的立場註定是對立的，如果你留在這裡，必定會死在她的手上。」

「那又如何？」賴加居然勾出一絲笑來，一向淡薄的銀灰色眼眸裡流動著淺淺的溫柔，「能夠死在她手上，我甘之如飴。」

「明知道註定是一場悲劇，仍然執迷不悟嗎？」

「即使註定是一場悲劇，我也不會放棄她。」賴加斂起笑意，「消磨我戾氣的不是千年的歲月，而是茱伊拉的眼淚和生命，這是我欠她的，今生必會還她。」

「你該知道，她已經不是你的守護天使，她已經不是那個茱伊拉了。」

「那就換我守護她好了。」賴加彎唇，「這一世，換我來守護她。」

沙利葉看著他，沒有再說什麼。

邪眼沙利葉與月之天使沙利葉，本是同體，是善與惡的存在。他是天使，天使不容許有惡的存在，所以殺戮天使茉伊拉將代表惡的邪眼沙利葉從他身體裡分離出來，封印在第九道走廊。本來它已與他無關，可是那時，邪眼沙利葉逃出天界牢獄的媒介卻是他的羽毛，說起來，他是有責任將它帶回天界的。

只是……眼前這個賴加，分明還只是個人類，作為邪眼沙利葉的力量根本還沒有完全蘇醒過來。這樣的他，居然可以維持千年不死不腐，就這樣被埋在泥土之下過了千年。

這一切，都只是因為執念吧。

沙利葉的視線落在他的心口處，那裡，正有血液汩汩流出，殷紅的血卻微微泛著青色，那樣的血色代表他已不是純粹的人類。

既沒有作為邪眼沙利葉蘇醒，也不再是一個純粹的人類，他竟因那執念成了千年不死的怪物。

只是……被自己所愛的人一劍穿心，即使是怪物，只怕也撐不了多久吧。

沙利葉靜靜地看了他一會兒，似乎是輕輕嘆息了一聲：「那麼，我走了。」

看著沙利葉消失，賴加支撐不住，再一次俯身跪坐在地上捂住胸口，殷紅黏稠的液體從指縫間滲出來，怎麼也止不住。

一陣風吹過來，腥甜的味道在空氣中擴散，甚至蓋住了花的香味。

腥味越來越濃，濃到令人心驚的地步，賴加全身虛脫地倒在花叢中。野薔薇瞬間大片大片地凋零，散落的花瓣覆在賴加的身體上，如一片花塚。

陰寒的風捲起落花，在風中翻飛飄搖，一雙黑色皮靴踩著無數的落花，一步一步走近躺在地上的賴加。

他盯著躺在地上的賴加，稍稍蹲下身，指尖輕輕劃過那仍血流不止的傷口，然後將那沾了血的指送入口中。彷彿在品嘗上好的紅酒一般，他瞇著眼睛輕輕品了許久，隨即咧開嘴，露出尖利的獠牙，「真是不錯的味道。」

賴加無知無覺地躺在地上，彷彿一點也沒有意識到自己的血已經引來了飲血為生的吸血鬼。嘗到了甜頭的血族男子一臉可惜地看著他流血的傷口，「真浪費。」說著，他俯下頭，咬住賴加的脖頸。

所有的血液都被吸走，已經變成乾屍的賴加被丟棄在枯萎的花叢中，饜足的血族直起身準備離開，卻沒有注意到那乾枯的手指忽然微微動了一下。

等他覺察的時候，已經對上了一雙血紅色的眼睛。

「你……」他有些驚愕地看著賴加。

怎麼可能……怎麼可能全身沒有一滴血，還不死？

被那雙血紅的眼睛盯著，他竟然感覺到全身的力量都被封住，無法再動彈分毫，這是……怎麼了？他早該想到的，有著那種力量的血液，眼前這個面無表情的男人怎麼可能是普通人類……

身為有著強大力量的血族，他竟然第一次感覺到了恐懼。

賴加緩緩抬起乾枯的手，摸了摸頸間的牙印，然後伸手一把拉過那已經無法動彈的吸血鬼……

「你……想幹什麼？」角色瞬間互換，原本的獵人剎那間變成了獵物。

「你是吸血鬼？」賴加看著他，乾枯的嘴脣一張一合，吐出話來。

「是。」嘴巴不受控制地回答賴加的問題，他更恐懼了。

賴加定定地看他。

這便是邪眼沙利葉的力量吧。

天不知道什麼時候已經黑了，一彎銀色的月亮爬上半空。

月色下，如乾屍一般的賴加坐在荒涼的野地裡，一點一點將那滿面驚恐的吸血鬼吃掉。吞下最後一口的時候，新的血肉長了出來，乾枯的皮膚也有了光澤。

血紅的眼睛恢復了原本的銀灰色，他抹了抹脣邊的血跡，站起身，換下身上的衣服，穿上那吸血鬼留下的衣服和皮靴，離開了崖底。

02 早安

生平第一次，巫馬雪加得到了誇獎，而她那件沾了血的外套也被堂而皇之地掛在了巫馬家的陳列室裡。

作為除魔世家，這間陳列室裡記錄了太多的榮耀，左起第一個玻璃櫥櫃裡那把已經生了鏽的鐵劍，據傳是數百年前巫馬家的一個前輩殺死一隻狐妖之後，從那隻狐妖身上得到的戰利品，第二個玻璃櫥櫃中是一張奇異而珍貴的五級妖獸的皮毛⋯⋯甚至，在右側那個錦盒裡，還放置著一枚吸血鬼的牙齒。

在最外側的玻璃窗裡放著的，是姐姐巫馬火野這些年來的戰利品，其中最引人注目的是用她十五歲試煉時捕捉到的一個四級妖獸所製成的標本。

而現在，巫馬雪加穿回來的這件外套上，竟帶著一個十級妖獸的血。

連宗教裁判所都沒有碰到過的十級妖獸，竟然被巫馬家族的人所傷，這又是何等的榮耀。

自然，這一次巫馬雪加的試煉通過了，於是她以十七歲的「高齡」舉行了成人禮。

巫馬火野特意出席了妹妹的成人禮，作為天賦異稟的除魔者，她十六歲接手宗教裁判所，至今已經兩年了，她是宗教裁判所第二百六十五任所長，也是歷史上最年輕的一任。

她一出現在巫馬家，立刻奪去了所有人的眼球，是毫無爭議的主角。而本來是今天成人禮主角的巫馬雪加則捧著一個裝著蛋糕的小盤子坐在角落裡，慢慢挑著奶油吃，一整個閒人，完全地置身事外。

「喂，妳縮在這裡幹什麼？」向天走過來，皺眉瞪她，「今天難道不是妳的成人禮嗎？」

「是啊，所以我在吃蛋糕。」巫馬雪加揚了揚手裡的盤子，帶了一點討好地笑，「你要吃嗎？我去幫你拿。」

向天是巫馬家的養子，他是因為擁有過人的靈能天賦而被巫馬家族的大家長從孤兒院挑回來的。在今天之前，他也是巫馬家族裡唯一一個願意搭理她、教導她的除魔者，雖然他也不過比她大了兩歲而已，可是他的力量是絕對不容小覷的，除了姐姐之外，他是年輕一輩裡最被看好的除魔者。

「笨死了。」看著她不足巴掌大的小臉上那耀眼的笑容，向天有些不自在地別開眼睛。

巫馬雪加反正被罵習慣了，一點也不在意，依然樂呵呵地挑著蛋糕吃。向天有些無趣地在她身邊坐下，看她慢慢在蛋糕上刮奶油吃。

「真浪費。」撇了撇脣，向天從一旁的桌上拿了餐叉，從巫馬雪加的盤子裡叉了一塊被刮光了奶油的蛋糕，送進自己的嘴巴裡。

「咦，那個戴眼鏡的人是誰？」巫馬雪加靠著向天坐著，好奇地看著隨巫馬火野走進來的那個穿著白色聖十字制服的男子。

「那個是宗教裁判所祭司，叫迦斯，很強大的人物。」一貫囂張驕傲的向天居然用一種極敬畏的口氣來介紹他。

「哦。」巫馬雪加感嘆，看他斯文俊美的樣子，一點都讓人感覺不到強大的氣場啊。

穿著紅衣的巫馬火野偏過頭不知道對迦斯說了什麼，笑得眼睛都瞇了起來，那迦斯微微低頭聽她耳語，然後也淡淡地笑開。

巫馬雪加滿臉羨慕地看著巫馬火野，一身紅衣的她腰間裹著一根長鞭，微亂的俏麗短髮，紅潤帶笑的臉頰，讓她整個人看起來神采飛揚。

似乎是感覺到了巫馬雪加的視線，那個叫迦斯的男子忽然扭過頭來，對著她的方向點頭微笑。

巫馬雪加忙跳起來彎腰還禮，動作之大引起了房間裡所有人的注目。

「喂，妳幹什麼！」向天忙拉她坐下。

她「唰」的一下紅了臉，下意識地又側頭看向迦斯的方向，他也在笑，脣彎彎的。可是不知道為什麼，她感覺那個男子雖然自始至終都在笑，可是那鏡片後面的眼睛一定沒有笑。

她被自己的這個念頭嚇了一跳，不過並沒有再多想。爸爸媽媽自姐姐一回來，便雙雙迎了上

去噓寒問暖，賓客們也都圍著姐姐打轉，她吃完了盤子裡最後一塊蛋糕上的奶油，站起身。

「妳要去哪兒？」向天吞下手裡沒有奶油的蛋糕，奇怪地問。

「有些累，我想回房休息一下。」巫馬雪加小小聲道。

「啊，妳又不舒服了嗎？」向天跳了起來，伸手探上她的額頭。

「我沒事啦，只是有點累。」巫馬雪加拉下他的手，笑得有些累。

向天疑惑地看了看她，「那妳先走吧，我在這裡幫妳擋著。」

「謝謝。」巫馬雪加輕輕地笑了一下，其實有誰會在意她的離開呢？今晚又有誰是真心為了她而來到這裡的呢？

看到托著酒盤的侍者從眼前走過，她隨手拿了一杯紅酒，然後穿過眾多的賓客，避開人群，走向樓梯口。在一片熱鬧中，誰也沒有注意到那個一直縮在角落裡吃蛋糕的女孩已經離開了。

推開房間的門，巫馬雪加隨手開了燈。走到床邊坐下，她定定地凝視著透明玻璃杯中的紅酒，然後抬起手臂，對著空氣做了一個敬酒的動作，「巫馬雪加，生日快樂。」說著，她一仰頭飲盡了杯中的酒。

對於第一次飲酒的巫馬雪加來說，那紅酒的味道並不好，有些澀。皺著眉吐了吐舌頭，她感覺臉頰上燒了起來，腦袋也有點暈。

晃了晃腦袋，她忽然看到窗簾微微動了一下，從窗簾後面走出一個人來。

「誰？」她瞇著眼睛仔細辨認來人。

那人影緩緩走到她面前，然後半蹲下身子，抬手捧住她的臉。眼前的重影終於消失了，巫馬雪加看清了那人，竟是白天見過的那隻妖獸！

「是你！」巫馬雪加大驚，然後條件反射般地扭身想找劍，醉眼昏花中摸到枕頭，她忙抓住砸向他。

軟綿綿的枕頭砸在他的腦袋上，潔白的羽毛飛得滿臥室都是，賴加半跪著，微仰著頭看著坐在床邊的巫馬雪加，然後他稍稍直起身，微涼的脣掃過她的脣角，舔走沾在她脣邊的奶油。

很香甜的味道，和記憶中的杏仁糖泥有些像。

感覺到脣上涼涼軟軟的觸感，巫馬雪加呆呆地坐在原處。

「生日快樂。」他在她耳邊輕聲說。

她怔住。

他是第一個對她說生日快樂的人。

巫馬家的每一個人都記得她的生日，但從來不會祝她生日快樂，因為生日便是試煉日。可是……可是這個從墓穴裡爬出來的男人，這個十級的妖獸，竟是第一個對她說生日快樂的人。

今天她可以通過試煉……也是因為他吧。

巫馬雪加茫茫然地低頭看他，想起那時他看著她的眼神，那樣複雜的情感，他用欣喜又悲傷的表情看著她，他急切又貪婪地看著她，他說他是……賴加？

「賴加？」她看著他，喃喃。

賴加猛地一震，他看著她，銀灰色的眼睛裡迅速蒙上一層薄薄的霧氣。

巫馬雪加歪了歪腦袋，伸手撫上他的臉，然後皺眉，「你冷嗎？怎麼這麼涼？」

「嗯，有些冷。」他輕應。

巫馬雪加彎腰抱住他，「這樣呢？」

「……好多了。」他埋首在她懷中，啞著聲音回答。

「還痛嗎？」她抱著他，輕問，帶著淡淡的酒氣。

「什麼？」賴加知道她醉了，可是卻無比貪戀這樣的溫暖。

巫馬雪加輕輕推開他，伸手撫上他的心口處，白天時，她在這裡刺了一劍。

「不痛。」

「騙人。」巫馬雪加癟了癟嘴巴，「那麼深的一劍，流了那麼多血，怎麼可能不痛……」

賴加深深地看著她。

「你為什麼不是人類呢？」巫馬雪加忽然低聲喃喃。

賴加僵住。

「你走吧。」巫馬雪加站起身，酒意讓她微微搖晃了一下，不待賴加來扶她，她便已經自己站穩了。

賴加不動。

「你傻了嗎？這裡是巫馬家，你難道不知道巫馬家是除魔家族嗎？」巫馬雪加推他，「就算你很強大，可是樓下那麼多除魔者，宗教裁判所的所長和祭司都在，你留在這裡是自尋死路！」

他仍是不動。

「一件沾了你的血的衣服就讓他們如此欣喜激動，你猜如果他們看到你會不會放你走？」巫馬雪加皺眉，感覺頭疼得厲害，眼前的人又開始重影了。

他上前扶住她。

她聽到他在她耳邊問：「那麼妳呢？」

「我？」她一臉迷茫地看著他，忽然笑了起來，「我當然也希望能夠殺了你啊，殺了你，把你放在那間充滿了腐朽之味的陳列室裡，我就會成為最偉大的除魔者，爸爸媽媽就會像喜歡姐姐一樣喜歡我了……」

賴加捧著她的臉，冰涼的額抵著她因為酒意而微燙的額，他輕吻她的唇，「那麼，妳就殺了我吧。」

「我怎麼可能殺得了你……你那麼厲害……」巫馬雪加有些難受地將腦袋抵在他懷裡，嘟囔著，「頭疼……」

「是妳的話，就可以。」他將她摟在懷裡，抬手輕按著她的額。

「怎麼殺？」她抬頭，因為酒氣而有些朦朧的黑色眸子望向他。

「我剛剛被一隻吸血鬼咬過了，然後我吃了他，所以現在，我也變成一隻吸血鬼了。」賴加一邊輕按著她的額替她紓解疼痛，一邊用情人耳語般的語調教導她如何殺了他，「妳可以用木樁釘入我的心臟，或者砍去我的頭顱。」

「砍？」她繞著舌頭重複，然後皺了皺眉，搖頭，「太血腥了……」

賴加左右看看，在一個除魔者的房間裡很輕易地找到了一根木樁，他將那木樁放在她手中，然後抵在自己的心口，「那就試試這一種，從這裡刺進去，不會有太多血流出來的。」

巫馬雪加看著自己手裡的木樁發了一會兒呆，忽然搖頭，從他手中抽回自己的手，將木樁丟到地上。

「這樣也不好嗎？」賴加猶豫了一下，又道，「我很怕火。」

即便過去了幾個世紀，那一世的陰影依然牢牢地刻在他的心頭。

「怕火？」她側頭看他。

「嗯，很怕。」他苦笑了一下，「如果可以，我不希望用那種方法死去。」

「那就不要了。」巫馬雪加點點頭，很爽快地否決。

「還有一種，妳可以選一個陽光明媚的天氣約我出來，讓我在陽光下死去。」賴加看著她，銀灰色的眼睛裡流動著滿滿的溫柔，「對我來說，這是最美的死法，如果可以有一個杏仁糖泥的蛋糕，就更好了。」

他喜歡陽光，喜歡茉伊拉，喜歡茉伊拉的杏仁糖泥。

他將他所有的弱點都展現在她的眼前。

巫馬雪加望著他的眼睛，有些失神，然後撇過頭輕哼：「我才不要這樣勝之不武呢，我要堂堂正正地殺了你。」

賴加看著她，忍不住再一次伸手將她抱在懷中，「茉伊拉，我的茉伊拉……」

是啊，他的茉伊拉從來都是最正直的。

「茉伊拉？茉伊拉是誰？我是巫馬雪加……」她不滿地嘟囔。

「嗯，巫馬雪加。」他輕應，他牢牢地抱著她，「我等妳堂堂正正地來殺我。」

「嗯，在那之前，你不能被別人殺掉。」巫馬雪加哼哼。

「好，我保證。」賴加忍不住微笑。

等了好久，懷裡的人都沒有再吭聲，他低頭看時，才發現她已經依偎在他懷中睡著了。他著迷地望著她的睡顏，眼睛一刻也捨不得挪開。

他抱著她，看著她，不知不覺窗外已有光亮。

一夜，那麼短。

依依不捨地將她送回床上，仔細蓋好被子，輕輕一吻印在她的額上，他說：「早安，茉伊拉。」

在與她同葬在泥土之下幾個世紀之後，終於可以再相見，終於可以再相擁，可是在以後的每一個日子裡，他都無法再與她一起迎接天明。

可是即使如此，他依然感激。

可以再看到她，可以再擁抱她，可以再親吻她，於他而言，已是太好太好的事情。

他不敢貪心。

他害怕報應。

離開的時候，他的腳踢到掉在地上的木樁，他彎腰撿起，放在桌上，銀灰色的眼睛裡是滿滿的暖意。

她不忍殺他。

即使不是天使，他的茉伊拉，依然如此善良。

斂住氣息，他從窗口離開。

天色剛亮，趁著太陽還沒有出來，賴加離開巫馬家，準備回到墓地去，結果剛走出巫馬家沒有多遠，便被幾個人攔住了去路。

也許，攔住他的，並不能稱之為人。

「就是他！就是他吃了維亞！」一個長髮男子指著賴加的鼻子道，看清了賴加之後大怒，「他居然還明目張膽地穿著維亞的衣服！」

賴加直接無視了他們。

「喂！外來者，你犯了血族的大忌！」另一男子惱羞成怒，再次追了過來，攔住賴加。

「血族？」賴加淡淡揚眉，然後笑了一下，「哦，你是說吸血鬼呀。」語氣中是濃濃的不屑。

「你在不屑什麼？你自己也是血族。」那男子不滿起來，「你吃了維亞，變成血族才獲得不死之身的！」

維亞？那個吸了他的血，將他變成吸血鬼的男人？

如果沒有變成吸血鬼，他也許就不必在清晨如此狼狽地獨自離開她，如果沒有變成吸血鬼，他也許就可以與她一起迎接每一天的朝陽。

「我十分厭惡自己，身為吸血鬼的自己。」賴加眯了眯眼睛，冷冰冰的眸子透出一抹譏誚，他忽而微笑，「可是我的命已經送給心愛的人了，不如你們死給我看吧。」他看著他們，銀灰色的眼眸隱隱變為血紅色。

然後，他們便感覺自己動彈不得了。

「狂妄的傢伙！你可知血族之中，殺親是大罪！」

「你如果膽敢殺了我們，這個城市的其他血族定不會容你！」他們叫嚷起來，面上卻是帶了恐懼之色。

「那倒是。」牆邊的角落裡響起一個表示贊同的聲音。

賴加停了下來，側頭看去，那裡不知何時倚了一個穿著黑色長風衣的男子。他雙手插在口袋裡，十分悠閒的樣子，一頭半長的黑髮用緞帶簡單地束在腦後，臉部輪廓很深，有些混血兒的模樣。

重要的是，他也是吸血鬼，而且力量看起來不弱，與之前的對手根本不是同一個等級的。

見賴加看他，那男子舉著手笑了起來，「不要這樣看我，我不是你的敵人，你可以盡情地讓他們『死給你看』，我不會插手的。」

「殺親不是大罪嗎？」賴加淡淡地道，卻沒有收手的打算。

「某種程度上來說，是的。」那男子抬手搔了搔了腦袋，「可是這是密隱同盟的規矩，他們卻是屬於魔宴同盟的，說這樣的話未免太過可愛了。」

賴加沒有再理他，直接處理了那幾個吸血鬼，轉身就走。

「等等我啊——」那男子追了上去，笑吟吟地道，「我叫洛特，你呢？」

賴加不答。

「我以前沒有在這個城市見過你啊，你是新來的嗎？」洛特一點也不在意他的冷淡，又自顧自地問。

「你想死嗎？」賴加停下腳步。

「NO——」洛特一本正經地搖頭，然後又笑咪咪地道，「其實我也是新來的，剛剛拿話騙你呢，嘿嘿嘿。」

「……」

「告訴你一個祕密，我是奉女王的命令來執行公務的喲。」洛特追上他，又道。

「沒興趣。」

「可是你殺了魔宴同盟的傢伙，他們一定會報復你，不如你乾脆加入密隱同盟啊，我們可以做一對相親相愛的好同事嘛——」

賴加停下腳步，如果被那些傢伙纏著報復，就不能安心陪茉伊拉了……

「怎麼樣？」洛特笑咪咪地看著他。

賴加側頭看他，「我叫賴加。」

「歡迎加入密隱同盟。」洛特眨了眨眼睛，然後衝著對面的電線杆招手，「啊喂，小白，我又騙到一個帥哥——」

賴加黑線地扭頭看向那個小白，然後稍稍愣了一下，「聞人霜？」

對面的電線杆下，站著一個白衣白髮的男子，他懷裡還抱著一個十歲左右的小女孩，很奇怪的組合，看起來卻是異常的和諧。

最重要的是，他的臉跟聞人霜那隻狐狸一模一樣！

「那不是聞人霜啦，是聞人霜他哥哥聞人白，等一下！你說什麼？你認識那個傢伙？」洛特一臉驚訝萬分的表情。

「嗯。」

「哎呀，那真是個討厭的傢伙，老是變出一副狐狸樣子欺騙我的東方曉。」洛特一臉吃味地擺手，然後兀自嘀咕，「真是的，好不容易碰到一個可愛的血族美人，就蹦出一個超級無敵黏人的傢伙來搶。」

「你說……東方曉？」賴加訝異。

「咦咦咦？你也認識曉曉？」洛特立刻一臉戒備，用看情敵的眼神來看賴加。

賴加微微笑了一下，沒有說什麼，那隻狐狸終於找到他的東方曉了嗎？

「喂喂喂，你那一副『祝福他』的表情是怎麼回事？曉曉是我的啦！」洛特忙著解釋。

「呵呵。」

「笑屁啊——」洛特白了他一眼，「太陽快出來了，走吧。」

巫馬雪加醒來的時候，天已經大亮了。

大約是因為昨天夜裡那一杯紅酒的緣故，她的頭有些疼。在床上躺了一會兒才漸漸緩過神來，昨天晚上的一些記憶漸漸回籠，她愣愣地抬手輕撫著脣，脣上那冰涼而柔軟的觸感彷彿仍在。

是夢嗎？

應該是夢吧……

太離奇太詭異了。

夢裡，那隻妖獸居然出現在她面前，那樣溫柔地抱著她，親吻她，用那樣悲傷的眼神看著她……

還約定了只有她可以殺他……

這真是太荒謬了。

她忍不住捂著臉笑了起來，真是一個荒唐的夢。

「妳在笑什麼？」冷不防，一個聲音在頭頂響起。

巫馬雪加嚇了一跳，放下手便看到向天放大的臉，她下意識拉著被角縮了縮脖子。

「怎麼了？」向天奇怪地看著她。

「你出去等我好嗎？我要換衣服。」

向天愣住，呆呆地看著她，臉色變了幾變，然後忽然火燒屁股一樣跳起來衝了出去。

見他關上門，巫馬雪加起身換衣服，卻發現身上居然穿著睡衣，這個發現讓她一下紅了臉，昨天她明明沒有換睡衣！是誰幫她換衣服的？

慌慌張張地換下睡衣，她一回頭便看到書桌上的木樁，愣了一下，木樁明明一直是放在吊籃裡的……

「我剛剛被一隻吸血鬼咬過了，然後我吃了他，所以現在，我也變成一隻吸血鬼了。」

「妳可以用木樁釘入我的心臟，或者砍去我的頭顱。」

「……從這裡刺進去，不會有太多血流出來的。」

巫馬雪加呆呆地看著鏡子裡的自己，不是夢……不是夢……

那個人……居然就這樣將自己所有的弱點一一展示給她看……

「巫馬雪加！妳好了沒啊！」向天不耐煩的聲音在門外響了起來。

巫馬雪加嚇了一跳，忙慌慌張張地將木樁塞進抽屜裡，然後落了鎖，這才開門走了出去。

「喏，給妳的。」一開門，她便看到一串紅色珠玉串成的瓔珞。

「送給我的？」巫馬雪加瞪大眼睛。

「嗯，生日禮物。」向天有些彆扭地瞪了她一眼，「快拿好，話真多。」

「哦！」巫馬雪加忙不迭地接了過來，塞進衣袋裡。

「戴上！」見她隨隨便便就塞進衣袋裡，向天又瞪她。

「哦！」巫馬雪加從小便有些怕他，向天對她來說就跟半個老師一樣，因此對他的話她大部分都是服從。

她又將那串瓔珞掏了出來，因為穿了一件厚厚的針織外套，她的動作有些笨拙。

「我幫妳。」見她笨手笨腳的樣子，向天伸出手。

巫馬雪加忙將瓔珞遞到他手裡，向天接過，繞到她身後，將瓔珞繞在她的白色羊絨衫上，聞到她頸間淡淡的馨香，他差點扣錯了釦子。

「謝謝啊。」巫馬雪加低著頭，有點不習慣向天忽然對她那麼好。

「哼，今天是妳正式當除魔者的第一天，不要讓我沒面子。」好不容易扣好了釦子，向天悄悄地吁了一口氣，然後又粗聲粗氣地道。

「嗯！」巫馬雪加趕緊表明決心。

「妳的劍呢？」向天皺眉。

「啊？」巫馬雪加愣了一下，沒想到剛表明決心便開了天窗，忙不迭地溜回房間取劍。

看著她心虛的樣子，向天忍不住偷偷笑了一下。

「血瓔珞，原來你真的是打算送給雪加的呀。」巫馬火野不知道什麼走到他身後，笑著道，也不知道她看到了多少。

向天回頭，低頭行了個禮，「大小姐。」

「哦？怎麼不見你叫雪加二小姐啊？整天就巫馬雪加巫馬雪加地叫著呢！」巫馬火野揚了揚眉毛。

向天不吭聲。

「說起來，你從小就喜歡欺負她。」

向天眼睛看著地面，還是不吭聲。

「不過聽說有些男生最喜歡欺負自己喜歡的女孩子了。」巫馬火野笑咪咪地道，「這血瓔珞不是你四年前成人禮試煉的戰利品嗎？超過兩百歲的血狐內丹，可是好東西呢，我向你要了好久你都捨不得給我。」

「大小姐說笑了，您隨便拿一件東西出來都比這個好上許多。」向天有些不自在地道。

「可是我就想要這個啊。」巫馬火野雙手叉腰，故作蠻橫狀。

「……大小姐不要開玩笑了。」

「什麼玩笑？」巫馬雪加拿了木劍，從房間裡探出頭來，然後愣了一下，低低地喚，「姐姐。」

「沒什麼！」向天忙道。

「哈哈。」巫馬火野笑了起來，「我們正說到妳脖子上那串血瓔珞是件好東西。」

「嗯……要謝謝小天。」巫馬雪加忙道。

向天橫了她一眼，「走吧，今天是妳第一次執行任務，老師讓我陪妳一起去。」

向天口中的老師，便是巫馬火野和巫馬雪加的父親巫馬文，巫馬家族的現任大家長。

看著向天和雪加一起走出門，巫馬火野嘴角的笑意消失不見。

「哼，被保護得真好啊，小公主。」她低低地說著，待他們的身影消失在視線中，她才緩緩走出巫馬家的大門。

大門口停著一輛白色的轎車，車前站著一個穿著白色聖十字制服的男人。

「迦斯！」巫馬火野的眼睛亮了一下，高興起來，她三步併作兩步地迎了上去。

「巫馬小姐。」迦斯見到她，轉身開了車門，「長老有急事，要妳現在就回所裡去。」

「好疏遠，都說叫我火野就好了啊。」巫馬火野噘嘴，彎腰坐上了車。

「尊卑有序。」他說著，關上車門，繞到另一邊坐進駕駛座，發動車子。

03 除魔者

救護車尖叫著從已經廢棄的彩虹橋公園前飛快駛過，一輛火紅色的哈雷摩托車正好停在這座廢棄公園的門口，巫馬雪加跳下車摘下安全帽，「是這裡嗎？」

「嗯。」向天從她手中接過安全帽，「進去看看。」

太陽已經出來了，但是感覺不到絲毫的暖意，廢棄的公園裡鋪著厚厚的一層積雪，白色的地面上亂七八糟地被踩出無數個黑漆漆的腳印。

走沒幾步，向天便注意到牆角處的腳印裡有一根斷裂的枯枝，四周有血跡，他戴上手套蹲下身仔細看了一下，又沾了一些放在鼻端聞了聞。

「怎麼了？」巫馬雪加也彎下腰。

「是吸血鬼。」向天皺著眉道，「那些醜陋的東西真是越來越猖狂了。」

聽到吸血鬼這三個字的時候，巫馬雪加恍惚了一下，昨天晚上……那個人說他是吸血鬼……

「巫馬雪加，妳在發什麼呆！」向天喊了幾聲都不見她有反應，便皺著眉推了她一下。

正在發呆的巫馬雪加後退了一步，一屁股跌坐在雪地上。

「喂，妳怎麼了？」向天嚇了一跳，忙轉身去扶她，「沒事吧，哪裡不舒服嗎？」

她愣愣地搖了搖頭。

「真是的，只會給我添麻煩。」向天皺著眉說著，從自己脖子上解下圍巾，繞到她脖子上，「站在一旁不要再礙手礙腳了。」

巫馬雪加拉了拉圍巾，默默地退後了一步，忽然感覺腳下彷彿被什麼硌了一下，她抬起腳彎腰看了看，是一串鑰匙，鑰匙圈上還掛著一個糖果樣式的小飾品，很可愛的樣子。拿在手裡把玩了一下，看到向天已經將現場勘查完畢站起身來，她忙將那串鑰匙放進了口袋裡。

吃過晚飯，向父親彙報了第一次出任務的情況之後，巫馬雪加便自己回房間了。

走到門口的時候，脖子上向天送的血瓔珞忽然開始閃著紅光，她猶豫了一下，推開房門，便看到了那個側身站在窗邊的男子。他手裡拿著一個相框，正低頭仔細端詳著，忽然他抬起手，指尖輕輕劃過那相框，彷彿帶著無限的依戀般。

巫馬雪加忍不住一陣面紅心跳，那相框裡放著她的照片。

「你又來幹什麼！」她左右看看，匆匆關了房門，快步走了上去，一把從他手裡抽走自己的相框，壓低了聲音道。

「來看妳。」賴加彷彿一點也不驚訝，他抬起頭，看著她微笑。

賴加並不常笑，但他的笑容有相當大的殺傷力，巫馬雪加忍不住又紅了臉。

見她臉紅，銀灰色的眼眸微微深了深，他抬手撫上了她的臉。

感覺到臉上冰涼的觸感，巫馬雪加微微驚了一下，她匆匆後退一步，視線觸及之處，正是放在床上枕頭旁邊的一套睡衣，她忽然漲紅了臉猛地抬手推了他一下。

那一點小小的力量自然不被賴加放在眼裡，他站在原地紋風不動，只稍稍低了頭，看向撐在他胸口的那一雙小小的手掌，然後他握住了那雙手。

跟他目測的一樣溫暖。

巫馬雪加臉上紅得簡直可以滴出血來了，她氣急瞪他，怎麼會有這樣的無賴！不要仗著自己厲害就不停地揩油啊！

「妳在生氣？」賴加輕聲問。

巫馬雪加瞪他。

「為什麼？」他又問。

為什麼？當然是因為……她的視線微微飄移了一下，看了看放在床頭的那套睡衣，卻怎麼也無法說出口，於是只得咬住脣；想要從他掌中抽回自己的手，卻感覺自己的手被他以一種恰到好處的力量握在掌心，不會痛，卻也掙脫不開。

「因為昨天晚上我幫妳換了衣服？」注意到她一臉羞憤欲死的表情，賴加忽然笑了起來，連他也覺得自己此時看起來竟像是調戲良家少女的無賴。

正在為自己雙手的自由搏鬥的巫馬雪加一下子僵住，然後微微紅了眼眶。

見她這樣，賴加有些慌了，他本想像以前一樣逗逗她的，卻沒有想到他的茉伊拉已經不是從前的那個天使，她只是個剛滿十七歲的小姑娘。

「對不起……」他有些手足無措地替她抹去掉下來的眼淚。

「你欺負我。」她紅著眼睛指控，卻連自己都覺得哭得有些莫名其妙。其實她很少哭的，從小到大，不論受了多大的委屈她都可以忍住不哭，可是此時此刻，面對這個黑暗生物，卻對他控制不住地想掉眼淚。

「我道歉，不要哭了。」此時此刻，賴加簡直恨不得多生出一雙手來替她抹眼淚。

看著那些晶瑩的淚珠從她的眼睛裡滾落下來，時光彷彿倒流回那一日神殿之前，他拉開車門，看到茉伊拉眼中落下淚來的樣子。

天使的眼淚……

而那個時候，他卻只是緊張地看著她，找不到一點言語來安慰她。

就像現在一樣……

巫馬雪加瞪著他，眼淚像是開了閘一般，怎麼也停不下來。

事實上，她也不知道為什麼要哭，只是覺得心裡酸酸澀澀的，十分難受。就彷彿上輩子在心裡儲存了太多的眼淚，把一顆心浸得又酸又澀，不流出來不舒服一般。

眼淚越流越多，賴加手上溼漉漉的，她的眼淚卻是怎麼也擦不乾，他閉了閉眼睛，伸手將她拉進懷中。

她聽到他在她耳邊說：「不要再哭了，拜託妳。」

他說，拜託妳。

「以前我也被一個可惡的傢伙觀賞過洗澡啊，她還看過我尿床呢，我都沒有哭啊……」賴加輕輕拍著她的背，有些鬱悶地道。

巫馬雪加終於忍不住「噗哧」一下笑了起來。

「總算笑了……」

收住笑容，巫馬雪加推開他，「為什麼是我？」

「什麼？」賴加一愣。

「你知道的。」巫馬雪加認真地看著他。

崖底的那一個擁抱，被她刺傷也不還手，還約定只有她可以殺他……

為什麼？為什麼要對她這麼好？

賴加沉默了一下。

「我長得很像你的戀人嗎？」巫馬雪加想起了被他抱在懷中視若珍寶的那一堆枯骨。

「不像。」賴加看著她，低低地說。

她們長得一點都不像，可是……她們是同一個人。

「那為什麼……」巫馬雪加不解。

「妳知道守護天使嗎？」賴加忽然問。

「守護人類的天使？我小時候聽爺爺講過。」巫馬雪加點點頭，「聽說每個人都會有自己的守護天使，一直到被守護的人生命走到盡頭，天使才能回天界。」

「曾經有一個守護天使，在她守護的人類男子死去之後，為了讓他復活而竊取了天界的生命之水，結果她被罰斷去雙翼墮入凡塵。」

「那個天使一定很愛她守護的那個人。」巫馬雪加忽然道，她笑了一下，黑色的眼瞳望向賴加，「既然她救活了那個人類，那他們是不是在一起了呢？」

看著那雙澄澈的黑色眼眸，賴加垂在身側的雙手微微收緊。他費了好大的力氣才繼續道：

「她用自己的血救活那個人類之後，那個不知好歹的男人卻要她用自己的血再去救另一個女人。」

巫馬雪加愣住了，「怎麼會這樣？傳說中被懲罰下界的守護天使是不能流血的，何況是兩次？她會死的。」

賴加轉過身去，銀灰色的眼睛因為痛楚而微微變成了血紅色。

「如果妳是那個天使，妳會恨那個人類嗎？」他背對著她問，身體因為緊張而繃直。

「也許是傷心吧。」巫馬雪加猶豫了一下，「畢竟那是她自己的選擇，如果她選擇了救人，便沒有恨的權利，最多……只能是傷心而已。」

賴加垂下頭，不語。

「那麼……那個天使死後，那兩個人類在一起了嗎？」巫馬雪加好奇地問。

「怎麼可能！」賴加忽然轉過身來，血紅色的眼睛緊緊盯著巫馬雪加，他冰涼的雙手緊握著她的雙肩，「他們怎麼可能在一起！」

「為什麼不？那個男人難道不是因為喜歡那個女人，才祈求天使救她的嗎？」巫馬雪加並沒有被他可怕的樣子嚇到，只是有些奇怪地問。

「不是！不是！不是！」賴加低吼，他死死地盯著她，「他只是不知道天使會死！他只是不知道她可以善良到豁出性命去救一個與她完全無關的人！該死的善良！」

「與善良無關的。」巫馬雪加下意識替天使辯護，「或許她只是希望她愛的人可以幸福，而那種幸福，是她給不起的！」

賴加怔住。

是的，他一直在怨恨，怨恨著茉伊拉的善良，怨恨茉伊拉自作主張，怨恨茉伊拉不給他開口的機會。如果他知道茉伊拉會死……那麼他絕不會對她提出那麼過分的要求……

縱然他死，他也絕不會傷她半分……

可是她沒有給他這個機會，他就那樣糊裡糊塗地失去了她……

「是嗎……」賴加垂下頭。

什麼幸福……會是她給不起的。明明……她已經是他唯一的幸福了……

「你怎麼了？」巫馬雪加推了推他。

賴加沒出聲，只是忽然伸手將她攏在懷裡。感覺到她的掙扎，他微微收緊了雙臂，「不要動，我只是想抱抱妳，我只是……想妳了。」

想她？

巫馬雪加呆呆地不動了，就那樣任由他抱著。

許久，賴加聽到懷裡的少女低低地問了一句：「彩虹橋公園裡的那個人……是你咬的嗎？」

「彩虹橋公園？」賴加愣了一下，然後忽然明白了她在問什麼，「昨天夜裡，我一整夜都在這裡，沒有出去過。」

巫馬雪加臉上又是一熱，卻莫名其妙地安了心。

「那個……時間不早了，你該走了。」許久，見他仍是一動不動地抱著她，一點也沒有要鬆手的意思，巫馬雪加忍不住推了推他。

「我想陪妳。」

「……可是我要睡覺了。」

「就這樣睡好了。」他仍然抱著她，不動。

「這樣怎麼睡嘛！」巫馬雪加瞪起了眼睛，這個十級的妖獸還真是出乎意料地任性啊。

話剛說完，巫馬雪加便被他抱了起來，她忍不住驚呼了一聲，然後忙捂住嘴巴，壓低了聲音：「你想幹什麼？驚動了別人怎麼辦！」

賴加笑了一下，把她放到床上，然後替她拉好被子，「睡吧。」

巫馬雪加躺在床上，瞪著那個一屁股在床邊坐下來的傢伙，他坐在這裡要她怎麼睡嘛！好歹她也是一個除魔者好不好！就這樣沒有威懾力嗎？

「睡吧。」一點也不在意她憤怒的眼神，他溫柔地看著她。

那樣溫柔的眼神讓巫馬雪加的心跳不由自主地加快了，她氣呼呼地翻了個身，背對著他閉上眼睛。

看著她氣呼呼的樣子，賴加唇邊的笑意微微加深。

感覺到她的氣息漸漸平穩下來，他知道她已經睡著了。

窗外星光閃爍，夜色寧靜，他坐在床邊凝視著她的睡顏。在他還是人類的時候，作為守護天使的她是不是也是這樣凝視著他的呢？

那時候明明是幸福的，他卻偏偏要等到失去的時候，才痛悔莫及。

「沒有關係，我看著妳，也是一樣的。」他輕聲說。

天色微亮的時候，他俯下身，在她的臉上輕輕印下一吻，「早安，茉伊拉。」然後，他站起身，離開了房間。

牆外的樹上，坐著一個穿著暗紅色帶帽風衣的男人，他戴著白色的面罩，擋住了大半個臉。瞇了瞇狹長的鳳目，他看著賴加離開的背影，緩緩開口：「就是他嗎，吃了維亞的怪物？」

「是的，大法官閣下。」一個黑衣男子低頭恭敬地回答。

清晨的第一縷陽光從雲端透了出來，那黑衣男子消失在原地，穿著暗紅色帶帽風衣的男人卻仍悠閒地坐在樹梢，懶洋洋地曬著太陽。

「嗯……怪物嘛，真有意思呢。」他咧開嘴，舔了舔唇，「呵呵，真是可愛的傢伙，居然看上了巫馬家的小公主。」

看到巫馬雪加背著包走出家門，他笑咪咪地從樹上跳了下去。

「你是誰？」看著這個莫名其妙從樹上掉下來的人，巫馬雪加被嚇了一跳，下意識地後退一步，拔出木劍指向她。

「少安毋躁，除魔者小姐，在下可是一點惡意都沒有。」他笑咪咪地舉起手。

「你是誰？」巫馬雪加戒備地看著這個戴著面罩看不清模樣的可疑男人。她從他身上感覺不到人類的氣息，而且脖子上戴著的血瓔珞也一直在閃。

「妳可以叫我離，可愛的除魔者小姐。」他拉下風衣的帽子，彎下腰，紳士一般行了個禮。

「離？」巫馬雪加隱約覺得這個名字有些耳熟，卻一時想不起在哪裡聽過。

她仔細看著眼前這個笑咪咪地站在她面前的男子，冬日的風吹動他微鬈的酒紅色長髮，明明是在笑著，卻感覺不到一點笑意，周身都被陰冷而黑暗的氣息所包裹著。

「你是魔宴同盟的大法官！」巫馬雪加猛地想了起來，她瞪大眼睛驚叫一聲，握緊了手中的木劍，「不對，你明明應該是吸血鬼，為什麼可以在白天出現！」

「嗯，為什麼呢？」他笑，然後忽地掠近，輕輕鬆鬆地制伏了她。

在失去意識的前一秒，巫馬雪加很清晰地聽到他在她耳邊輕聲說：「因為，我是怪物啊。」身為吸血鬼，卻可以在白天出現的怪物，呵呵。

眼皮很重，巫馬雪加微微皺眉，感覺到黑暗中有無數雙不懷好意的眼睛正貪婪地看著她，那樣的視線讓她覺得自己已經變成了食物。

「離她遠點。」一個含笑的聲音，「雖然我也不反對你們吃了她，不過你們的下場一定會很慘，不要說我沒有警告過你們哦。」

這個聲音是……魔宴同盟的大法官離！

巫馬雪加生生地抖了一下，猛地清醒過來，她睜開眼睛，發現自己正躺在一張柔軟的大床上。

四周一片黑暗，卻有無數雙閃著寒光的眼睛盯著她，她下意識去摸劍，卻什麼也沒有摸到。

「在找這個嗎？」隨著聲音，頭頂的大吊燈忽然亮了起來。

巫馬雪加眯了眯眼睛，一眼看到坐在對面沙發上那個戴著白色面罩的男子，他手裡拿著一杯猩紅的液體，正細細地品味著，而她的木劍，正放在他旁邊的桌上。

「真是不錯的味道。」離舔了舔唇，將杯中的液體飲盡。

巫馬雪加忽然感覺自己的脖子有點疼，伸手摸了摸，卻沾到了血，她驚恐地坐起身，卻又軟綿綿地倒了下來，她這才發現自己全身麻痺無力。

「不要害怕，我沒有咬妳，只是稍稍放了一點血而已。」離彎了彎腰，笑道，「妳是貴客呢。」

「你想用我當誘餌？」巫馬雪加咬牙，將她抓來，卻又不殺她，她唯一想到的可能性便是這個了。

「唔，妳真聰明。」

「如果是這樣，你便真的打錯算盤了，巫馬家不會有任何一個人會中你的圈套的，他們只會在我死後來替我報仇。」巫馬雪加竭力想扯出一個笑來，卻發現自己的唇在微微顫抖。

是的，從她通過了成人禮的那一刻起，她便已經是一個獨立的除魔者，她必須有面對危險時自保的能力，以及……單獨面對死亡的勇氣。

聽她這樣說，離居然像聽到什麼笑話一樣笑了起來，「親愛的，妳不要低估了自己的魅力，別人我不敢說，怪物先生是一定會來的。」

怪物先生？

巫馬雪加愣了一下，莫非他說的是……賴加？

「其實我並沒有惡意，我只是想跟怪物先生交流一下而已。」離舔了舔唇，「瞧，妳那麼美味，我卻沒有吃了妳。」他站起身，稍稍拉開一點窗簾，「我只是想讓他加入我們而已，怪物與怪物之間，應該會有共同語言。」

陽光透進來的一剎那，房間裡的其他吸血鬼都瑟縮了一下，躲到背光的陰暗處，惟有離，他仰起脖子，微笑著看著那陽光，「估計我們得稍稍等一下。」

巫馬雪加打量了一下四周的環境，發現自己正身處在一個寬敞的房間裡，似乎是……酒店？

口袋中的手機忽然響了起來，巫馬雪加正想要接的時候，已經被另一隻手奪走了。

那隻吸血鬼恭敬地將手機送到離的面前，他笑著按了接聽鍵和擴音鍵，向天急躁的聲音從

手裡傳了出來：「巫馬雪加，妳在哪裡？巫馬雪加，說話！妳在什麼地方！妳怎麼了，喂！妳怎麼……」

巫馬雪加被捂著嘴，一點聲音都發不出來，只能眼睜睜看著手機被掐斷。

就在這時，突然「鏘」的一聲巨響，門板化為了飛沫。

巫馬雪加瞪大眼睛，看向門的方向，一身焦黑的賴加正站在門口，全身上下都像是被火烤過一般，幾乎辨不清面目，只有那一雙銀灰色的眼睛，散發著陰冷的光，像是從地獄跑出來的惡鬼一般。

在那道視線的注視下，捂著巫馬雪加嘴巴的那隻吸血鬼也尖號一聲，化為了飛沫。

「真不愧是怪物先生。」離拍手，讚嘆，「我還以為我們還得稍稍等一下呢，畢竟外面陽光正好呀。」

巫馬雪加愣愣地看著他，他竟然……大白天就這樣跑了過來？

「你敢傷她。」在看到巫馬雪加脖頸處的傷口時，那雙銀灰色的眼睛立刻變了顏色。

臉上因為曬傷而焦黑的皮膚慢慢地龜裂開來，尖利的獠牙從口中齜出，已經變成血紅色的眼睛裡帶著無盡的殺氣，他看著巫馬雪加脖頸處那一個小小的傷口，那道小小的傷口在他的眼中彷彿在無限地擴大。

「你傷了她！」他厲聲嘶叫著，將衝向他的一個吸血鬼撕作兩半，然後他彷彿瘋了一般衝進房裡，以極恐怖的力量進行屠殺。

巫馬雪加坐在床上，驚恐地看著他變了模樣。

「她不能受傷，她不能流血的！該死的你居然敢傷她！」一時之間，時空錯置，賴加分不清自己是誰，是邪眼沙利葉，還是賴加本身？他也分不清這是何地，是伊里亞德的神殿，還是異域的都市？

他的眼睛看到了茉伊拉的血。

彷彿回到那一日……他的守護天使在他眼前死去……

離坐在窗邊，看著房間裡的屠殺，狹長的鳳目中竟然帶著觀賞般的興味，他一點也不在意自己的夥伴被殺，抑或……他根本沒有把那些吸血鬼當成他的同伴。

因為，他說他是怪物……

「果然也是個怪物呀。」看著賴加殺死了房間裡最後一個吸血鬼，離彷彿意猶未盡似的咂了咂嘴，「可惜了，居然是密隱同盟的。」說著，他猛地拉開窗簾，從窗戶跳了出去。

窗簾被拉開的一瞬間，巫馬雪加也不知道從哪裡生出了一股力氣，她猛地拽起床上的被子，撲過去擋住了射在賴加身上的陽光。瘋狂中的賴加看著那個戴著白色面具的男人逃走，哪裡肯甘休，躍身也想追出去。

「不要去！」巫馬雪加慌忙死死抱住他，將他護在懷中，「你瘋了嗎？現在是白天！你已經被陽光燒成這個樣子了，再出去會死的！」

被她抱住的一瞬，賴加已經清醒過來了，他靜靜地被她護在懷中，閉上眼睛。

「我的樣子，很可怕吧？」許久，他啞著聲音道。

「嗯，很可怕。」

賴加瑟縮了一下。

「那種不顧性命的樣子，很可怕。」巫馬雪加咬牙，「你說過只有我可以殺你，所以以後，請不要再如此揮霍你的生命。」

賴加怔住，許久，才輕輕「嗯」了一聲，身體一點一點恢復了原狀。

她……在關心他呢。

感覺到她微涼的髮絲落在他的頸邊，他的脣角牽起一絲笑意，然後緩緩伸手，抱住她。

「骯髒的東西，放開她！」向天好不容易利用手機上的追蹤器找到巫馬雪加的位置，結果一衝進來，便看到賴加將頭抵在巫馬雪加頸邊的景象，「不准傷她！」

「小天？」巫馬雪加愣了一下，直覺地想要解釋，「不是的……」

向天哪裡肯聽，握著手中的長棍便狠狠揮向賴加。

「不是的，擄走我的不是他，他是來救我的！」巫馬雪加閉上眼睛，抱緊了賴加。

向天手中的長棍僵在巫馬雪加的頭頂，他鐵青著臉看著巫馬雪加，「妳忘記妳自己是除魔者了嗎？」

「可是他剛剛救了我！」巫馬雪加睜開眼睛，看著向天。

向天的神色有些複雜，從小到大，這是她第一次反抗他的話。

「拜託你了，小天，他是為了救我才變得這樣虛弱的，我們不能乘人之危……」巫馬雪加臉上帶了懇求的神色。

「當我沒有來過。」不再看她，向天收回銀棍，轉身大步走出了房間。

巫馬雪加咬了咬脣，低頭看向賴加，「你住在哪裡？我送你回去。」

賴加抬手輕撫她的臉，「沒有關係嗎？」

「嗯。」她輕應著，扶起他。

從地上撿起剛剛那些吸血鬼穿的長風衣替他披在身上，又將風衣的帽子拉上，她才扶著他走出房間。

這裡果然是一間酒店，而且還是A市最大的風圖酒店。

剛走出酒店，便有一輛黑色的房車停在了他們面前，巫馬雪加扶著賴加戒備地後退一步。

車門拉開，車子裡坐著一個面容俊美的男子，他瞇了瞇那雙漂亮的桃花眼上上下下打量了一下被巫馬雪加半扶半抱著的賴加，搖了搖頭，「真是個亂來的傢伙。」然後又笑著看向巫馬雪加，「喲，妳就是賴加的小點心吧，妳好，我叫洛特──」

……小點心。

巫馬雪加的嘴角抽搐了一下。

「聒噪的傢伙。」賴加忽然動了一下，低低地說著，然後扭頭看向巫馬雪加，「別擔心，他是我朋友。」

巫馬雪加點點頭，將他扶上那輛房車。

「等一下。」賴加拉住她的手，「一起上車吧，如果那個傢伙再回來……」

「沒事的，小天就在附近。」巫馬雪加搖了搖頭。

賴加鬆了手。

「我會好好照顧他的──」洛特笑咪咪地說著，關了車門。

巫馬雪加站在原地，看著那輛車子絕塵而去，許久，才轉過身向著相反的方向走。

走了兩步，一抬頭，便看到抱著銀色短棍站在街角的向天，他的手裡還拿著她的木劍。

剛剛他回酒店去幫她取劍了嗎？

「小天……」她停下腳步，吶吶地開口。

向天面無表情地看了她一會兒，然後轉身就走。巫馬雪加忙追了上去，向天腿長，她一路小跑才跟上了他的腳步。

「不要忘記自己的身分。」將手裡的劍丟給她，向天淡淡拋出一句話來。

巫馬雪加愣愣地接住劍，腳步遲緩下來。向天沒有等她，大步離開。巫馬雪加看著他的背影消失在轉角處，心知他說得並沒有錯，她是除魔者，那個人卻是妖獸。不管怎麼樣，他們的立場都是敵對的吧。

這一次，她可以救下他。

那麼……下一次呢？

這一次可以救他，因為對手是向天，可是如果有一天，宗教裁判所發現了他的存在，她難道要為了他與整個巫馬家、整個宗教裁判所為敵嗎？

正當腦袋裡一片紛繁複雜的時候，巫馬雪加忽然感覺到心臟彷彿被什麼刺了一下，然後劇烈地跳動起來，彷彿被磁鐵吸引著，無止無休地要向某一處靠近。

一個戴著墨鏡的男子與她錯肩而過，深紫色的長髮在陽光下泛出冷冷的色澤。

不知道被什麼驅使著，巫馬雪加拉住了他的胳膊。

那男子驚異地回頭看她，在看到她手裡握著的木劍時，厭惡地皺起了眉，「除魔者。」說著，他一掌推開她，消失在了原地。

……他不是人類嗎？

巫馬雪加怔怔地看著他消失的地方，不知道剛才自己是怎麼了，居然就那樣奇奇怪怪地拉住一個陌生人的胳膊。

胸腔裡，心臟仍在劇烈地跳動，然後疼得無法抑制，她捂著胸口蹲下身。

本來安靜地閉目斜倚在座椅裡的賴加忽然睜開眼睛，一手按住了方向盤，黑色的房車一個急煞車，停在馬路中央。

洛特氣急敗壞地一個爆栗敲在賴加的頭上，「親愛的，雖然我們是血族，也不可以太囂張哦——」

「我要下車。」賴加淡淡拋出一句，轉身就要拉車門。

「沒門，我剛剛才答應你的小點心要好好照顧你的呢，不要讓我在美女面前食言啊！」洛特一手將他按回椅子。

賴加被他死死地按在椅子裡動彈不得，只能冷冷地瞪著他，「放手。」

「瞧，你連我的手都推不開，都虛弱成這個樣子了，你現在出去能幹什麼？」洛特吊了吊眼睛，「難道你不知道現在魔宴同盟和我們關係正緊張，你現在出去是想被他們那個不懼陽光的大法官生吞活剝嗎？」

賴加瞪他。

「你想對我使用邪眼的力量嗎？」洛特張狂大笑，「哇哈哈，我用了防魔隱形眼鏡啦——」

賴加額前滑下三條黑線，然後撇開頭，「我感覺她出事了。」

「不是說有人跟著她嘛？你家小點心也不簡單的，沒有那麼容易出事。」洛特轉身從車內的小冰箱裡掏出一個紅酒瓶，倒出一杯猩紅的液體，「吃點東西吧。」

血的味道並不好聞，可是此時，賴加卻感覺自己對那杯血產生了渴望，這個念頭讓他感到厭惡。

那一日神殿之上發生的事情已經刻在他的記憶裡抹不去，這血的顏色讓他不快。

「怎麼了？你暈血嗎？」見他不接，洛特晃了晃杯子，開玩笑道，「暈血的血族──」

賴加伸手接過，閉上眼睛將杯中的液體一口飲盡，這才感覺舒服了一點。

「說真的，你的自制力真是強得可怕。」洛特以少有的認真表情看著他，然後又笑了起來，「簡直像一個嚴肅的禁欲主義者。」

賴加閉著眼睛，沒有理會他。

「你難道從來不會對你的小點心產生欲望嗎？」洛特忽然湊近了他，鬼鬼祟祟地笑道。

一隻冰涼的手放在了他的脖子上，帶著明顯的威脅。

「啊，我開玩笑的。」洛特笑著舉起雙手，作投降狀。

冰涼的手從他的脖子上撤走，洛特聽到他低低地說……

「她曾是我的守護天使，因為她的血可以起死回生，我害死了她。」

很簡短的一句話，洛特卻不再笑了，只是沉默著轉過身去開車。

因為有著相同的禁忌，有著相似的命運，他才能那般深刻地體會到那短短一句話裡，有多少無法觸及的往事。

連想起，都是痛。

不同的是，他選擇遺忘，而眼前這個總是冰冷的男人，卻選擇把自己釘在懺悔的十字架上，日復一日地看著自己血肉模糊。

04 蛇族納斯加

向天轉過街角，背靠著牆站定，心想那個丫頭真是越來越無法無天了，不好好嚇她一嚇，看她不把天都翻過來。憤憤地等了好一會兒，也沒見那個小小的身影追上來，他不由得有些惱怒。又過了一會兒，他終於按捺不住探出頭去看，卻見她一手捂住心口，正垂著頭蹲在地上一動不動。

向天慌了，忙跑了過去，「巫馬雪加，妳怎麼了？」

巫馬雪加微微抬頭，面色煞白，顫抖著唇，彷彿連氣都喘不過來了的樣子。

「心口又疼了嗎？」向天一手扶起她，讓她靠在臂彎裡，著急地問。

她咬住牙，顫抖著點頭。

「怎麼回事，不是已經治好了嗎？」向天臉色也青了。巫馬雪加從小就有心口痛的怪毛病，但是宗教裁判所前任所長看過之後，已經很久沒有復發了。

巫馬雪加搖頭，大滴大滴的冷汗從額頭滑落。

「忍著點，我送妳去醫院。」一把抱起她，向天匆匆攔了一輛計程車。

送進醫院的時候，巫馬雪加已經陷入了深度休克。向天出示了宗教裁判所的徽章，直接將巫馬雪加送進了「異常診療室」。

異常診療室是為宗教裁判所設立的特別治療部門，不出幾分鐘，巫馬家便接到了電話通知。

「雪加現在什麼情況？」巫馬文趕到的時候，雪加已經被轉進了重症加護病房。

「老師。」看到巫馬文，向天忙站起身迎了上去，「和那個時候一樣，醫生也查不出原因，不過暫時沒有生命危險了，只是不知道什麼時候能醒。」

「怎麼回事？早上出去還好好的。」

向天一臉愧疚地認錯：「是我不好，明知她身體不好還擅自離開她身邊。」

巫馬文拍了拍他的肩膀，「不怪你，雪加已經成人了，你沒有義務一直陪著她。」

「老師！我願意一輩子陪著她的！」向天捏了捏拳頭，忽然抬頭，看向巫馬文。

巫馬文愣了一下，然後明白了他話中的意思，皺了皺眉，「向天，你一直是我最看好的學生，雪加的身體你也知道，誰也不能保證她可以活到什麼時候，說不定隨時都可能離開。」

「我一定會好好照顧她的。」

巫馬文定定地看著他一會兒，才緩緩開口道：「記得你剛到家那一陣子，跟誰都不親，只願意欺負雪加。」

向天大汗，「那個是因為……」

「因為喜歡吧？」巫馬文笑了起來，然後揉了揉他的腦袋，「好吧，就把雪加交給你照顧，她可是我的寶貝女兒，要是受了什麼委屈，我不會饒了你的。」

向天微微紅了臉，然後不停地點頭，「嗯，如果我讓她瘦了哪怕一點，您就直接砍了我吧！」

「那你就要小心了。」巫馬文讚許地捶了他一拳，然後將手裡的檔案袋遞給他，「你看看這個。」

向天接過文件袋，打開一看，裡面是一張經過特別處理的相片，相片是用帶有靈力的相機照的，可以攝下非人類的影像。相片裡是一隻全身焦黑、面容恐怖的人形妖獸，陽光下，那妖獸的全身都在冒煙，彷彿隨時都會燃燒起來似的。雖然面容難辨，但那一雙銀灰色的眼睛卻是十分地熟悉，而拍攝的地點顯然就在風圖酒店門口。

「這是酒店裡的監視器拍下來的，經過測試，這是一隻十級的妖獸，甚至……還可能不只十級。」巫馬文看著向天，「小天，你見過這隻妖獸嗎？」

向天猶豫了一下。

「醫生在雪加脖子上發現了細小的傷口，雖然並不是牙印，但雪加的身體的確有輕度失血的跡象。」巫馬文盯著向天，「你見過它，是不是？」

看著巫馬文的眼睛，向天手心裡滲出汗來，他知道眼前這個看起來十分慈祥的父親同時是一個多麼強大的除魔者，什麼事都瞞不過他的眼睛。

「不方便告訴我嗎？」見他不答，巫馬文又問。

「雪加說……它是去救她的。」向天垂下頭，「所以應該不是它傷了雪加。」

「雪加什麼時候認識它的？」

「就是她成人禮試煉那一天，那隻妖獸似乎把雪加錯認成什麼人了。」向天回想了一下，答道，「對雪加，它似乎沒有什麼惡意。」

「成人禮那天雪加衣服上所謂十級妖獸的血跡就是它的吧？」

「嗯。」

巫馬文點點頭，「你留在這裡吧，不要再讓它接近雪加了，既然我們這邊知道了消息，宗教裁判所那邊一定也是瞞不住的。」

「是！」向天點頭。

夕陽餘暉尚存的時候，一個穿著白色襯衣黑色長西裝的男子踏進了醫院，引人注目的不僅僅是出色的容貌，還有那拒人於千里之外的冰冷表情。

「先生，這裡是禁止探視的！」見他走進了重症加護病房區，一個漂亮的護士忙上前攔住他。

「我有重要的人要見。」賴加低頭，看向她的眼睛。

「哦，好，那麼請進吧。」一接觸到他的眼睛，護士小姐眼神稍稍變了一下，然後讓了開來。

賴加直接走了進去。

巫馬雪加躺在重症加護病房的單人房裡，鼻子裡插著氧氣管，仍沒有醒來。賴加伸手撫上她蒼白得近乎透明的臉頰，面上的表情柔和下來。

指尖接觸到她頸間的傷口，吸血一族的敏銳嗅覺讓他聞到了屬於她的那種特別香甜的味道。血的味道……

面部表情微微一變，他如燙著了一般收回手，後退一步。

「怎麼，忍不住了？想喝她的血嗎？」一個帶著嘲諷的笑聲自他身後響起，向天將手中的銀色長棍抵在他頸間。

賴加緩緩轉過身，面無表情地看著他，用冷靜的表情吐出一句極不冷靜的話：「你算什麼東西。」

說完，賴加就後悔了，這麼長的時間真是白活了，他的話輕易就洩露了他的緊張。這個一直跟著她保護她的人類少年，他不用問也知道他與她關係匪淺，也許就是因為這樣，他才控制不住自己的情緒，竟然說出這樣失策的話來。

「我是什麼東西？」向天冷笑，「我從小和她一起長大，她的父親是我的老師，就在剛才，老師已經將她託付給我照顧了。」他一甩手中的長棍，指向他的鼻子，「巫馬雪加，由我來守護。」

「這樣啊。」賴加背在身後的手收成拳頭，恨不得一掌劈死他，「雪加也同意了嗎？」

向天被哽了一下，很快地反駁：「她會同意的。」

這個男人很危險，向天從第一眼看到他時就知道，更危險的是，巫馬雪加對他的感覺。就是因為這樣，他才放他進來，他必須跟他說清楚。

「那就是還沒有同意了。」賴加的拳頭鬆了鬆，心中暗道，你應該感謝她沒有同意，不然我會讓你徹底消失在她面前。

「知道我最大的優勢是什麼嗎？」

賴加微微瞇起眼睛。

「我是人類，你不是。」向天看著他，緩緩開口。

賴加的臉色變了變，那一夜，巫馬雪加生日的那一夜，喝醉酒的她那一句低低的「你為什麼不是人類」再一次擊中了他。

「請你離她遠一點，巫馬雪加是一個除魔者，你纏著她只會令她痛苦。」向天收回武器，「我自知敵不過你，可是我也要警告你，宗教裁判所已經知道你的存在了。」

被洛特拉著加入密隱同盟之後，賴加也對A市的形勢有了大致的了解。密隱同盟一脈的血族生存於魔界，由女王陛下統治，四百年前，不懼陽光的血族離叛變，另立魔宴同盟，自任魔宴同盟大法官，到人界作亂。洛特一行便是奉血族女王的命令來收服魔宴同盟，而宗教裁判所，則是人間的除魔者官方組織，以誅殺魔族為目標，因此，不論是魔宴同盟，還是密隱同盟，都在他們的誅殺範圍之內。

兩個男人間的劍拔弩張令病房裡的氣氛陡然緊張起來，而病床上的蒼白少女仍然在深度的睡眠中醒不過來。

就在這時，房間的門再一次無聲無息地被推開。

一個戴著墨鏡、穿著米白色雙排釦風衣和長靴的男人走了進來。

沒有人注意到，他一走進來，躺在床上的少女手指便微微動了一下，呼吸有些急促起來。

他剛進門，一根銀色的長棍便挾著風聲刺到他面前，那風揚起他深紫色的長髮，泛起淺淺的流光。

向天用長棍指著他的鼻子，戒備地看著他，「你是誰？」

滿身的妖氣，非我族類。

那男人毫不在意眼前的威脅，抬手摘下墨鏡，露出淺紫色的眼瞳，那是一張極其魔魅的臉孔，漂亮得有些不真實。

他沒有開口，只是淡淡推開指著他鼻子的長棍，然後從衣袋裡掏出一枚徽章在他眼前晃了晃。

向天訝異，「宗教裁判所的徽章怎麼會在你手裡？你不是人類！」

「我棄暗投明，不行嗎？」他終於笑了起來，那笑意卻是涼涼的，像是剛從冰箱裡凍過似的視線掃過站在病床旁的賴加。

賴加也正盯著他看。

兩人的視線交錯間，賴加感覺到比起那個時候，他的靈力弱了不少，以至於他一時竟然不能確定眼前這個人就是他。

「納斯加？」許久，賴加低低地開口確認。

「你認得我？」納斯加揚了揚眉，「朋友？還是敵人？」

「你不記得我了？」賴加的臉色絕對稱不上是看到朋友的表情。

「哦，抱歉，我把心弄丟了，所有連同那顆心的記憶都沒有了。」納斯加揮了揮手，說得不痛不癢的樣子。

賴加似乎忽然想起了什麼，扭頭看向床上的巫馬雪加。果然，她緊緊蹙著眉，呼吸越來越急促，雙手緊緊揪著床單。向天匆匆按響了床頭的警鈴，醫生跑進來的時候，巫馬雪加已經全身都在抽搐了。

一干人等全都被趕出了病房。

「納斯加是吧，所長叫你來幹什麼？」向天看著坐在走廊長椅上的納斯加，似乎他一進來，巫馬雪加的病情就加劇了，這中間有什麼必然的關聯嗎？

納斯加收回打量著賴加的眼神，笑了一下，不知道從哪裡摸出一條通體漆黑的小蛇來，低頭放在掌心逗弄著，「據說有恐怖的妖獸盯上了她的妹妹，要我來保護她。」

恐怖的妖獸……

向天白了賴加一眼，那個傢伙居然還可以一副事不關己的樣子，不就是在說他嗎？

納斯加的掌心裡，那一條不足他手指粗的黑色小蛇正嘶嘶地吐著信子，他微微轉動著指尖，那小蛇便隨著他的手指起舞，他的手指向哪兒，那小蛇的頭便昂向哪兒，小小的眼中泛著詭異的光。

正當納斯加要將手指向賴加的時候，病房的門忽然打開了，出來的不是醫生，也不是護士，居然是穿著白色病患服的巫馬雪加！

納斯加不動聲色地收回了指向賴加的手，繼續低頭逗著小蛇玩。

巫馬雪加搖搖晃晃地走出房間，眼睛居然還是閉著的！彷彿夢遊一般……

向天見她跑出來嚇了一跳，忙上前去扶她，「妳出來幹什麼！」

巫馬雪加揮手甩開他，仍然搖搖晃晃地往前走，向天被她大力一甩，居然撞上牆摔在地上，側頭一看，病房裡的醫生護士都是跟他差不多的慘狀……

到底發生什麼事情了！巫馬雪加剛剛那股怪力是怎麼回事！正當向天疑惑擔憂的時候，巫馬雪加已經繞過賴加，站在了納斯加的面前。

納斯加停止逗弄掌心的小蛇，疑惑地抬頭看了看站在自己面前的這個穿著病患服的蒼白少女，這才認出她竟然就是白天在大街上拉住他的那個奇怪女孩。

此時，她正閉著眼睛，彷彿被什麼牽引著走到他面前站定，然後做出了一個匪夷所思的動作。

……她俯下身伸手抱住他的脖子，貼在了他空蕩蕩的心口處。

納斯加稍稍怔了一下，然後回過神來，皺著眉嫌惡地想要推開她。她卻緊緊抱著他的脖子，不肯鬆手。

「喂！你下手輕點！她就是所長的妹妹巫馬雪加！」見他大力拉扯著她，向天大叫起來。

納斯加聞言，收了手上的力道，轉而挑起她尖尖的下巴，用冰冷的視線在她臉上巡視了一番，然後冷笑起來，「她是怎麼回事，花痴嗎？見到男人就貼上來？喂，我說你們所長讓人保護她是幌子吧，想給妹妹找個男人嗎？」

向天憤怒起來，「你閉嘴！放下你的髒手！不准汙辱她！」

納斯加鬆開手，笑吟吟地張開雙臂，作無辜狀，「我倒是想放開我的髒手，可是你的小公主不肯放開我呀。」

一直沉默著的賴加上前一步，將意識模糊的巫馬雪加從納斯加的懷中拉了出來，然後不顧她的掙扎，將她緊緊按在懷中。

他緊緊抱著她，面上的表情一片冰冷，彷彿整個人都化成了一座冰雕。

是他的錯。

是他的錯。

如果不是他的無知和愚蠢，她就不會為他付出生命的代價，也不會受到今天這般的汙辱。

可是現在，他竟然什麼都不能說，因為納斯加為她挖出了自己的心，而他，一直都在索取，卻從來沒有為她付出過什麼。

他收攏著雙臂，低垂著頭，靜靜地抱著懷中不停掙扎著要撲向納斯加的少女，柔軟的黑色短髮拂在少女的臉上。巫馬雪加忽然怔忡了一下，然後竟然漸漸安靜下來，她緩緩仰起頭，茫茫然睜開眼睛，看入一雙微微泛著紅的銀灰色眼眸中。

「賴加……」她喃喃。

「嗯。」賴加輕應著，僵直的脣邊牽起一抹淡得幾乎分辨不清的笑容。

巫馬雪加緩緩抬起手，指尖輕觸到他眼角的時候，終是無力地垂了下去，再一次失去了知覺。

賴加緊緊抱住她下滑的身體，就在這時，他感覺到身後有一股極其陰寒的氣息迅速逼近，帶著十足的惡意。賴加抱著巫馬雪加躲過了攻擊，回頭一看，納斯加仍笑咪咪地坐在長椅上，手中那條黑色的小蛇卻正昂著頭對他吐著長長的信子。

「你幹什麼？」向天惟恐傷到巫馬雪加，急忙用長棍將他們隔開。

「我沒有告訴你們嗎？所長下的是誅殺令。」納斯加甩出一張相片。

向天接過，那張相片，竟然與巫馬文給他看的那張一模一樣，相片裡的人正是賴加。

「想殺我，就憑你？」賴加淡淡地看著他。

「我不管你們怎麼鬥，把巫馬雪加還給我。」向天伸手。

賴加低頭看了一眼倚在自己懷中已經陷入沉睡的少女，猶豫了一下，還是將她交到了向天手中。

也是，不能傷了她。

眼看著向天抱著巫馬雪加，將她送回病房，納斯加逗弄著手中的小蛇輕輕笑了起來，「還真是深情呢。」說著，看到賴加有些複雜的神色，又摸了摸下巴道，「怎麼，你果然認識我？」

「我認識的納斯加，雖然也是個討厭的傢伙，卻比你好上許多，曾經那麼驕傲的人物，怎麼就甘願做了宗教裁判所的走狗呢？」賴加沉聲道。

「走狗嗎？」納斯加一點也不在意地笑了一下，「我只是跟那個潑辣的姑娘做了筆交易，她應允我，只要我將你送進宗教裁判所，便可以給我找一顆合適的心。」

「心？」賴加愣了一下。

「嗯，沒有心，總感覺胸口涼涼的，難受。」納斯加笑著說，然後毫無預兆地放出手中的小黑蛇，那小黑蛇驟然變成巨蟒，將賴加緊緊地裹住。

賴加卻沒有掙扎，也沒有躲避。

那一天，在他與克洛怡的婚禮之上，是眼前這個蛇族男子，他滿身是血地抱著死去的茉伊拉出現在他面前，喚醒了他所有的記憶。

讓他沒有錯得更加離譜。

「你知道吧，其實我很感激你。」看著他，賴加忽然道，「比起在皇宮中錦衣玉食渾渾噩噩地過一輩子，我更喜歡與茉伊拉同眠在泥土之下，等待她重生的機會。」

淺紫色的眼眸淡淡地看向賴加，並沒有因為他的話而有任何的波動。

果然……一點……都沒剩下了。

對於茉伊拉的記憶……

一點，都沒剩下了。

此時的賴加，不知道是該慶幸，還是該悲哀。

他再也不用擔心這個男人會一直纏著茉伊拉，可是他眼裡的空洞，他消退的靈力，都令他無法忘記他為茉伊拉所做的一切。

那一天，是這個男人，當著他的面，掏出自己的心，放入茉伊拉的心口處，換取她重生的機會。

那時，他是那樣清楚地看到了那雙淺紫色的眼睛裡那深切的悲哀。

「十級的妖獸，說得有多麼可怕，卻原來是如此的不堪一擊啊。」納斯加笑著走近賴加。

「只要將我送進宗教裁判所，你便可以得到一顆合適的心嗎？」賴加問。

「是這樣，沒錯。」納斯加心情甚好地捆住他。

從監視器中看到納斯加輕易綁住賴加的鏡頭，巫馬火野驚詫萬分，她回頭看向巫馬文，「父親，你……」

「驚訝為什麼一個廢了大半靈力的蛇族可以捉住一隻十級的妖獸？」巫馬文笑著。

巫馬火野連連點頭，父親讓她將捉拿十級妖獸的事情交給一個連心都沒有，且靈力一般的蛇妖時，她還表示了反對，她卻怎麼也沒有料到，那蛇妖居然成功了。

「這個世界上，可以除去那隻妖獸的，只有妳妹妹和那條蛇，雪加那孩子心慈手軟，定是下不了手，所以只有讓牠去了。」

「為什麼？」巫馬火野不服，一點除魔能力都沒有的雪加，憑什麼可以得到父親這樣的評價！

「那是前世欠下的債。」巫馬文笑著走出門去。

雪加從小便有心口痛的怪毛病，任何醫院都查不出病因，直到雪加三歲那年，宗教裁判所的前任所長見到她，終於查出了所謂的病因。而那個病因，他對誰都沒有說過，自宗教裁判所前任所長過世之後，這更成為了一個永恆的祕密。

那位前任所長有一個驚人的能力，他可以看透人的前世。

那一天，宗教裁判所的前任所長告訴巫馬文一個關於守護天使和妖獸的故事，故事裡，還有一條獻出心臟的蛇妖。

05 東方曉

冰冷的、黏稠的液體正一滴一滴落在她的臉上，巫馬雪加困惑地睜大眼睛，想要努力看清楚眼前的狀況，卻發現自己手裡正握著一根尖銳的木樁，而木樁的頂端上……沾滿了那些殷紅黏稠充滿著鐵鏽味的液體。

「那麼妳呢？」耳邊，忽然響起一個溫柔的聲音，他這樣問她。

「我？」她迷茫的聲音，然後那聲音似乎帶了笑，「我當然也希望能夠殺了你啊，殺了你，把你放在那間充滿了腐朽之味的陳列室裡，我就會成為最偉大的除魔者，爸爸媽媽就會像喜歡姐姐一樣喜歡我了……」

「那麼，妳就殺了我吧。」他這樣溫柔地告訴她。

他允許她殺了他，他只允許她殺了他。

「妳可以用木樁釘入我的心臟，或者……砍去我的頭顱。」他抵在她耳邊，輕言細語，教她如何殺了他。

巫馬雪加倏地瞪大眼睛，看清了那被她用木樁釘入心口的人，竟然是……

「賴加！」驚喘著，她汗津津地睜開眼睛，驚惶四顧，這才發現自己仍躺在醫院的床上。

驚魂未定地躺了好一會兒，她才緩過神來，慢慢地坐起身。她低下頭，攤開手掌，怔怔地盯

著自己的掌心看。

掌心裡，那溼冷黏稠的感覺竟是那樣的真實，揮之不去。

她大概睡了很久，看了看時間，已經是第二日的下午了，房間裡沒有其他人，連一直陪著她的向天也不知去哪兒了。巫馬雪加自己倒了一杯熱水捧在掌心，溫暖的感覺漸漸驅散了她心底的寒意。

喝光了杯裡的水，躺下卻再也睡不著了，一種說不出來的不安感襲捲上心頭。

翻來覆去了一會兒，她乾脆下床披了一件厚厚的長外套，套了一條羊毛裙，穿上雪地靴，推門走了出去。

她想起了那令她昏倒的心絞痛，又想起了在大街上遇到的那個戴著墨鏡、有著深紫色長髮的男人。

不知不覺又回到了偶遇他的那片街區，她在街口呆呆地站了一陣子，感覺到周圍有路人在指指點點，巫馬雪加這才覺得自己的行為有點奇怪，忙低頭拉了拉衣襟走進了街角的咖啡廳。

一走進咖啡廳，巫馬雪加便注意到了坐在臨街玻璃窗旁的位置上、那個穿著橘紅色羽絨衫的少女，那女孩年紀與她相仿，卻面色蒼白，身上沒有人類該有的氣息。

簡而言之，她不是人類。

雖然沒有除魔的天賦，但這種基本的辨別，巫馬雪加還是可以做到的。

出於職業習慣，她暗暗地留意著那個少女。

一杯、兩杯、三杯……巫馬雪加坐在角落裡，默默地數著那個蒼白少女將免費續杯的咖啡喝到第十一杯，且看起來仍沒有停止的打算。

百無聊賴間，巫馬雪加的視線繞到了那個少女的膝上，她膝上蜷著一隻雪白的小狐。此時，那雪白的小狐正卯足了勁兒蹭著少女，毛茸茸的樣子看起來煞是惹人喜愛，而那少女卻彷彿無知無覺似的，視線正透過玻璃窗痴痴地看著馬路對面的一間公共廁所。

巫馬雪加雖然不理解她盯著公共廁所發呆的古怪行為，可是卻在她身上感覺到了吸血鬼的味道。

但巫馬雪加卻又不能確定她便是吸血鬼，因為陽光正透過玻璃窗照射在她的身上，而她卻安然無恙，且沒有半點不適。然後她聯想到了那個不懼怕陽光的血族，魔宴同盟的大法官離。

「我可以坐在這裡嗎？」巫馬雪加走了過去，笑著打招呼。

她還是決定探探虛實。

「嗯。」穿著橘紅色羽絨衫的少女抬頭看她，扯了一個淺淺的笑。

少女膝上的小狐卻突然扭過頭來看向巫馬雪加，不知道是不是錯覺，她竟然在那雙黑亮的狐狸眼睛裡看到了熟稔的感覺。

「妳的寵物很可愛。」被自己的想法逗笑，巫馬雪加道。

「是吧。」少女的笑意卻因為她的誇獎而加深了，一副與有榮焉的樣子，她低頭撫了撫那白色的小狐，「多虧有牠一直陪著我。」

白色的小狐動了動尖尖的耳朵，很乖地蹭了蹭她的掌心。

「這麼漂亮的小狐，在哪家寵物商店買的呀？」

「小乖是我撿到的，準確來說……」那少女的笑容忽然落寞起來，「是和我一起在垃圾堆裡被

人撿走的，只是……撿我們的那個人已經失蹤五年了，我一直在等他。」

「妳一定會等到他的。」許是她落寞的笑容讓巫馬雪加心生不忍，她忙出言安慰。

「嗯。」她笑了一下，然後忽然僵住，不敢置信似的看著前方，黑色的眸子倏地煥發出色彩，「小乖，他……他回來了……」她喃喃著開口，語氣因為激動而微微發抖。

巫馬雪加好奇地順著她的視線透過透明的玻璃窗看向對街的方向，在她還沒來得及看清楚那女孩到底發現了什麼的時候，那女孩已經雙手按著桌面急急地站起身，然後飛快地跑出了咖啡廳。

那隻被她叫做「小乖」的雪白小狐從她的膝上落了下來，「啪」的一聲掉在地上。那女孩卻彷彿一點都沒有察覺到似的，腳步絲毫未作停頓，就那樣直直地衝向對面的大街。

粉團似的小狐晃了晃腦袋，側頭看向那少女離開的方向，黑亮的眼睛裡藏了太多說不清道不明的情緒，然後牠瞇了瞇眼睛，懶洋洋地自己爬了起來。

「誰的寵物掉了？」服務員走了過來，捏著小狐頸上的皮毛，將牠拎了起來。那小狐掙扎起來，眾目睽睽之下，牠看起來有點無助。

「啊，是我朋友的，她出去一下，一會兒就回來。」巫馬雪加站起身，笑著接過那小狐，抱在懷中。

雪白的小狐在她懷裡乖乖待著，不動了。

抱著小狐，巫馬雪加轉過身，透過玻璃窗去尋找那少女的身影，卻見她正滿面悽惶地站在大街中央，無助地四下張望。

交通堵塞起來，司機們被迫停車，紛紛伸出腦袋來罵，那少女卻充耳未聞似的，仍然站在馬路中央左顧右盼，不知道在尋找些什麼。

突然間，有一輛煞不住車的轎車直直地衝向那少女，巫馬雪加感覺手上一疼，低頭一看，自己的手背已被那小狐尖利的爪子劃出了兩條長長的血痕，而那小狐正弓著身子要飛撲出去，一副護主心切的模樣。

好在這時有人拉住了那少女，那輛車險險地貼著她飛馳而過，巫馬雪加忙低頭安撫護主心切的小狐。

小狐已經恢復了平靜。

驚訝於牠的通人性，巫馬雪加再次抬頭時，看清了那個在關鍵時刻拉住少女的人。

那個人竟然是……宗教裁判所的祭司迦斯大人？

那個微笑著站在女孩面前的他穿著白色的套頭毛衣，灰褐色的休閒褲，鼻梁上架著一副無框眼鏡，整個人看起來斯文儒雅且溫和無害，與那個總是穿著聖十字制服、氣場逼人的祭司判若兩人。

不知道那蒼白少女說了什麼，迦斯笑了起來，笑容明淨而溫暖。

巫馬雪加見過這個男子的笑容，他對所有人都微笑，他的笑容總是溫和有禮，卻又淡漠疏離，彷彿長在臉上的一層面具。

但此時此刻，他對著眼前的少女，卻笑得那般溫暖宜人。

巫馬雪加想起剛剛那個女孩說「他回來了」，莫非這個宗教裁判所的祭司大人，竟然就是她要等的人，那個……撿到她的人？

看著他溫柔地替她抹去所有眼淚，看著他將她擁入懷中，巫馬雪加感覺到自己懷中被遺忘的

小狐微微顫了一下，然後趴在她懷裡不動彈了。

「她來接你了。」巫馬雪加看到那女孩不知道說了些什麼，然後便拉著迦斯走進咖啡廳，不禁有些高興起來，忙低頭對著小狐道。

小狐卻是一點也不領情的樣子，牠輕輕鬆鬆地從巫馬雪加的懷中躍下，四足踏地，一個閃身便消失在了櫃檯後面。

「妳好，我叫東方曉。」小狐剛離開，那女孩便已經走到了巫馬雪加面前，她挽著迦斯的胳膊，蒼白的臉龐因為開心幸福的表情而顯得生動許多，「他就是剛剛跟妳說的，那個我一直在等的人，妳真是我的福星，說可以等到便真的等到了！」

「你好，我是巫馬雪加。」巫馬雪加下意識地後退一步，對著迦斯行了個禮。

迦斯點點頭，淺淺微笑，看樣子是不打算和她多說。

巫馬雪加十分識趣地沒有多講，這個叫東方曉的女孩明顯不是人類，而迦斯卻是宗教裁判所的祭司，這樣的立場，不管怎麼看都不適宜當面講破。

「小乖呢？」東方曉四下看了看。

「剛剛我看到牠跑到櫃檯後面去了……」巫馬雪加指了指櫃檯。

東方曉忙追了過去，櫃檯後面是廁所，可是牠居然不在裡面。

「都怪我，我不該那麼粗心把牠一個人留在這裡。」她皺著眉，懊悔不已。

「牠會自己回來的。」迦斯撫了撫她的腦袋，聲音十分溫和，讓人忍不住要信服他所講的每一句話。

東方曉仍舊不死心地進了廁所徹底查看一番，仍然沒有找到她的小乖。

看著東方曉跟著迦斯一步三回頭地離開咖啡廳，巫馬雪加有些好奇地走進廁所，細細查看了一下，也沒有找到那隻小狐。正當她打算離開的時候，男廁所的門卻開了。

一個穿著黑白條紋高領毛衣的男子走了過來，腦袋後面紮了一條鬆鬆散散的馬尾辮，最引人注目的是，他長了一張能夠顛倒眾生的臉，俗稱的禍水妖孽相。

此時，他正倚在男廁所對面，衝著巫馬雪加笑。

那眼神……絕對的熟悉。

「小……乖？」鬼使神差地，巫馬雪加喃喃地叫出了那隻小白狐的名字。

「我更喜歡妳叫我小霜。」聞人霜笑盈盈地走到她身邊，「時間真快，連小天使都轉生了呀。」

因他這句話，巫馬雪加徹底迷茫了，「你……真的是那隻小白狐？」

「嗯啊——」聞人霜爽快地承認。

狐妖！

巫馬雪加下意識要掏劍，卻想起她的劍還在醫院裡，沒有帶出來。

她居然分辨不出他的真身，他的力量一定非同小可……她這是什麼運氣啊，隨便上街溜達一下就可以碰到這樣高級的妖獸。

正當巫馬雪加糾結著開始思索眼前這隻狐妖的力量值的時候，聞人霜忽然伸出胳膊，結結實實地一把將她攬在懷裡，抱住。

巫馬雪加在他懷裡石化成一尊雕像，他這又是什麼毛病啊……見人就抱……

不期然地，她想起了賴加，那個傢伙也是，一見她就抱，彷彿上輩子就認得她似的。

「茉伊拉，我終於找到東方曉了。」正當她要推開他的時候，她聽到他這樣講。

語氣裡帶著滿足，帶著喟嘆。

然後她忽然有些不忍心就這樣推開他。

……也許是因為那一句「終於」？

「你喜歡她？」她問。

他沒有回答。

喜歡嗎？

他無法回答。

已經不是喜歡可以形容的了，那其間，還有那麼長久的期盼、尋找和等待。

巫馬雪加忽然有點了解剛剛他躲起來的用意了，眼看著東方曉為另一個男子露出幸福的表情，他心中定然十分難受吧，可是既然喜歡，為什麼不告訴她，還要眼睜睜看著她跟著迦斯離開？

「因為，在她面前，我無法維持人形。」他低低地道。

他可以看到她心裡在想什麼？巫馬雪加呆住了。

「嗯，我有窺心術。」他埋首在她肩頭，吃吃地笑，「連這個也忘記了嗎？」

巫馬雪加這才想起來，剛剛他似乎叫她「茉伊拉」？對於這個名字，她並不陌生，賴加也這樣叫過她。

「茉伊拉，是誰？」抬起頭，巫馬雪加看向他魅惑人心的臉龐。

聞人霜定定地看了她半天，然後抬手撓了撓腦袋，「怎麼說呢……嗯，妳的前世，這樣講明白嗎？」

……果然是上輩子就認得嗎？

巫馬雪加黑線了一下，作為一名從小便生活在有妖魔鬼怪的世界裡的除魔者，要她接受這種論調其實也不是很困難。

只是……當這種狀況發生在自己身上，還是感覺有些怪異。

「茉伊拉……我是說我的前世，是什麼樣子的？」巫馬雪加有些好奇。

「唔，善良，單蠢，以拯救世界為己任。」聞人霜簡單概括了一下。

巫馬雪加瞪大眼睛，她沒有聽錯吧？他說的是「單蠢」，不是「單純」。

「我們一定要在男廁所門口討論我們的前世今生嗎？」聞人霜的聲音嗲兮兮地飄了過來。

巫馬雪加冷汗了一下，這才發現好多人正盯著這邊看，忙拉著他走了出來，回到剛剛的位置坐下。

「拯救世界啊……還真是了不起的理想。」巫馬雪加喝了一口咖啡，發現已經涼掉了，接著剛剛的話題道。

「你認識賴加嗎？」巫馬雪加識相地沒有繼續剛剛那個令人想狂扁她的話題。

「嗯哼——」不予置評的表情。

聞人霜沒有立即回答她，只是高深莫測地看著她。

「為什麼這樣看我？」巫馬雪加皺起眉，強迫自己不要想什麼東西，因為他有窺心術。

「哦，沒什麼，只是聽妳提起這個名字，然後有了一些感應。」聞人霜抬手叫了一份黑森林蛋糕。

巫馬雪加看著他開心地吃蛋糕的模樣，忍不住想起了賴加。

那時，他說，妳可以選一個陽光明媚的天氣約我出來，讓我在陽光下死去。

他說，對我來說，這是最美的死法，如果可以有一個杏仁糖泥的蛋糕，就更好了。

「唔，還真是深情呢——」尖尖的耳朵動了一下，聞人霜笑咪咪地抬起頭來，伸舌舔去脣邊的蛋糕。

……巫馬雪加的臉一下紅到了耳根，又忘記這個傢伙有窺心術了！

「偷看人家心裡想什麼是不禮貌的！」她憤憤地站起身，跑到櫃檯邊，然後小小聲地問，「有杏仁糖泥嗎？」

「杏仁糖泥？」可愛的櫃檯小姐愣了一下，轉身從櫃檯裡取出一個小盒子，「真奇怪呀，居然真的有人買這種東西。」

「嗯？」巫馬雪加疑惑了一下。

「真巧，就這麼一個，是我們糕點師傅心血來潮做出來的，說這是生日蛋糕的原形，古代歐洲人用這個當作生日蛋糕。」櫃檯小姐笑咪咪地解釋。

「哦哦。」巫馬雪加忙小心翼翼地接過。

拎著裝有杏仁糖泥的袋子走出咖啡廳，便看到聞人霜正站在門口伸懶腰，美男就是美男，連伸個懶腰都引來幾個女孩的頻頻側目。

「好久沒有變成人形了，都快忘記怎麼走路了——」聞人霜哼哼唧唧的聲音飄了過來。

「你不回去找東方曉嗎？」

聞人霜張開的手臂頓了頓，然後交疊著枕到腦後，笑咪咪地轉過身來，「我不要，我在吃醋，這一回，我要等她來找我。」

還真是坦白哪……

……可是這是完全沒有意義的吃醋啊。

人家就算回來，也是來找寵物的吧……

「嗯哼，我聽到妳在腹誹哦——」聞人霜皺了皺鼻子，然後視線落在巫馬雪加手中的蛋糕袋上，訝異，「杏仁糖泥？」

巫馬雪加不爭氣地又紅了臉。

「問妳哦。」聞人霜忽然走到她面前站定，看著她的眼睛。

「什麼？」被他突然嚴肅起來的表情嚇到，巫馬雪加緊張地看著他。

「如果賴加一定要死，妳是寧可他死在別人手裡，還是死在妳手裡？」聞人霜看著她的眼睛，問。

「為什麼……一定要死？」巫馬雪加抖了抖唇，下意識地想要反駁。

「回答我。」

巫馬雪加怔怔地看著他，明白這個突然出現的狐妖並不是在開玩笑。

「如果一定要死，我寧可他死在我手裡。」巫馬雪加終於鎮定下來，說出口的聲音竟是冷靜無比，不帶一絲顫抖，「因為，我答應過他的。」

聞人霜的神情緩和下來，然後又笑了起來，「怎麼轉了世，還是一樣的單蠢。」

「你！」巫馬雪加跳腳。

「走吧，我們去救他。」聞人霜笑咪咪地拉住她，「……再不去他大概就真的玩完了。」

「什麼？」巫馬雪加驚住。

聞人霜沒有再回答她，拉著她的手消失在原地。

06 杏仁糖泥

巫馬雪加第一次體會到什麼叫瞬間移動。

很奇妙的法術。

冬日凜冽的風裡，帶著煙與火的味道，黃昏時分，夕陽隱沒在厚重的雲層裡。出現在巫馬雪加面前的，是一棟正熊熊燃燒著的廢棄小樓。

「為什麼帶我來這裡？」巫馬雪加疑惑。

聞人霜沒有回答她，只是瞇著眼睛看向小樓前的一株大樹。

大樹下，站著一個穿著白色風衣的男子，他半倚著樹幹，似乎在打盹，被風揚起的紫色長髮幾乎擋住了他的臉。

雖然如此，聞人霜還是一眼就認出了他是誰。

納斯加……

前世今生在這裡交會成一點，該出現的人一一粉墨登場。

聞人霜忍不住輕笑，宿命這種東西，真的是很玄妙。就如他，明明趕在所有人之前，第一個遇見了東方曉。結果呢，結果他卻因為必須遵守時空法則，而無法在她面前維持人形；結果他還是只能眼睜睜看著迦斯出現，看著她被哥哥聞人白吸血，看著她變成血族，再看著她遇到洛特……

不管有多少的不甘心，終也只是無可奈何而已。

他只能眼睜睜看著她幸福，看著她悲傷，看著她陷入危險，看著她的喜怒哀樂一步一步按著命運朝著既定的結局一幕幕上演，他卻無法參與其中。

他只是一個旁觀者。

一個知道了太多的旁觀者。

有時候，知道得多了，也是種痛苦。

巫馬雪加也看到了納斯加，然後她感覺自己的心跳又開始不規律。她蒼白著臉，強行壓抑著要邁向他的腳步。

「賴加在裡面。」聞人霜看著她手裡拎著的那盒杏仁糖泥，輕聲開口。

「什麼……」巫馬雪加的臉色又白了幾分，她不敢置信地回頭，看向那片熊熊大火，「他……在那裡？」

「嗯。」

巫馬雪加腦袋裡轟然作響，滿腦子都是那一天夜裡，他微微帶著苦笑的神情。

他說，我很怕火。

那麼強悍的人，居然說，「如果可以，我不希望用那種方法死去。」

……死也沒有關係。

他只是不希望死在火中。

那麼卑微的念頭，卻也無法實現嗎？

巫馬雪加咬住脣，拔腿衝向那棟搖搖欲墜的小樓。

白色的身影微微一晃，納斯加擋住了她的去路。

「讓開！」巫馬雪加低吼。

納斯加晃了晃手裡代表著宗教裁判所的徽章，淺紫色的眼睛裡閃著冷冷的光芒，「這是妳姐姐的命令，可憐的小公主。」

「我說，讓開！」巫馬雪加咬牙。

納斯加不悅地瞇了瞇眼睛，「不要壞我的事，否則我可不管妳是什麼東西，見鬼的除魔者。」

「納斯加，我們來敘敘舊吧。」那廂，聞人霜一步三搖地晃了過來，笑嘻嘻地搭上他的肩。

納斯加神色一變，聞人霜看似輕輕地攬著他的肩，可是他竟然動彈不得。

「妳去吧。」聞人霜對著巫馬雪加抬了抬下巴。

巫馬雪加胡亂點點頭，轉身飛奔進了火場。

「喂！那樓已經快塌了！」納斯加氣得大喊。

「你在擔心她嗎？」身後，那個陰魂不散的男人笑道。

「我連心都沒有，拿什麼擔？」納斯加回頭斜睨了他一眼，卻不明白剛剛那不舒服的感覺到底是為了什麼。

聞人霜鬆開手，聳了聳肩。

枯木在火中「嗶剝」作響，巫馬雪加被煙霧迷住了視線，眼前煙霧繚繞，什麼都看不清。

「賴加，賴加，你在哪裡？賴加……」一腳踏到一塊燃著的木頭，巫馬雪加感覺腳心一痛，差點被絆倒。

「雪加？」煙霧中，響起一個低低的聲音。

巫馬雪加忙循著聲音走了過去，看清眼前的人後，她差點掉下淚來。

賴加半躺在地上，胸口釘著一根木樁，有血不住地從傷口湧出，脖子上也有一個極恐怖的傷口，似乎有人曾經試圖砍下他的頭顱卻沒有能夠如願，血糊得他全身都是。

「你……你不是說了只有我可以殺你的嗎？」喉嚨裡哽住，她啞著聲音衝他大喊。

「嗯。」他居然微微笑了一下，「所以我一直在等妳。」

巫馬雪加衝到他身邊，咬牙含淚拔出了插在他心口處的那個木樁，又脫下自己的外套罩在他身上，拉上拉鏈。

不一會兒，外套就被血浸透了。

「快走吧，樓快塌了。」賴加試圖站起身，卻一直站不起來。

「十級妖獸都像你這麼沒用嗎？隨隨便便就被人家捉住！」巫馬雪加恨恨地罵。

賴加只是笑。

「還會笑！不痛嗎？」巫馬雪加瞪他，眼睛裡的淚水卻是止不住地往下掉。

「不痛。」賴加想摸她的臉，抬起手卻發現自己滿手都是血汙。

巫馬雪加沒有在意他的動作，扶著他站起身。賴加倚著她，忽然臉色一變，抬手劃出了一片結界，一根燃燒著倒向他們的柱子被隔絕在了結界之外。

這麼一動，賴加又倒了下去。

巫馬雪加拉不住他，隨他一起倒了下去，一頭栽進了他的懷裡。見碰到了他的傷口，巫馬雪加慌忙起身，「有沒有壓到你？」

「沒事，只是我們暫時出不去了。」賴加靠著結界壁坐起身，看著她笑了一下，「我竟然聞到了杏仁糖泥的味道。」

巫馬雪加聞言，四處看了看，剛剛一直拎在手裡的紙盒已經掉在地上被壓扁了，她忙撿了起來，打開一看，不禁有些沮喪，「被壓壞了。」

賴加沒有動靜。

巫馬雪加抬頭看他，卻看到他正怔怔地看著她手裡的杏仁糖泥，火光中，那雙銀灰色的眼睛裡竟蒙上了一層淺淺的薄霧。

賴加低下頭，將沾了血汙的手在身上擦了又擦，奈何他滿身都是血，已經尋不到一塊乾淨的地方了，怎麼擦都擦不去他手上的血跡。

鼻子裡一酸，喉間彷彿被什麼哽住了，巫馬雪加垂下眼簾，將被壓扁的紙盒放在自己的膝上，然後捉住他的手，拉起自己的裙子，一點一點將他的手擦乾淨。

「吃吧。」她將紙盒放在他已經被擦乾淨的手裡。

賴加低頭，咬了一口。

沒有味道。

記憶裡，應該是香甜的味道，可是……他已經不是人類了，他變成了以血為生的吸血鬼。除了血液，任何食物對他而言，都是沒有味道的。

明明喜歡陽光，卻不得不永遠棲身在黑暗之中。

明明喜歡甜食，卻不得不永遠以鮮血為食。

「好吃嗎?」巫馬雪加問。

「嗯。」賴加狼吞虎嚥,一點優雅也不見,吃得像個孩子。

巫馬雪加伸手,抱住他。

「會怕嗎?」她問。

頭抵在她的肩上,賴加搖頭,「原先會,現在不了。」

看到她,他便什麼都不怕了。

「傻瓜一樣的。」巫馬雪加抱緊了他,然後感覺到他身上的濡溼,驚慌起來,「怎麼回事,血為什麼還在流?血族不是有自我癒合能力的嗎?」

賴加默然不語。

情急中,巫馬雪加忽然想起了些什麼,忙將頭髮撥到一邊,「要喝血對不對?你失血太多了,應該控制不住想喝血才對,喝我的吧。」

賴加臉上的笑容一下消失不見,臉色變得極其難看,他拉下她的手,緊緊抱住她。

巫馬雪加被他抱得有些喘不過氣來,可是閉著眼睛等了許久,他都沒有咬上來。

「賴加,你喝我的血吧。」她試圖推開他。

賴加不鬆手。

事實上,他的確快要控制不住了,生命隨著血液一起在流失,等血流光了,他大概也要玩完了。

可是……他絕對、絕對、絕對不會咬她!

絕對不會。

巫馬雪加被他緊緊抱著，心裡又氣又急，不知道他在執拗些什麼，「你少喝一點不行嗎？就喝一點點。」

賴加根本不理她。

萬般焦急中，火忽然滅了。

巫馬雪加抬頭，看到結界外面的房子只剩下一個焦黑的框架，然後她看到向天拎著水管衝了進來。

「巫馬雪加！巫馬雪加妳在哪裡？回答我一聲！回答我一聲啊！」向天一邊滅火一邊大叫。

巫馬雪加張了張嘴巴，剛要回答，便看到一道人影一閃，然後她感覺自己身子一輕，對上了一雙含笑的湛藍眼睛。

洛特？

他是賴加的朋友吧……

再一次體驗了一次瞬間移動的感覺，巫馬雪加睜開眼睛的時候，已經坐在寬敞的車廂裡了。滿身是血的賴加坐在她旁邊，斜倚著身子，腦袋無力地靠在她的膝上，黑色的短髮被血糊成一縷一縷的，胡亂散落在她的膝上。

「賴加，賴加……」巫馬雪加慌忙推了推他。

賴加動了一下，緩緩睜開眼睛，銀灰色的眼睛已經失去了焦距。

這時，一隻修長蒼白宛如上好玉石雕成的手覆在賴加的脖子上，巫馬雪加驚了一下，抬頭便看到一張跟那隻狐妖小乖長得一模一樣的臉。

「小霜？」她愣愣地看著他，然後搖頭，「不對，你不是小霜，你是誰？」那隻狐妖的頭髮是黑色的，眼前這個卻是白色的。

明明長了一張跟那隻狐妖一模一樣的臉，這張臉上卻極其缺乏表情，比之小霜那總是喜笑顏開的臉，真的是十分怪異。

這個男子沒有開口，倒是從車前的駕駛座傳來一個有些熟悉的聲音：「別擔心，他是聞人霜的哥哥聞人白，他的治癒術很強的，賴加不會有問題。」說著，他笑咪咪地轉過臉來。

原來是洛特。

巫馬雪加稍稍放下心來，低頭看了看賴加，他脖子上的傷口果然越來越小，不一會兒便消失不見了。

「小白，他……」巫馬雪加有些擔心地看著賴加的眼瞳微微發紅。

「妳叫我什麼？」一個平板的聲音響起。

巫馬雪加愣了一下，都是因為小霜，她竟然隨口就……輕咳了一下，她忙改口：「聞人先生，他為什麼看起來還是不舒服的樣子……」

「妳以為他是什麼？他是血族，自然需要血液維持生命，如果再不進食，誰也救不了他。」聞人白難得說了一句長長的話，然後彷彿因為說話超支似的，轉過身閉口不語。

「現在找血源已經來不及了。」洛特撫面。

進食？

巫馬雪加立刻明白過來了，忙將自己的手腕送到賴加的嘴邊。

賴加定定地看著她，尖利的獠牙從他的口中齜出，眼中的紅色更盛。

「喝啊。」巫馬雪加焦急地催促他。

尖利的獠牙咬破了自己的唇，賴加無力地偏過頭，卻怎麼也不肯向著她的手腕咬下去。

「你在堅持什麼！再不喝血你會死的！」巫馬雪加氣得大吼。

賴加的唇微微動了動，「不要看我，不要看我……」

如此醜陋的模樣……他不想被她看見……

衣袋裡，手機鈴聲忽然響起，打破了有些僵持的氣氛。

「你說過只有我可以殺你的！現在我還沒有允許你死，你憑什麼去死！」巫馬雪加沒有去理會手機鈴聲，兀自低頭憤憤地咬破自己的手腕，然後將滴血的手腕強行送到他的唇邊。

殷紅的血液塗滿了他蒼白的唇，看起來有種詭異的美豔，那雙銀灰色的眼睛盛滿了哀慟。

「你這樣，到底在懲罰誰呢？」前座，洛特嘆息。

巫馬雪加的眼裡滿是淚水，她伸出另一隻手，緩緩覆上他的眼睛，「喝吧，求你了。」

手腕微微一痛，賴加終於張嘴咬住了她的手腕，然後巫馬雪加感覺到自己的掌心裡，有冰涼的液體滑下。

他在哭。

許久，他鬆了口。

巫馬雪加緩緩收回手。

賴加仰面躺在她膝上，銀灰色的眼睛裡一片空茫，彷彿什麼都沒有了。

手機鈴聲不知響過第幾遍了，那個打電話的人彷彿不知道妥協為何物似的一直打一直打，巫馬雪加終於掏出手機，在看到螢幕上不停地跳躍著「小天」的字樣後，慌忙按了接聽鍵。

「巫馬雪加，妳到底在哪裡？為什麼不接電話？」手機剛接通，便傳來向天略帶嘶啞的吼聲。

「我……我在……」巫馬雪加支吾了一下。

「妳在那裡別動，等我！」向天說完，沒等她開口便掛了電話。

巫馬雪加愣了一會兒，才想起手機有定位功能，忙喊住洛特，「快停車，讓我下車！」她若繼續留在這裡，恐怕會引來大批的除魔者。

洛特早已經聽到手機裡的對話，又豈會不知道她在擔心什麼，立刻一個緊急煞車，將車子停在路邊。

巫馬雪加咬了咬脣，將賴加扶起來，讓他躺在座椅上。賴加也任她擺弄，全無半點反應，彷彿靈魂已經自那具軀殼中抽離一般。她知道現在不是猶豫的時候，只得彎腰站起身，臨下車前還是忍不住回頭又看了賴加一眼，他不知何時已經閉上了眼睛，不再看她。

向天靠著手機定位找到巫馬雪加的時候，天已經黑了。

昏黃的路燈下，她正一個人坐在街心公園的長椅上發呆，身上沒有外套，只穿著一件薄薄的羊毛衫，臉色蒼白，羊毛衫上都是血跡。

那些血的顏色讓他慌了心神，匆匆下了車，他取下安全帽大步走向巫馬雪加，直到走近她察覺到她身上的血跡都不是人類血液的味道時，才稍稍安了心，可是隨即，她手腕上的傷口讓他再一次將心懸了起來。

「妳被吸血鬼咬了？」向天一把拉起她，查看她手腕上兩個明顯的齒印。

巫馬雪加垂下頭，不語。

「是他？」看她這副模樣，向天立刻明白了。

「不是。」巫馬雪加下意識反駁，然後覺得自己的反駁有些多餘，便不再開口。

向天冷眼看著她，然後脫下自己的外套，將她裹住，「妳以為妳自己的身體很好嗎？好到可以無償獻血？好到可以穿成這樣在這裡吹冷風？如果我沒有記錯的話，妳是從醫院偷跑出來的吧！」

「對……對不起……」她吶吶地道歉。

這時，向天的手機響了起來，他看了看來電顯示，接通了手機，「老師，嗯，沒事，我已經找到雪加了，現在送她回醫院，嗯，沒什麼事情，只是說有些悶，出來走了一陣子，迷路了，嗯。」

巫馬雪加呆呆地看著他掛了手機。

他在……幫她圓謊？

「看什麼？妳以為老師不知道發生什麼事了嗎？」向天的臉色難看到了極點，「妳知不知道，如果被宗教裁判所知道妳和吸血鬼有來往，後果會有多嚴重！」

「為什麼……人類不能和魔族和平相處？」

「妳在說笑話嗎？身為一個除魔者，妳在說什麼瘋話！」

巫馬雪加咬住脣，不語。

「還在等什麼？還不回醫院？妳要等老師親自來找妳嗎？」向天瞪她。

「哦，好。」巫馬雪加忙點頭，掉頭就走。

「等等。」他拉住她，然後在她疑惑地目光中從隨身包裡取出特殊繃帶替她綁住傷口，這才拉著她坐上摩托車，離開了街心公園。

回到醫院洗過澡，換了衣服，沾有賴加血跡的衣服讓向天帶走銷毀，巫馬雪加躺在床上，卻怎麼也睡不著。自從成人禮那天見到賴加之後，他便以一種強橫的姿態出現在她的生活裡。明明她是除魔者，而他是血族，他們本不該有任何的交集，就算有……也應該是處於敵對的立場。

可是……一切都失控了……

右手輕輕撫過左腕處的繃帶，她不明白賴加為什麼寧死都不願意喝她的血，還有上一回在酒店也是，他一見到她的血便發了狂。

是因為……茉伊拉嗎？

因為她的前世？

正想著，她忽然察覺到窗簾無風自動，驚了一下，她猛地坐起身。

「是你嗎？」她輕聲問。

月色下，窗簾後面顯出一個人影來。

「你還好嗎？」她有擔心地問。

窗簾後的人影沒有回答她。

「我記得你跟我講過守護天使的故事，你說的，便是你我的前世吧。」巫馬雪加揪緊了被單，感覺心臟跳動得有些不規律，「雖然我並沒有想起前世究竟發生了什麼事情，可是從你的話中也可以推論出一些來，但是你要明白，現在的我並不是受傷就會死的守護天使，你不必介懷的。」

「妳在等誰嗎？」一個似笑非笑的聲音從窗簾後響起，然後一個穿著白色長風衣的男人走了出來，夜風揚起了他深紫色的長髮。

不是賴加……是他？巫馬雪加瞪大了眼睛，那個令她莫名心痛的男人，那個差點將賴加燒死的男人？

「怎麼？看到我很失望？」納斯加冷笑，「妳在昏迷的時候可是熱情得很呢。」

「你是誰？」她捂住心口。

「妳可以叫我……納斯加。」他走到床邊，輕輕挑起她的下巴，笑得有些輕佻。

巫馬雪加感覺自己的心彷彿要從喉嚨裡跳出來一般，她的呼吸急促起來，雙手無法控制一般摟住他的脖子。

為什麼？

為什麼會這樣？

她的眼睛裡滿是驚恐，可是身體卻彷彿自己有意識一般要接近他。

「你不是人類……」

「對，我不是。」淺紫色的眼睛隱隱化作豎瞳，他笑咪咪地勾著她的下巴，然後低下頭，吻住她。

巫馬雪加感覺到他的唇舌在她口中肆虐，可是卻一點反抗的力氣都沒有，雙手甚至抱住了他。

「真是熱情的小姑娘，就如此地迫不及待嗎？」他笑得有些不屑，纖長的指尖將她的衣服挑落，露出圓潤白皙的肩。

淚水從眼中滑落，巫馬雪加咬住脣，任他一點一點將她的衣服挑開。

溫熱的淚珠濺在他的手上，他的手彷彿被燙著了一般縮了一下，疑惑地皺了皺眉，他再度笑開，「哭什麼？我並沒有強迫妳啊，妳不是很高興我碰妳嗎？」

「不要……這樣……」她顫抖著，不知道為什麼那麼難受。

「嘖嘖嘖，哭得真是惹人心疼。」他俯下身，吻去她臉頰上的淚，一直吻上她的眼睛。

臉上柔軟微涼的觸感讓她嚇得僵住身子，不敢再動。

淺紫色的瞳仁閃過越來越濃重的疑惑，納斯加不明白自己為什麼會不由自主地出現在她窗前，不明白自己為什麼只是抱著她，心口處的空缺便彷彿被填滿了一般。

漠視了心底的疑惑，他用微涼的手掌撫過她的肩，一路輕輕撫向她的心口。

不如挖了她的心？反正他正好少一顆心。

「這樣可不好。」有人握住他的手。

納斯加抬頭，便看到了那隻總喜歡多管閒事的狐狸聞人霜。

「嘁。」他甩開手，施了個法術便消失在原地。

聞人霜回頭望了一眼已是淚流滿面的巫馬雪加，輕嘆一聲，走上前替她拉了衣衫，「不用擔心，他不會真的傷害妳的。」

巫馬雪加愣愣地坐在床上，許久才回過神來，然後抬手抹了抹眼睛，點點頭。

07 最遠的距離

一週之後，巫馬雪加出院回家的時候，身邊多了一隻小狐狸，即某隻鬧著小脾氣不肯回家、偏要等東方曉來找牠的狐妖。

只是……東方曉一直沒有出現。

賴加也再沒出現過，巫馬雪加的生活似乎又恢復了正常，她開始跟著向天學習如何當一個稱職的除魔者。

——但對於夜晚，她似乎開始有了一些別樣的期待。

從咖啡廳拎著一盒杏仁糖泥出來的時候，天已經黑了，巫馬雪加儼然已經成了這裡的熟客，糕點師傅也知道了自己一時心血來潮做出來的杏仁糖泥居然有了忠實的粉絲。

夜色下的A市依然如白晝一般繁華熱鬧，巫馬雪加沿著人行道慢慢地走，自她逼著賴加飲了她的血後，已經十幾天了，他再也沒有出現過。

那雙滿是哀慟的銀灰色眼眸卻一直在她腦海裡盤旋，揮之不去。

剛走沒幾步，脖子上戴著的血瓔珞忽然開始微微泛出一點光來，巫馬雪加腳步微微一頓，察覺到身後有誰跟上了她，且一直保持著不遠不近的距離。

拎著糕點盒子的手微微一緊，巫馬雪加下意識拐過一條街道，走入僻靜處，才停下腳步。

耶誕節早已經過去，街角處的垃圾箱旁有一株被人丟棄的聖誕樹，聖誕樹上纏繞著五彩繽紛的彩燈和彩色的小氣球，看起來有一種破敗頹廢的華美。

「是你嗎？」視線落在聖誕樹頂端那顆金色的小星星上，她沒有回頭，只低低地問，聲音裡帶著她自己也沒有發現的期待。

身後，久久沒有回答。

猶豫了一下，她轉過身，隨即呆住，昏黃的燈光下，一個蒼白的男子正站在她身後，口中尖利的獠牙泛出令人恐懼的色澤。

不是賴加！

手中的糕點盒「啪」的一聲掉在地上，巫馬雪加略帶驚恐地後退一步。那男子漸漸逼近，溼答答的口水從嘴角流下，眼瞳是僵直的。巫馬雪加後退著，心裡下了判斷，這是一隻還沒有成型的吸血鬼。

眼前的吸血鬼看起來醜陋無比，巫馬雪加瞪著他，可是他的臉彷彿與那一日賴加的臉相重疊……

他那樣看著她，他說……不要看我……

在巫馬雪加發愣的時候，那隻吸血鬼忽然尖嘯一聲，以極其迅猛的速度撲了過來。巫馬雪加貼著牆，心裡一寒，她猛地抬手，將藏在袖中的木樁準確無誤地刺入了他的心臟。

看著那隻吸血鬼哀號著仰面倒下，剎那間化為飛塵，消失不見，巫馬雪加才無力地癱坐在地上，握著木樁的手仍在微微顫抖著。

她……殺了他。

作為一名除魔者，她殺他是天經地義的事情，可是……如果剛剛出現的是賴加呢？

在冰冷的地上坐了許久，她才掏出手機打電話回宗教裁判所，「你好，幸福路街心公園出現未成型的幼年吸血鬼一隻，已清理。」

「雪加？」接電話的居然是向天，「妳怎麼樣，受傷沒？」

「沒……」

「在那裡等我。」聽出她話音裡的顫抖，向天果斷地掛了電話。

火紅色的哈雷摩托車呼嘯而至，載走了巫馬雪加。

垃圾箱旁的聖誕樹被冷風吹得瑟瑟發抖，一個黑色的身影從那後面緩緩走了出來，銀灰色的眼睛一片空茫。他彎腰摘下聖誕樹頂端那枚金色的星星放進衣袋裡，然後垂著肩，緩緩走到剛剛巫馬雪加站的地方，蹲下身，撿起了遺落在那裡的蛋糕盒，緩緩打開。

杏仁糖泥的香味飄了出來。

抱著那只蛋糕盒，他坐在街角的長椅上，一口一口，慢慢地吃。

「真慘啊……」穿著牛仔褲高幫靴、綁著鬆散馬尾辮的男子施施然出現在他面前，與他並肩坐下，從他手裡搶過蛋糕盒，一點也不含蓄地開動。

賴加瞥了他一眼，「好久不見。」

「嗯，真的好久不見呢——」聞人霜笑咪咪地湊近了他，「後悔了嗎？」

「什麼？」

「在你回伊里亞德的路上，我和小天使打了個賭。」吞下最後一塊杏仁糖泥，聞人霜將空空如也的盒子丟回賴加膝蓋上，然後抹了抹嘴巴，笑道，「我賭你會後悔。」見賴加不說話，他又道，「那時我說『他的眼睛只看到他已經失去的東西，卻看不到他還擁有的。等他連現在擁有的也失去的時候，他就知道什麼才是他想要的了』。」

賴加定定地看著膝上空空的蛋糕盒，「你是特意來奚落我的嗎？」

「是啊。」聞人霜咧嘴，笑道。

隔了幾百年的光陰，這個傢伙見面第一句，就是奚落。

「真像你幹得出來的事情。」賴加勾了勾脣，也笑了起來，「恭喜你如願。」

「嗯？」聞人霜眨了眨眼睛，「如願贏了賭嗎？」

「是如願找到東方曉。」賴加哼了一聲。

「呵呵，是嘛，如願，如願……」聞人霜意義不明地乾笑兩聲，居然頗有些蕭索的味道。

賴加斜眼看他，「怎麼？」

「你知道世界上最遠的距離是什麼嗎？」聞人霜仰頭望著一片漆黑的夜空，喃喃地問。

「你在吟詩嗎？」賴加也靠在椅背上，嗤笑。

「世界上最遙遠的距離，就是日夜相對，卻無法告訴她，我是誰。」聞人霜笑盈盈地扭過頭來，「是不是很感人？」

賴加沉默了一下，「發生什麼事了？」

「有種東西，叫宿命。」聞人霜聳了聳肩，「可是我不想認命。」

找了那麼久，尋了那麼久，最後卻只能以寵物的姿態與她日夜相對……

「真巧，我也是。」賴加淡淡接口，不再追問。

「剛剛她那麼危險，你真忍得住啊。」聞人霜忍不住吐槽。

「是她的話，沒有問題的。」賴加垂下頭。

「你知道你在重複你犯過的錯嗎？」聞人霜忽然道。

「什麼？」賴加錯愕地抬頭。

「你啊，最大的毛病就是想不開。」聞人霜笑了起來，「你在意的事情，未必就是她在意的，你明明知道她在等你，卻因為糾結著飲了她的血而不肯見她，你在懲罰誰呢？」

你在懲罰誰呢？

洛特似乎也這麼問過他。

「我走以後……凱里怎麼樣了？」賴加轉了一個話題。

「很好啊，一代明君，盛世百年。」聞人霜笑，「還記得茱伊拉給他的那個願望嗎？」

「嗯。」

「你知道他最後許的願望是什麼嗎？」

「什麼？」

「永無戰爭。」

賴加沉默了許久，才緩緩笑開，「不愧是我弟弟，比我強。」

向天將巫馬雪加帶回了宗教裁判所，因為按照慣例，除魔者完成任務之後是要登記的。至今為止，巫馬雪加的登記簿還是一片空白。

在屬於自己的登記簿上寫下第一筆，巫馬雪加並沒有想像中那種強烈的成就感。

房間裡各式各樣的登記簿上，記載了許許多多或大或小的功績，巫馬雪加一個一個看過去，彷彿看到了無數浸泡在福馬林中的魔族屍身。然後她看到了大祭司迦斯的登記簿，厚厚的一本，無數的豐功偉績，猶豫了一下，她翻了開來，在最新一欄裡，「東方曉」三個熟悉的字眼躍入眼簾。

手微微抖了一下，她仔細看了下去。

姓名：東方曉
性別：女
戰鬥指數：不詳
來歷：夜之魔女莉莉絲墮天之時，被魔界血族女王白顏夕吞噬，四百年前趁白顏夕受傷，其脫離了白顏夕的掌握，目前記憶空白。
狀態：追捕中

追捕中？這……這是什麼意思？

巫馬雪加瞪大眼睛，為了那隻彆扭的狐狸，她一直在四處打探東方曉的消息，可是她想了無數種可能，就是沒有一種是眼前這種狀況。

雖然早就知道東方曉不是人類，可是她也沒有想過她的來歷會那麼玄乎。那一日在咖啡廳外，那個女孩見到迦斯時幸福而驚喜的神情在眼前晃動，可是她為什麼會在迦斯的登記簿上！

「在看什麼？」身後，冷不防響起一個溫和的聲音。

巫馬雪加嚇了一跳，轉身便看到迦斯大人正站在自己身後。

「東方曉……」猶豫了一下，她咬牙問了出來。

「嗯？」

「那天在咖啡廳裡……」

「我不明白妳在說什麼。」迦斯推了推眼鏡，鏡外的反光擋住了他眼中的情緒。

……這這這……這是在裝傻嗎？

「明明你們是認識的！」巫馬雪加捏緊了拳頭。

「雪加，妳在幹什麼？」一個有些嚴厲的聲音在門口響了起來，正是巫馬火野。

見是姐姐，巫馬雪加稍稍後退一步，垂下頭。

「沒事，令妹可能對我有些誤會。」迦斯微笑。

「雪加，道歉。」

「對不起。」巫馬雪加抬起頭，道歉的時候又細細看了一眼迦斯，然後笑了一下，「你說得對，我認錯人了，你不可能是他。」

那一天，那個迦斯眼裡的笑容，是不容錯辨的溫暖和明淨，如陽光一般和煦，不帶一絲的虛假。可是眼前這個迦斯，他的笑容溫和有禮，卻帶著說不出來的疏離感，那笑容，只不過是戴在臉上的一層面具罷了。

聽到巫馬雪加這樣說，迦斯的面色微微一沉。

巫馬雪加轉身準備離開的時候，衣袋裡的鑰匙串掉了下來，正要彎腰去撿，卻有一雙手比她更快地撿了起來。

「很可愛的飾品。」迦斯低頭看著手中的鑰匙串，鑰匙圈上掛著一個糖果式樣的小飾品。

「嗯，不過不是我的。」那是她在第一次隨向天出任務的時候在彩虹橋公園撿到的，一直沒有找到主人。

「真巧，這是我掉的。」迦斯將鑰匙收了起來，然後笑著道，「謝謝，我一直在找。」

巫馬雪加愣了一下，然後搖了搖頭，「不用客氣。」說完，行了個禮，轉身走出了宗教裁判所。剛走到門口，便看到了站在門口等她的向天，他正靠在摩托車邊上，定定地看著街燈下賣糖炒栗子的小攤販，不知道在想什麼，短短的頭髮被風吹得亂糟糟的。

察覺到巫馬雪加的視線，他扭過頭，然後習慣性地皺了皺眉，「怎麼這麼久？」

「對……對不起！」剛剛對著迦斯都可以直言以對的巫馬雪加一下子慌了，這是習慣性的恐懼，就像小學生看到老師會害怕一樣。

「……對不起。」

見她道歉道得如此俐落，向天的眉頭皺得更緊了，「我只是問問而已，妳道什麼歉？」

「還杵在那裡幹什麼？」向天的臉色有些不好看，他就那麼可怕？幹什麼一見到他就跟老鼠見了貓似的。

巫馬雪加忙快步走到他身邊。

「要不要吃栗子？」向天看了看她垂著頭的樣子，忽然道。

「嗯？」她微微一愣。

向天輕咳了一下，「天氣這麼冷，那個小販又沒有生意，我去買一點來吧。」

「哦，好。」巫馬雪加忙表示同意。

向天又看了她一眼，走到賣糖炒栗子的小攤販邊買了一袋，然後跨上摩托車，「上車吧，回家了。」

巫馬雪加自然毫無異議，側身坐了上去。向天低頭看了看她扶在他腰間的手，忽然一把捉住。

「怎……怎麼了？」被他怪異的舉動嚇到，巫馬雪加顫聲問。

「手放我衣袋裡吧，本來就不靈活，要是生了凍瘡連劍都握不住了。」說著，他把她的手塞進自己上衣的口袋裡。

巫馬雪加半趴在他背上，自然不敢反抗，也不敢動彈。

總是皺著的眉頭驀然舒展開，向天咧了咧嘴，發動了摩托車，一路飆向巫馬家。

到家的時候已經很晚了，向天停好車，轉身將那袋糖炒栗子遞給巫馬雪加，「妳吃吧，我牙痛，不能吃甜的。」

「謝謝。」巫馬雪加伸手接過。

向天點點頭，打算回房休息。

「小天……」猶豫了一下，巫馬雪加終究喊住了他。

「嗯？」向天看向她。

巫馬雪加張了張嘴，有些為難地看著他，欲言又止的樣子。

「怎麼，有話跟我說？」見她吞吞吐吐的樣子，向天心裡突地一跳，有些期待，但又佯作鎮定地問。

「你知道東方曉嗎？」見他看起來心情還不錯的樣子，巫馬雪加終於將這個一直在心裡打轉的問題問出了口，然後便看到他的臉色再度沉了下來，「你不回答也沒有關係……」

「東方曉是宗教裁判所目前頭號通緝的對象，據可靠消息，她被密隱同盟的執政官洛特帶去魔界了。」向天說完，轉身就走。

東方曉不在人界了？那麼一直等著她來接自己的那隻狐狸怎麼辦？不知道為什麼，她不想看到他失望的模樣，也不想看到他用那樣笑咪咪滿不在乎的神情說出令人心痛的話。

明明……是很在意的吧。

在車庫門口站了許久，她才回房。

一推開門，巫馬雪加便愣住了，許久沒有出現的賴加正站在窗邊。察覺到她走進門來，他回頭看著她，微微笑了一下。

巫馬雪加下意識地將房間關牢，還上了鎖，然後才轉身看他。

「你……怎麼在這裡？」張了張嘴巴，巫馬雪加有些詞不達意。

「我想妳了。」他看著她，低低地道。

巫馬雪加低下頭，躲開他的視線，「你不是在生我的氣嗎……」

「……我是在生自己的氣。」賴加走到她身邊，單膝跪下，輕輕執起她的手，「明明說好不再傷妳的，卻一再讓妳受傷。」

巫馬雪加沉默了一下，然後輕輕抽回了自己的手，走到床邊坐下。

賴加剛站起身，便聽到她的聲音自身後傳來：「你說的那個守護天使，就是我的前世，對吧？」

他猛地僵住了身子。

「你不用擔心，我並沒有想起什麼。」巫馬雪加繼續道，「不過你要明白，我現在不是受傷就會死的守護天使了，所以你不必內疚，要救你也是我自願的。」

賴加轉過身，銀灰色的眼眸裡蒙上了一層迷霧。

「雖然我們的立場是對立的，可是你也並沒有做什麼十惡不赦的事情，所以……」巫馬雪加閉上眼睛，「你走吧，不要再來這裡了。」

賴加怔住，他有些急切地走到她身邊，「妳不要我了？」

「這一世，我是人類，你是血族，我不是你的守護天使。」巫馬雪加有些殘忍地戳破了他營造的幻象。

「可是我們約定過，妳要殺了我的。」

「今晚我親手殺了一隻吸血鬼，那個時候我就在想，如果是你，我會不會下得了手。」巫馬雪加睜開眼睛，看著他，眼睛裡竟然閃著淚光，「是的，我下不了手！所以請你離我遠一點，不要讓我看到你！」

之前，那隻狐狸問過她，如果賴加一定要死，她是寧可他死在別人手裡，還是死在她手裡。她說，如果一定要死，她寧可他死在她手裡，因為這是她答應過他的。

可是今天晚上，在她親手殺了那隻吸血鬼之後，她忽然開始害怕……

如果一切真的發生，如果死在她手上的真的是賴加，那麼她……會怎麼樣？

她不敢想像。

一口氣將心底的恐懼和矛盾吼了出來，巫馬雪加微喘著看向賴加，他也正看著她，那雙銀灰色的眼眸裡彷彿什麼都沒有，又彷彿承載了許多許多的東西。被那樣的眼神注視著，她剛剛聚集起來的那一點點決絕的勇氣彷彿頃刻之間便要化為微塵。

她忽然有些後悔把那盒杏仁糖泥弄丟了，如果帶回來多好。

「對不起。」許久，他終於開了口，莫名地道歉。

正當巫馬雪加疑惑的時候，他忽然伸手，抱住了她，「我無法答應妳的要求，妳是我存在於這個世界的唯一理由，我無法離開妳，看不到妳，我會比死更痛苦。」

這無疑是最動人的情話了。

可是巫馬雪加只想哭。

「我很自私的。」他低頭，抵在她溫暖的頸間，「知道妳不捨得殺我，我很開心。」

許久，他才戀戀不捨地稍稍後退了些許，挑起她的下巴，吻上了她的唇，「睡吧。」

他的唇上有杏仁糖泥的味道，巫馬雪加怔了怔，隨即回過神來，不甘心地想要推開他，卻發現自己沒了力氣，只得任由自己陷入睡夢之中，軟軟地倒在他的懷裡。

賴加扶著她躺下，替她蓋上被子。

巫馬雪加醒過來的時候，賴加早已不在房間裡，倒是某隻狐狸正懶洋洋地蜷在她床邊打盹。對於昨天晚上賴加的話，她有點分不清是夢境還是現實。

側過頭的時候，她看到枕邊有一枚金色的星星，十分眼熟的樣子。愣了片刻，她伸手拿起那枚星星，仔細看了看，冷不防想起遇到那隻吸血鬼時那棵倒在垃圾箱旁的聖誕樹。

那個時候，他也在那裡？

唇上柔軟的觸感彷彿還在，還帶著香甜的杏仁糖泥的味道，巫馬雪加感覺自己的唇角忍不住地微微翹起。

看了看時間，已經是下午一點了，她起身拉開窗簾，屋外正下著雨，天色很暗。

冰箱上貼著母親留的便條，「雪加，所裡有任務，今天不回家吃晚飯了，妳好好休息。」

對於那個「任務」，巫馬雪加也沒有多想，拉開冰箱找了些東西填了肚子，便抱著昨天向天買的栗子回房間了。

隨手開了電視，轉到一個綜藝節目，她盤腿坐在軟墊上，一邊剝栗子一邊看。剛剝好一顆，某隻剛剛還在打盹的狐狸便用爪子撓了撓她。

「你也要吃？」

尖尖的耳朵動了動，毛茸茸的腦袋也點了點。

巫馬雪加將剝好的栗子塞進了牠的嘴巴裡。

再剝一顆，牠又撓，巫馬雪加黑線了一下，又塞了一顆在牠嘴巴裡。

繼續剝，繼續撓，巫馬雪加怒了，「你是狐狸耶！」

「要我變成人嗎？」狐狸斜了斜眼睛。

「不要了不要了……」巫馬雪加忙搖頭，開什麼玩笑，讓牠在這裡變成人形，萬一被誰逮個正著可怎麼辦。

於是某狐狸張大嘴巴，一副有恃無恐的模樣。

如此這般，整整一紙袋的栗子全進了某狐狸的肚子，巫馬雪加撇了撇嘴巴，憤憤地伸手從桌邊的水果盤裡拿了一個橘子來剝。剝好了，她放了一瓣在嘴中，然後眼睛猛地一瞇，「唔……」

「怎麼？」狐狸問。

「好甜……」

於是某狐狸再度張大嘴巴，巫馬雪加立刻將整顆橘子都塞進了那張狐狸嘴裡。某隻狐狸得意洋洋地咀嚼了一下，便被酸得滿地打滾，逗得巫馬雪加哈哈大笑。

「妳在笑什麼？」門忽然被推開，巫馬火野站在門口。

巫馬雪加慌忙一把抱起仍在滿地打滾的小狐狸，搖頭，「沒什麼，在看綜藝節目。」

「這個時候，妳居然在看綜藝節目？」巫馬火野的聲音揚了起來，然後視線落在她懷中的小狐狸身上，疑惑地打量。

「那個……姐姐，妳怎麼有空回來？」雪加有些緊張地沒話找話講。

「怎麼，我連自己的家也回不得了嗎？」火野淡淡地看著她，語氣卻是不善。

「不是……我不是那個意思。」巫馬雪加忙搖頭，「我看到媽媽的便條，說今天所裡有任務，所以才會好奇……」

「火野，祭司大人受傷我知道妳很擔心，但不要對著妹妹出氣。」身後，傳來父親的聲音。

巫馬火野咬唇，「我出氣？大家都在拚命的時候，雪加居然悠閒地坐在房間裡看電視？就算無能，她怎麼能夠如此心安理得！」

「祭司大人受傷？」巫馬雪加沒有聽進火野的話，卻被這個消息嚇到了。

「嗯，魔界的魔宴同盟和密隱同盟內鬥，大法官離打破了連接人魔兩界的時空之門，祭司大人趁機帶了十餘名聖十字除魔者殺入魔界，不料卻被血族女王所傷。」巫馬文解釋。

迦斯去了魔界，還受傷了？那東方曉呢？她記得東方曉和那個血族女王也是有些關聯的。

她低頭看了看趴在她懷裡一動不動的小狐狸，皺緊了眉。

見她一副神遊天外的樣子，巫馬火野的臉色有些難看，「把妳的血瓔珞給我。」

「什麼？」雪加愣了一下，然後明白過來，低頭看了看戴在脖子上的血瓔珞，「可是這是小天送的。」

「那是療傷聖品，戴在妳脖子上也是浪費，給迦斯療傷用。」

「可是……」雪加直覺將小天送的東西轉送給別人有點不好。

「算了。」火野瞪了她一眼，轉身便離開了。

「火野她心情不好，妳不要放在心上。」巫馬文嘆了口氣，給兩個女兒打圓場。

「嗯，我沒關係的，祭司大人……傷得很重嗎？」

「具體情況我也不了解，我們是後備部隊，並沒有看到當時發生了什麼事情。」巫馬文拍了拍自家女兒的肩膀，「妳身體不好，就不要管這種事情了。」

看著門被關上，巫馬雪加摸了摸脖子上的血瓔珞，原來這是療傷聖品啊，向天送這個給她，是因為擔心她的身體嗎？

08 迦斯的祕密

這件事情過去了近半個月，聽說祭司大人的身體一直沒有好起來，也因此一直對外人避而不見。

站在宗教裁判所外面，巫馬雪加嘆了一口氣，還是走了進去。猶豫糾結了這麼久，又聽聞迦斯的身體一直沒有好起來，她終於還是決定將血瓔珞貢獻出去。她本來就對大家沒什麼貢獻了，難得這次火野跟她開口要東西，她卻拒絕了，導致她最近一直在生氣，還總把自己當透明人。

……雖然送出血瓔珞極有可能引起小天的怒火，這是很可怕的後果。

宗教裁判所很大，大到令不常光顧的巫馬雪加迷了路，她前前後後走了好久，竟闖入了一個有些奇特的院子。

那個院子的一切都和宗教裁判所內嚴謹冷酷的建築風格完全不符，她正疑惑著，聽到遠遠傳來一陣笑聲。

很熟悉的聲音……

是……東方曉？

這個認知讓巫馬雪加疑惑起來，東方曉怎麼會在這裡？一個被追捕的血族，竟堂而皇之地出現在宗教裁判所裡？這太怪異了吧！

遠遠地，巫馬雪加看到迦斯攙扶著一個穿著粉色連衣裙的少女走進了院子，那個少女儼然就是東方曉！她下意識地躲進了走廊後面的陰影裡。

東方曉的眼睛似乎看不見了，她很信賴地依靠著迦斯，由他帶著她往前走，此時的迦斯臉上分明是冷漠的，看起來不像在咖啡廳時的樣子，更像是祭司的模樣，可是他的眼睛卻是分外地柔和。

巫馬雪加越加地疑惑起來。

迦斯扶著東方曉在院子裡的籐椅上坐下，然後開始泡茶。東方曉笑咪咪地盤腿坐在籐椅上，似乎在輕嗅著空氣裡茶葉的芬芳，那種愜意的模樣看起來像一隻懶洋洋的小花貓。迦斯笑了一下，拿了一罐可樂出來，「啪」的一下拉開環扣，他執起東方曉的手，將可樂罐放入她的手中。

東方曉似乎愣了一下，隨即低頭喝了一口可樂，眼睛立刻瞇成了月牙狀，她仰著腦袋傻傻地笑，笑得一臉的幸福。

幸福得……有些刺眼。

迦斯微微側頭，抬手推了推眼鏡，似乎注意到了什麼，他起身將東方曉扶回房間。

巫馬雪加還沒來得及離開，迦斯便已經出現在她的面前了。

「妳是怎麼闖進結界的？」迦斯淡淡地問，一貫平和的臉上有著少見的冷冽。

「結界？」巫馬雪加茫然了，她就這樣走進來的呀，一路上沒有發現有什麼結界……

迦斯似乎明白了什麼，淡淡笑了一下，「那麼，妳來幹什麼呢？」

「姐姐說你受傷了，我送這個來。」巫馬雪加忙解下脖子上的血瓔珞，遞給他。

「謝謝。」迦斯看了一眼，伸手接過。

「東方曉怎麼會在這裡？」她忽然抬頭，看向他。

「我以為，妳會忍住不問。」迦斯瞥向她。

「她不是應該在魔界的嗎？還有……你受傷也是裝的吧！」巫馬雪加不知道從哪裡來的勇氣，覺得莫名地憤慨，「她知道你在追捕她嗎？她那樣信任你！」

「我真的受傷了，她也知道我在追捕她。」迦斯淡淡地道。

巫馬雪加瞪大眼睛，有些不敢置信，明明知道那個人會置自己於死地，卻還是那樣信賴著他嗎？

不期然地，她想起了那天晚上，賴加的話。

這個世界上，真的有人是為了另一個人而存在，真的有人會因為離開某人而無法繼續生存下去嗎？

離開宗教裁判所回到家的時候已經很晚了，經過父親書房的時候，巫馬雪加隱隱聽到有人在談話。

都這麼晚了，會是誰？她好奇地湊近了門縫去看，房間裡沒有開燈，藉著月色，她看清了那個大刺刺坐在父親書桌前的男人……竟然是許久不見的納斯加！

巫馬雪加感覺自己的心跳在不可遏制地加速，那種怪異而奇特的感覺再一次襲上心頭。

「難道你不知道，跟魔鬼打交道，總是要付出相當大的代價嗎？」納斯加陰森森的聲音從門縫裡清晰地傳了出來。

「我記得你要的東西已經給你了。」

是父親的聲音！巫馬雪加瞪大了眼睛，父親跟魔族做了交易？

「那顆心一點都不適合我，我們交易的內容是，只要我將那個吸血鬼怪物送進宗教裁判所，你便給我找一顆合適的心，是合適的哦。」納斯加站了起來，撫了撫手，輕笑，「就是這麼巧，我剛好找到一顆合適的心。」

「你想要如何？」

「你那麼聰明，一定知道我的意思。」

「離我女兒遠一點！」巫馬文的聲音含了一些怒意。

「哦？不知道您說的是您的大女兒宗教裁判所的所長巫馬火野呢？還是您可愛的小女兒巫馬雪加？」納斯加笑得越加歡快，「上次的交易是巫馬火野出面的，如果她跟魔族做交易的事情傳到長老的耳中，會發生什麼事呢？」他逼近了巫馬文，瞇了瞇眼睛，「兩個女兒，你會選擇保護誰呢？」

站在門外的巫馬雪加覺得自己的手腳一片冰涼，她聽懂了納斯加的話，那一次賴加之所以會

被捉住，竟然是因為父親和姐姐跟納斯加做了一筆交易。而現在，納斯加回來索取報酬了。

而他，看中了她的心。

如果父親要保住姐姐在宗教裁判所的地位，那麼勢必要犧牲她，如果父親選擇保護她，那麼姐姐很有可能因此受到長老們的懲罰。

「誰在外面？」巫馬文的聲音忽然響了起來。

巫馬雪加捂住嘴巴，跌跌撞撞地跑下樓，然後蜷在廚房裡，將腦袋埋在膝間，縮成一團。

巫馬文聽到響動，急急地推開門，門外卻什麼都沒有。

「這個大概就是你們人界所說的……作賊心虛吧？」納斯加嗤笑著走到門口，輕輕拍了拍巫馬文的肩膀，走出房間。

巫馬文站在門口，臉色陰晴不定。

悠然自得地走下樓，納斯加唇畔勾出了一絲輕佻的笑意，直接推開了廚房的門，果然便見到了低頭蜷在牆角的巫馬雪加。

「瞧我發現了什麼？」他心情甚好地走近她。

巫馬雪加微微顫抖了一下，抬起頭來。

見到她面色煞白的樣子，納斯加笑了起來，「很怕我？」

巫馬雪加咬住唇，卻控制不了自己想要靠近他的念頭。納斯加蹲下身，冷眼看著她顫抖著伸出手抱住他，然後眼中閃過一絲迷惘。

為什麼……

明明眼裡滿是驚恐，可是她卻緊緊地抱著他不肯鬆手。

「都聽到了？」掩去眼中的迷惘，納斯加捏住了她的下巴，看著她。

巫馬雪加搖頭。

「呵呵，可憐的小姑娘，妳猜妳父親會選擇誰呢？」他惡意地笑，捏著她下巴的手越加地用力。

心臟在劇烈地跳動，他惡意的眼神卻令她極不舒服，巫馬雪加終於無法負荷，失去了知覺。

納斯加看著她軟軟地倒在自己的懷裡，空蕩蕩的胸腔裡居然有一點疼痛的感覺，他不自覺地垂下頭，冰冷的脣輕輕觸上她的脣。

「放開她！」隨著一聲怒斥，一道白光刺向他。

納斯加避開，回頭看了一眼怒不可遏的巫馬文，「你已經決定要選擇誰了嗎？」

「愚蠢的東西。」巫馬文看了一眼已經失去知覺的巫馬雪加，握著鐵珠的手掌微微上揚，「你以為你可以威脅誰？居然愚蠢到來送死。」說著，鐵珠離手，襲向納斯加。

納斯加有些狼狽地躲開攻擊，那鐵珠彷彿長了眼睛似的又追了過來。

「你以為巫馬家是你可以隨便進出的嗎？」巫馬文冷笑，「充其量，你只是一個落魄的魔族，你以為我看不出你身上還帶著傷嗎！」

納斯加一個不察，臉上被劃出一道血痕，他不怒反笑，抱起已經失去知覺的巫馬雪加，從窗戶跳了出去，消失在夜色中。

修長蒼白的手覆在她的心口，他可以很清晰地感覺到她心跳的節奏，很熟悉的感覺……

五指微曲，他作勢要刨出她的心，可是過了很久……他還是保持著那個姿勢，下不了手。

巫馬雪加半躺在他懷裡，漆黑的長髮與他深紫色的頭髮交纏在一起，看起來分外地賞心悅目，可是她看起來極不舒服的樣子，面色煞白，額前滲滿了汗。

指尖轉了個方向，輕輕撫過她瘦削的臉，納斯加忽而輕笑，「真有趣，有趣到我都不忍殺妳了。」

這一夜，巫馬雪加在納斯加懷裡，睡得極不安穩，噩夢頻頻，一會兒夢見賴加被火燒死，一會兒夢見她親手用木樁刺入了他的心臟，一會兒又夢見他在陽光下吃著杏仁糖泥……更離譜的是，那個叫納斯加的可怕男子也入了她的夢，迷迷糊糊的夢境裡，那個男子竟活生生地掏出自己的心送給了她……

驚醒的時候已是滿頭大汗，她坐起身想找床頭燈，卻撞進了一個不算結實的胸膛。

「納斯加！」她驚叫。

「總算醒了。」納斯加瞇了瞇眼睛，「我在考慮要是妳再不醒，我就挖了妳的心，吃了妳。」

巫馬雪加瑟縮了一下，然後不期然地想起那隻狐狸講過的話，他說，不用擔心，他不會真的傷害妳的。

這麼一想，她莫名地放了心，再看他的時候，心臟似乎也沒有那麼難受了。四下環顧了一番，她這才發現自己竟然就在公園的長椅上過了一夜。

納斯加見她一臉坦然的樣子，不爽了，「妳不怕我嗎？」

「我餓了。」巫馬雪加回頭看他。

納斯加差點從長椅上摔了下去。

公園裡漸漸有晨練的老人來來回回地走動，打太極拳，練劍，巫馬雪加還在堅持，「我餓了。」

「年輕人，小女朋友餓了，就要去替她買早餐哦。」一個老婆婆笑咪咪地插話。

納斯加瞇了瞇眼睛，年輕人？他的年紀不知道是眼前這個老太婆的多少倍了！正要出手，一雙軟軟的手按住了他的手，他回頭，對上了巫馬雪加漆黑的眼睛。

「我餓了。」

納斯加嘴角抽了抽，拉著她站起身。

「去哪兒？」

「吃早餐啊，小女朋友。」納斯加橫了她一眼。

就在巫馬雪加抱著豆漿油條享受早餐的時候，巫馬家已經為了找她鬧翻了天，連帶著宗教裁判所也出動了。

「人類和魔族是可以和平共處的，對吧？」巫馬雪加將喝完的豆漿盒丟進垃圾箱，回頭看向納斯加。

納斯加用一臉看白痴的眼神看她。

「跟我走吧，昨天晚上你那麼一鬧，宗教裁判所肯定會通緝你，我會保護你的。」巫馬雪加又道。

納斯加看她的眼神更白痴了。

「我發誓，我會保護你。」巫馬雪加一臉的鄭重。

「相信妳，我便是白痴。」納斯加嗤之以鼻。

下一刻……狀況驟變，宗教裁判所大祭司迦斯親自領隊，帶領聖十字除魔者將整個公園團團圍住，納斯加真的成了甕中之鱉。

這個故事告訴我們……人說話，真的不可以說得太滿。呃，不對，即使是妖，也不可以。

巫馬雪加一眼便看到向天也在隊伍之中，他的面色看起來很可怕。

「納斯加，蛇族族長，年齡不詳，靈力屬七級妖獸。」向天手持長棍上前一步，面色冷凝，「今日這裡便是你的葬身之地。」

堂堂蛇族族長，靈力居然只有七級？眾除魔者面面相覷，七級的妖獸，又何必如此興師動眾。

「放開人質。」迦斯一語道破玄機。

納斯加冷哼一聲，扭頭看向巫馬雪加，結果一伸手拉了個空。巫馬雪加早已經上前一步，張開雙臂擋在了他的面前。

納斯加愣愣地看著她的背影，一時反應不過來。

「巫馬雪加，妳幹什麼？」向天怒目而視，在看到她的脖子上空空一片，沒有血瓔珞的蹤跡時，他的臉色更難看了。

「我已經賜予了他姓名，你們不能殺他。」巫馬雪加硬著頭皮頂著向天的怒視，一語驚人。

妖族若承認了人類所賜予的姓名，便算是認了主人。

「納斯加，是真的嗎？」向天瞪向一臉呆滯的納斯加。

「……」納斯加體會了人在屋簷下，不得不低頭的感覺，「嗯。」

「哦？不知道妳賜予了他什麼名字？」迦斯開口詢問。

「白遲！」巫馬雪加十分響亮地回答。

白痴？

……這個小心眼的女人！納斯加狠狠腹誹。

「是嗎？」迦斯轉眼看向納斯加。

士可殺不可辱？……算了，他只是一隻妖而已，納斯加梗著脖子，點了點頭。然後回頭狠狠瞪了巫馬雪加一眼，卻看到她笑得一臉陽光燦爛的樣子，一時怔住，回不過神來。

自此，納斯加正式住進了巫馬家，而且非常地名正言順……

巫馬雪加領著納斯加走進巫馬家大宅的時候，引來了所有人的目光，因為除了幾百年前背叛宗教裁判所的所長白顏夕外，除魔者收養妖族，這還是頭一次。

「為什麼？」納斯加問。剛才的狀況，只要她袖手旁觀，他大概真的會變成陳列在宗教裁判所裡的標本。

「因為，我答應過會保護你啊，白遲。」巫馬雪加笑咪咪地回答。

「不要叫我白遲！」納斯加捏了捏拳頭，腦門上蹦出一根青筋。

巫馬雪加笑出一口白牙。

準備上樓的時候，手持長鞭的巫馬火野忽然出現，擋住了他們的去路。

「姐姐？」巫馬雪加驚了一下，忙討好地笑，「我已經把血瓔珞送給祭司大人了。」

巫馬火野瞇了瞇眼睛，揚手一鞭便抽在納斯加的身上，納斯加竟然沒來得及避開，俊美的臉上立刻多了一道血痕。

「姐姐！」巫馬雪加忙拉住她。

「收養妖族？妳倒是越發地出息了呀，我知道妳出了事，趕忙去找迦斯救妳，妳倒好啊，當著那麼多人的面救他？」巫馬火野抬著鞭子，指向納斯加。

「對不起……」巫馬雪加吶吶地道歉。

「哼，妳以為收養妖族是那麼容易的事情嗎？當年身為宗教裁判所所長的白顏夕要收養一隻狐妖都沒有能夠如願，最後墮落為魔，我雖然不明白長老們為何如此縱容妳，可是妳最好小心一些！」巫馬火野說完，撞了雪加一下，直直走出門去。

巫馬火野口中的白顏夕原是宗教裁判所第十代所長，在宗教裁判所的歷史上，她是一個汙點人物，傳說她不顧身分自甘墮落，為了一隻狐妖，寧可拋棄宗教裁判所所長之位墮落為魔，化身為吸血鬼，並且成為了魔界的女王。

這些，在宗教裁判所，都是人人避諱的禁忌。

納斯加皺眉看著那個靜默地站在自己前面的女孩，她的背影看起來十分地單薄可憐，猶豫了一下，他伸出手，似乎是想安慰她。

巫馬雪加卻忽然回過頭來，「你沒事吧？」

他硬生生地收回手，搖了搖頭。

「都流血了，跟我上樓吧，我替你上點藥。」說著，不待他回應，便率先上了樓。

納斯加默默跟了上去。

走進房間的時候，狐狸狀的聞人霜正大剌剌坐在巫馬雪加的梳妝檯前，十分悠然自得的樣子。

看著納斯加跟著巫馬雪加走進房間，牠也不驚訝，只是懶洋洋地打了個哈欠，「歡迎歡迎——」

納斯加沒有理牠，自己找了一處舒服的位置坐下。

「妳在忙什麼？」看著巫馬雪加翻箱倒櫃的樣子，聞人霜問。

「找急救箱，剛剛在樓下遇到我姐，納斯加被打傷了。」巫馬雪加頭也不回地回答。

「……他不是人類。」聞人霜提醒她。

「……對哦。」巫馬雪加停了下來。

「臉上那鞭傷是小事吧，他身上不是傷得更重？」聞人霜看著納斯加，涼涼地吐槽。

納斯加有些惱怒地看向那隻多管閒事的狐狸。

「你身上有傷？」巫馬雪加驚訝，「傷得很重嗎？我送你去醫院吧。」在看到聞人霜斜斜的視線時，她忙解釋，「我說的是特殊診療部門……」

「那不是宗教裁判所的地盤嗎？把他送過去會被製成蛇標本吧。」聞人霜笑咪咪地說著，又看向納斯加，「你身上的傷……倒滿像我哥哥的手筆。」

聞人霜的哥哥？巫馬雪加想了想，想起了那個白髮的男子，聞人白。

「死狐狸，閉嘴。」納斯加皺眉，「我討厭狐狸。」

「魔界發生什麼事了嗎？」動了動尖尖的耳朵，又甩甩尾巴，聞人霜以聊八卦的姿態詢問。

納斯加沉默了一下，終是開了口：「你應該知道，前不久是魔界四百年一次的聚會時間，在這之前，魔界一直流傳著女王失蹤的消息，我也查探過，女王白顏夕的確已經幾百年沒有露過面了。」

「可是結果女王陛下好端端地出現在了聚會現場。」聞人霜打了個哈欠，接口。

「嗯，更離奇的是……撒旦也出現了。」納斯加皺眉，「他說女王是他的妻子莉莉絲轉世，要帶她回黑暗國度，執政官洛特和審判者聞人白不同意。」

「然後他們打了起來，可憐的你成了炮灰，被我哥哥誤傷了。」聞人霜「噗哧」一下笑了起來，引來納斯加的怒視。

「你知道得還真不少。」納斯加冷哼。

「啊啊那是，我知道得可多了。」聞人霜翹了翹尾巴，然後瞇起眼睛，「哼，他們爭吧搶吧，那些笨蛋，她可不是女王白顏夕，也不是什麼莉莉絲轉世，她是我的東方曉。」

納斯加和巫馬雪加都成瞠目結舌狀。

「東方曉……」巫馬雪加吞了吞口水，「我為什麼聽不懂你在說什麼……」

納斯加也聽不明白。

「當初，夜之魔女莉莉絲墮天之時，被正需要力量的血族女王白顏夕吞噬，結果四百年前魔界內亂，密隱同盟和魔宴同盟發生戰爭，女王白顏夕將魔宴同盟趕出魔界，但白顏夕也身受重傷，在魔法陣中分裂為兩個個體，一個因精神力不足而幻化成孩童模樣，另一個則是失去記憶變為普通人類的東方曉。」

聞人霜的解釋讓巫馬雪加猛地想起了那一日在宗教裁判所看到的迦斯的登記簿。在那本登記簿上，有關東方曉的來歷那一欄，的確是這樣寫的。

「普通人類？」納斯加冷笑了一下，「不可能，我見過女王，雖然她並不是孩童的模樣，可她是血族，而且還是一個日行者。」

「呵呵，幻化為孩童模樣的白顏夕怎麼可能甘心，她將執政官洛特派遣至人界，要他將東方曉找到，變為吸血鬼帶回魔界，意欲吞噬她。」聞人霜懶洋洋地趴在軟墊上，似乎在說一件與他無關的事情，說到這裡，他忽然睜開眼睛，「可是事事豈能盡如她的願，結果，東方曉贏了，東方曉吞噬了白顏夕。」

「照你這麼說，東方曉應當就是莉莉絲才對啊。」納斯加潑他冷水。

「不是，她是一個嶄新的靈魂，是我的。」聞人霜一本正經地告訴他，「她沒有白顏夕的記憶，也沒有莉莉絲的記憶，她只有屬於東方曉的記憶，她不是任何人，只是她自己。」

「我相信你。」巫馬雪加忽然開口，那個見到迦斯便會幸福微笑的女孩，那個全心信賴迦斯的女孩，她相信她只是東方曉，不是夜之魔女，也不是血族女王。

聞人霜愣了一下，然後垂下眼簾，輕聲說了一句「謝謝」。

說到這裡，巫馬雪加忽然想起了一件事情，「那個傳說中令第十代所長白顏夕墮落為魔的狐妖……該不會是……」

「沒錯，正是我的哥哥聞人白。」聞人霜瞇了瞇眼睛。

「啊……」巫馬雪加驚嘆，她居然見過那個只屬於傳說中的人物。

「你為什麼知道這麼多？」納斯加忍不住質疑。

為什麼……

聞人霜淺笑，做出一副黯然神傷的死樣子，「如果可以，我寧可什麼都不知道。」

「那你知不知道……」巫馬雪加猶豫了一下，「東方曉現在不在魔界？」

「什麼？」聞人霜一下子坐直了身子，「她在哪兒？」

巫馬雪加正要開口，房門突然「砰」的一聲被推開了，向天寒著臉站在門口。

「小天……」

「血瓔珞呢？」他問。

「祭司大人受傷……我把血瓔珞送給他了……」自知理虧，巫馬雪加弱弱地道。

向天眼見著就要發飆，手機卻忽然響了起來。

巫馬雪加悄悄地吁了一口氣，看著他強按下怒氣，接聽手機，「什麼？有魔族攻入所裡了？我馬上來！」說著，他顧不上教訓巫馬雪加，收起電話轉身衝下樓。

「魔族入侵呀，真有意思。」聞人霜頻頻點頭。

「我想他們應該是來……救東方曉的。」巫馬雪加嘆了一口氣，將剛剛沒有說完的接著說完。

「妳說東方曉在宗教裁判所裡？」聞人霜的聲音一下子高了八度。

「嗯……」

聞人霜不廢話了，「咻」的一聲消失在原地。

巫馬雪加再度嘆氣，說什麼賭氣要等東方曉來接他，結果還不是……

「妳要去嗎？」眼睛裡似乎帶了詭譎的笑意，納斯加忽然問。

巫馬雪加愣了一下，然後點點頭，「嗯。」

納斯加抱起巫馬雪加，也在房中消失了。

09 無心之愛

這一役，宗教裁判所幾乎全軍覆沒。

無他，只因魔界此番入侵實力太過強大。

很久很久以後，宗教裁判所的歷史上，添了這麼一筆：西元×××年，血族女王被宗教裁判所禁錮，以撒旦為首，由執政官洛特、巨人族族長小山、精靈族族長奧蘭多等人組成的魔族軍團殺入宗教裁判所，所長巫馬火野、祭司迦斯以及眾長老應戰，血族女王於戰鬥中突然爆發，宗教裁判所頃刻間變為一片廢墟。

「到了。」頭頂，傳來納斯加平靜的聲音。

巫馬雪加睜開眼睛，臉上的血色一瞬間退了個乾淨，舉目所見，一片瘡痍，整個大廳已經坍塌了一大半，地上全是殘缺不全的屍首，殷紅的血沿著石階滴滴答答地往下淌。

「還有人嗎……」她張了張嘴，顫巍巍的嗓音在空曠的大廳裡響起，無人應答。

身後，納斯加在低低地笑，「現在，妳還認為人類和魔族是可以和平共處的嗎？」

巫馬雪加僵著身子，沒有回答。

「如果不是被聞人白所傷，這一次的入侵，肯定也有我的份。」他繞到她面前，看著她，強調。

巫馬雪加沒有理他，低頭在滿地的屍首中翻找，企圖找出只是受傷的人。

納斯加站在原地，看她雙手沾滿了血，看她咬著唇將一具具屍體翻過去，衣袖裙角都是血。她的神情出賣了一切，她在害怕，害怕看到她熟悉的人，可是明明那麼害怕，她卻那樣執拗地尋找著倖存者。

然後，她驀然僵住。

在一片血沫中，她看到了一根極其眼熟的長棍。

那是……向天的。

巫馬雪加顫抖著伸出沾滿了血汙的手，將一個趴在地上的少年翻了過來，他的整張臉上都沾滿了血，幾乎分辨不清面容。她拉起袖子擦去他臉上的血汙，隨即瞪大眼睛，「小……小天……」

那個總是生氣勃勃的少年，那個從小陪著她，欺負著她，一起長大的少年……

「小天，小天……你醒醒……」她推他，不能相信他就這樣死去。

就在不久之前，他還那樣生氣地質問她為何將他送的血瓔珞弄不見了，誰知一轉身……竟成永別。

「對不起，對不起……你醒醒！」淚水糊住了眼睛，她使勁推他，「你醒醒呀！」

那副無知無覺的身軀被她推得左右搖晃，他卻沒能再一次睜開眼睛皺著眉吼她：「巫馬雪加，妳再吵我試試看！」

巫馬雪加喊不醒他，然後似乎想起了什麼，趴在地上，瘋了一樣在屍體中翻找，「爸、媽、姐姐……」

納斯加皺著眉走上前，拉住了她。

她掙扎著，想甩開他的手。

「別動，妳仔細看。」他低喝。

巫馬雪加被他嚇住，安靜下來，卻見到整個大廳都發生了變化，地上的血跡一點一點消失不見，連帶著那些屍首，也在一點一點消失不見。

「這是歸引術，只對死人有用，可以將死去的東西引渡到另一個時空」，納斯加冷冷地解釋，「所以那些消失的東西裡，不可能還有活著的。」

「小天，小天……」巫馬雪加掙脫開他的手，死死拽住向天冰涼僵硬的手，怕他也消失不見，可是她又害怕爸爸媽媽和姐姐也在這裡，她想去找，又不敢放開向天的手。

最後只能坐在地上號啕大哭。

淚眼迷濛中，向天的手消失在她的手中，只剩她一個怔怔地坐在空蕩蕩的大廳裡。許久，她顫抖著從衣袋裡摸出手機，連著按了好幾個號碼。

「對不起，您所撥打的號碼暫時無人接聽……」

「對不起，您所撥打的號碼不在服務區……」

「對不起，您所撥打的號碼不在服務區……」手機裡是冰冷的機械女聲。

她抹了抹眼睛，匆匆跑出了宗教裁判所，攔了一輛計程車便往家裡趕去。

樓上樓下每個角落都找遍了，卻是一個人都沒有，爸爸、媽媽、姐姐，連僕傭都不見了……整個巫馬大宅便成了一座空宅。

就剩她一個了？

一個不輕不重的腳步聲在她身後響起，她猛地回頭，卻見納斯加走上樓來，斜斜地靠在門邊，正笑吟吟地看著她。

「整個魔界，會使用歸引術的，也只有賴加了。」他說，非常開心的樣子，「妳不知道吧？他是因為吞噬了一隻吸血鬼，才變成吸血鬼的，之後因為匪夷所思的力量被密隱同盟的執政官洛特勸服，入了密隱同盟，所以，此次入侵宗教裁判所的行動，他肯定也有份參加。」

賴加，賴加，賴加……

是你嗎？

巫馬雪加感覺自己的臉上麻麻的，彷彿連心都麻痺了，她已經不知道自己的臉上此時是什麼表情了。

突然，她握在手裡的手機響了起來，巫馬雪加看了一下來電顯示，死灰的眼睛恢復了些許神采，她慌忙按下接聽鍵，「姐姐？是姐姐嗎？妳在哪裡？」

「我在宗教裁判所，妳過來。」巫馬火野的聲音在電話另一頭響起。

「剛剛我在那裡，沒有看到妳啊，妳沒事吧？爸媽呢？」巫馬雪加急切地問。

「剛才我去追擊魔族了，受了點傷，妳來宗教裁判所接我。」巫馬火野說完，不待她再追問，便將電話掛了。

巫馬雪加沒有多想，拎了桌上的急救箱便出門了。

再一次走進空曠的宗教裁判所，巫馬雪加彷彿還能從一片狼籍的斷垣殘壁中聞到淡淡的血腥味，「姐姐！姐姐妳在哪兒？」

沒有人回答。

「姐姐！姐姐……」她一邊喊著，一邊撥打她的手機，可是卻一直沒有人接聽。

一直走進最裡邊的藏書館，她才看到一身紅衣的巫馬火野正坐在桌邊專心致志地翻看一本古舊的冊子。

「姐姐？」她忙大步走了過去，「妳在看什麼？」

「所長手札。」巫馬火野抬起頭，居然笑了一下，「妳來得正好，我有事要妳幫我。」

「妳沒事吧，妳的手……」巫馬雪加瞪大眼睛，察覺她的左手手臂不自然地往外扭曲著。

「沒事，被東方曉扭斷的。」她淡淡地道。

「都這樣了，還看什麼手札？我送妳去醫院！」巫馬雪加伸手去扶她。

「怎麼能去醫院！」巫馬火野揮開她的手，「妳沒看到嗎？整個宗教裁判所都被那個賤人毀了！憑什麼她可以有那麼多人為她賣命！憑什麼她可以有那麼強大的力量！憑什麼……憑什麼迦斯要為她去死！為什麼連迦斯都幫她！她是吸血鬼啊！她是惡魔啊！」

「姐……姐……」巫馬雪加被她瘋狂的神情嚇住了。

「妳知不知道，迦斯五年前就已經死了！他五年前就死了！他居然為了東方曉，為了那個惡魔甘心被長老們釘上十字架！他居然為了換得與東方曉十日相守而獻出自己的身體作為六翼天使米迦勒的附身依憑！」巫馬火野的眼中落下大顆大顆的淚來，「我那麼喜歡他，我那麼喜歡他！可是我卻連他死了都不知道！我還一天天一年年自以為幸福地陪在一個早已經不是他的他身邊！他怎麼可以對我這麼殘忍！」

巫馬雪加被她的話嚇到了，果然，那一日在咖啡廳外的迦斯才是真的迦斯，而出現在宗教裁判所的，是附身在迦斯身上的天使。

東方曉尋找了五年的人，早在五年前便已經死去。

可是那個五年前便已經死去的人，卻獻上了自己的身軀，只為了能夠再一次遇見她，再看一眼長大的她，再陪她十日。

他們的故事如此動人，可是姐姐卻成了一個徹頭徹尾的局外人……

「姐姐，妳不要這樣……」巫馬雪加想要抱住她，卻被她狠狠一把推倒在地。

「不要假好心了！五歲那年，宗教裁判所選繼承人，父親將我送進了宗教裁判所，卻把妳留在了身邊！在妳享盡父母寵愛的時候，我正在面對最嚴苛的訓練！只有迦斯會對我好，只有迦斯會幫我，可是那樣好的迦斯，那樣好的迦斯……連他也捨棄了我……」

巫馬雪加衝上去抱住了姐姐，她總是覺得姐姐優秀，覺得姐姐可以吸引所有人的目光，卻從來沒有想過她所受的苦，此時此刻，她對曾經那一點小小的醋意感到羞愧不已。

巫馬火野怔了一怔，然後嘴邊漾開一絲笑來，她抬起完好的那隻手，輕輕地反抱住她，在她的背上畫了一個奇異的符。

那個符畫成的時候，地板裂開了一條縫，頭頂也有碎石落下，接著，地板龜裂的地方似乎蠕動起來，巫馬雪加驚了一下，「姐姐，發生什麼事了？」

「歷代宗教裁判所所長都傳有一本手札，裡面記載了遠古魔物的封印之地。」巫馬火野貼著雪加的耳朵，輕聲道。

巫馬雪加彷彿明白了，微微顫抖起來。

「沒錯，我聰明的妹妹，那些魔物就在我們的腳下呢。」巫馬火野輕笑，「之前魔族那一場屠戮，那些血的香味已經讓它們蠢蠢欲動了，只是要喚醒它們，還需要一個活祭。」

「為什麼……放它們出來，我們不可能對付得了……」

「我會與魔主定下契約，借它的力量鏟平魔界。」巫馬火野鬆開手，撫了撫她的手，「放心吧，我會替你們報仇的。」

巫馬雪加不敢置信地搖頭，「妳……」

「廢物一樣的妳，總是被保護得很好的妳，難得也能派上一點用場。」巫馬火野竟似感嘆一般說著，趁著地板裂開一個大洞，將雪加推了下去。

這一刻，巫馬雪加才明白，姐姐根本已經瘋了……

她感覺自己直直地被推入魔窟，耳邊是魔物低低的咆哮聲，彷彿有幾千幾萬隻，只待將她吞噬殆盡，屍骨無存……

看著巫馬雪加墮入深淵，一直作壁上觀的納斯加忽然如疾電一般掠向魔窟。

「站住。」巫馬火野擋住他，「憑你也想壞我的事？」

「對，就憑我。」納斯加撲向她，一把抱住她，藉著衝力將巫馬火野一起捲入了魔窟。

黑暗的洞穴中，泛著詭異幽紅的光，無數雙慘綠的眼睛在黑暗中窺伺著，納斯加從魔物的嘴邊搶下已經陷入昏迷的巫馬雪加，用盡全部的力氣將她扔出了魔窟。然後他只覺得腰間一緊，再也來不及閃避，一條長長的觸鬚裹住了他的腰，將他捲入口中。

耳邊響起了巫馬火野慘烈的叫聲。

納斯加卻感覺不到疼痛。

但他知道自己快死了。

這一回，真的會死吧。

可是直到這一刻，他都想不通剛剛他為什麼要撲過來，為什麼寧可自己死也要將她扔上去。

他為她死，最慘的是，他根本不知道為什麼要為一個根本不喜歡，甚至有些厭惡的除魔者去死。

意識快要渙散的時候，他的腦海裡忽然出現三個字。

「茉……」他張了張嘴，然後順利地吐出一個名字，「茉伊拉……」念出這個名字的時候，他輕輕鬆了一口氣，脣邊竟然牽起一絲笑來。

有些時候，有些事情你以為已經忘卻，有些人你以為已經徹底忘記，可是那些記憶卻牢牢地植根在你的骨與血中，然後，在某一個時刻，就這樣不期而至。

於是空蕩蕩的胸口處，有一種痛慢慢地漾開，像水中的漣漪，一圈一圈，將他深深地套牢。然後，他深陷於這痛楚中，不得超脫。

這痛楚，比此時身處煉獄般的魔窟，被萬千魔物啃噬更痛。

於是，直到身體快要消失的那一剎那，他終於明白了，他明白了自己為什麼要那麼做。

究竟是有多愛，才會這樣記著她。

茉伊拉，我想，我不僅僅把對妳的愛記在心裡，我已經把對妳的愛滲入了骨血，所以，即使沒有心，我也管不住自己的手腳。

可是這一回，如果連我的身體也一併死去，連我的意識都消亡。

我是否……才能真正地……擺脫對妳的愛……

被重重地拋上地板，可是巫馬雪加一點也沒有覺得疼，有一個魔族，用最後的力量，護了她的周全。

曾經，他用自己的心換取了她轉世重生的機會。而失去了心的他，自此後的幾百年間，因魔力減弱而不得不頂著蛇族族長的名義卻遊蕩於人界。

而現在，他再一次救了她，自己卻葬身於魔口。

「茉……茉伊拉……」魔窟之下，他喚出了這個名字。

曾經的殺戮天使，看守第五重天的看守天使，茉伊拉。

他喚醒了她。

有淚水從緊閉的眼角滑下，她睜開眼睛的時候，黑色的眼瞳加深了顏色，漆黑如夜。她站起身，再一次縱身躍入魔窟，背脊之上，潔白而巨大的羽翼猛地伸展開來，她逆風而行。黑暗之中，那雙幽黑的眼睛卻泛出極亮的光芒，辨認出吞噬了納斯加的那隻魔物，她眼中的寒意更盛，起身縱躍間，手中祭出光劍，一劍斃命。

她伸手，泛著白色光芒的手伸入魔物的腹中，取出一枚蛋來。

她低頭凝視著掌中的蛋，白色的蛋殼上有黑色的斑紋，十分漂亮的樣子，只是比起在天界撿到它的時候，更小了。

因為力量很弱吧。

「不用擔心，我一定可以把你孵出來的。」泛著光的指尖輕輕撫過那枚蛋，她輕聲說，「以後，去哪兒我都會帶著你的，再也……再也不會丟下你一個人了，我保證。」

黑暗的魔窟之中，美麗的天使微攏著雙手，沒有淚的眼中並不平靜，她又重複了一遍，「我保證。」

她只不過是將他從第五重天的湖中帶了出來而已，他卻拚卻了所有來保護她。

在約特的時候，他用自己的血令她在人類面前現出形態。現在想來，他也只不過是想逼迫她與他同回天界。

那時，她問他，為什麼。她說，你不是說並不怨我將你從河邊撿走麼？

他那樣大笑，他問她，妳當真不知道？妳當真不知道？

那時，她不懂。她問他，你到底想要說什麼？

他說，我想要妳。

她卻告訴他，你是魔，不可能有守護天使。

她甚至怨責他喚醒了她不願想起來的記憶，關於邪眼沙利葉，關於殺戮天使的記憶。

可是該來的一樣會來，此時的她，早已經連同被聞人霜封印的那一段記憶都恢復了。

身後，魔物仍在咆哮，聲音越來越大，她轉身，毫不意外地看見一襲紅衣的巫馬火野，她站在眾魔物中間，看起來毫髮無傷。可是此時的茱伊拉知道，巫馬火野已經不是人類了。

在最後的關頭，她孤注一擲，以身飼魔，把自己當成活祭，與魔主簽定了契約。

「巫馬雪加，想不到妳果然是有些來歷的。」巫馬火野嫉恨地看著她，「憑什麼，憑什麼妳們可以毫不費力地得到力量，妳是這樣，東方曉也是這樣，憑什麼我就必須落得這樣的下場！」

「茱伊拉，我叫茱伊拉。」茱伊拉看著她，說出自己的名字。

「殺戮天使茱伊拉。」巫馬火野瞇了瞇眼睛，眼中有了戒備，「妳要將我淨化嗎？」

「人界的事情，與我無關，妳自己惹出來的事情，不必我來淨化，自會有人收拾妳。」茱伊拉將手中的蛋貼著心收入懷中，「而我，自然有我必須要完成的使命。」說完，她便飛出了魔窟，收起翅膀，走出了宗教裁判所。

10 宿命

走出宗教裁判所的時候，天已經黑了，茉伊拉十分清楚這個時間賴加在哪裡，他一定是去了巫馬大宅。

只要她回去，就可以見到他。

可是她退縮了。

賴加，賴加，她守護了那麼久的賴加，她愛的賴加。

是吧，是愛的吧。

如果不愛，又豈會為他拚卻所有。

這個推論讓她悚然一驚，她下意識地撫了撫心口處，那一枚小小的蛋貼著她的心，帶著微涼的溫度。

有淚意，卻沒有眼淚落下。

她又想起了聞人霜的話，那次，賴加遇險，聞人霜問她，如果賴加一定要死，妳是寧可他死在別人手裡，還是死在妳手裡。

那隻狐狸是如此地通透，他早就看穿了一切。

如今，是她兌現自己諾言的時候了吧。

臨街的咖啡廳對面，不知道什麼時候多了一家糖果屋，只是來來去去的路人彷彿都已經習慣了它的存在，彷彿它一直存在於這裡。

可是茉伊拉一眼便看穿了這棟洛可可風格的花園式建築是用意念創造的，擁有如此強大的意念，可見施展魔法的那個魔族有多麼恐怖的力量。

只是那個魔族，肯定不是賴加，因為她可以識別出賴加的氣息。

站在門口，茉伊拉抬頭看了看那面寫著「錦繡糖果屋」的招牌，彷彿連那字體都透著絲絲香甜。推開門，門口的風鈴便相互敲擊著發出悅耳的聲音，站在櫃檯裡的長髮少女笑咪咪地側過頭來打招呼：「歡迎光臨！」

這少女正是她見過的東方曉，那個身分複雜，力量可能高不可測，且被聞人霜心心念念，兜兜轉轉尋了不知多少個世紀的東方曉。

這個時間店裡並沒有客人，幾個服務員各自盤踞一方。

臨窗的吧臺坐著一個黑色短髮的冷漠少年，由他身上傳來的壓迫力最驚人，而且他的魔法味道像極了糖果屋的魔法，用意念創造糖果屋的可能便是他；靠近櫃檯的小椅子上坐著一個極漂亮的小男孩，正在啃棒棒糖，像是精靈一族的；一個褐色長髮，穿著印有流氓兔圖案T恤的健壯男人正黑著臉在擦桌子，像是狼族；寬大的沙發上坐了一個小山一樣的男人，一看就是巨人族的。

茉伊拉一踏進店裡，便感覺到店裡的氣氛立刻變了，大家的視線都掃了過來。

他們顯然也察覺出她是誰了，那黑色短髮的少年放下了手中的咖啡杯，啃棒棒糖的小男孩背後一對透明的小翅膀拍呀拍的，褐色長髮的男人丟下了抹布，雙手抱胸看了過來，那個小山一樣的男人站了起來，護住東方曉。

一時之間，很有些劍拔弩張的氣氛，正在這時，櫃檯後面鑽出一個熟人來，「有美人嗎？」他捋了捋頭髮，高聲嚷嚷著。

是洛特。

「哦呀，是小點心，來找賴加嗎？那小子大概去找妳了。」洛特笑咪咪地從櫃檯裡走出來。

「我知道。」茉伊拉點點頭。

洛特笑了一下，繞著她轉了個圈，「小點心也不簡單嘛，對了，那妳來這裡有事嗎？」說這句話的時候，他面上笑得極其無害，可是茉伊拉知道只要她做出對東方曉不利的事，他會第一個攻擊她。

「嗯，請你幫我傳個話給賴加，明天……」茉伊拉抿脣，頓了一頓，許久才接著道，「明天是個好天氣，我在中心商場門口等他。」

「哦好。」洛特笑咪咪地答應了下來，然後揮了揮手，「好啦好啦，大家不要這麼緊張，我給大家介紹介紹，這位就是賴加家的小點心，那個傳說中的早安小姐。」說著，他又指了指坐在窗邊的冷漠少年，「他是微生陽，」指尖調了個頭，指向那個長著翅膀的小男孩，「他叫奧蘭多，」又笑著指了指穿著印有流氓兔白T恤的男人，「他叫烏桑，」最後指了指那個坐在沙發上小山一樣的男人，「這個好認，就叫小山。」

茉伊拉點了點頭。

正說著，櫃檯裡又慢悠悠地走出兩隻白色的小狐狸，茉伊拉愣了一下，一時分辨不出哪隻是聞人霜。

「牠是小乖，牠是小白。」東方曉看出了她的疑惑，笑著解釋，「那天在咖啡館裡小乖走丟了嘛，我難過了好久，一直都找不到，後來在魔界的時候，我看到一隻長得和小乖一模一樣的小狐狸遇險，就救了下來。」東方曉彎腰抱起叫小乖的小狐狸，「可是小乖就是小乖，誰也代替不了的，還好牠回來了。」

東方曉說這句話的時候，茉伊拉分明在那隻小狐狸眼中看到了極其複雜的情感。

小乖就是小乖，誰也代替不了，聞人霜，這是不是證明你在她心目中，也是極重要的？

這樣，你可滿足？

「其實，」茉伊拉微微笑了一下，「妳叫牠小霜，牠會更高興。」

「真的麼？」東方曉疑惑地看了看懷中的小狐狸，「小霜？」

小狐狸瞇著眼睛，舔了舔她的臉，惹來洛特的怪叫，「啊啊啊，你這死狐狸，又偷吃曉曉的豆腐！哪有這樣使詐犯規的！」

東方曉哈哈地笑了起來，「真的呀，果然叫小霜牠比較開心的樣子，小霜，小霜——」她蹭了蹭牠軟軟的皮毛。

茉伊拉對著牠笑了一下，轉身走出糖果屋。

「對了，」身後，洛特叫住她，「妳約賴加幾點啊？」

「八點。」茉伊拉停下腳步，道。

「晚上八點？」

「早上八點。」

洛特微微一愣，「妳說什麼？」

茉伊拉轉過身來，「我說，早上八點。」

「妳不知道賴加是血族嗎？他可不是日行者。」笑意瞬間消失，洛特僵著臉道。

「我知道。」茉伊拉看著他，輕聲道。

到了這一步，傻子都知道她想幹什麼了。

「妳想殺了賴加！」一旁，小山吼了起來。

茉伊拉沒有再說什麼，走出了糖果屋。

身後，趴在東方曉懷裡的那隻小狐狸望著她的背影，通透的眼中滿是哀憐。

站在錦繡糖果屋門口，茉伊拉仰頭望著滿天的繁星，彷彿聽到一個溫柔的聲音在她耳邊低喃。

他說，妳可以選一個陽光明媚的天氣約我出去，讓我在陽光下死去。

他說，對我來說，這是最美的死法，如果可以有一個杏仁糖泥的蛋糕，就更好了。

閉了閉眼睛，茉伊拉徑直走向對面那家她時常光顧的咖啡廳。

「是妳啊，巫馬小姐，」櫃檯小姐笑著打呼招，「又買杏仁糖泥嗎？」

「嗯。」

「替妳留著了，話說回來妳還真是愛吃這個啊，一直都吃不膩。」櫃檯小姐將杏仁糖泥打包了，遞給她。

「是啊，他怎麼就吃不膩呢。」茉伊拉接過，輕笑。

「咦，不是妳自己吃的嗎？」櫃檯小姐疑惑了一下，隨即又笑，「我知道了，是妳男朋友吧，有妳這樣貼心的女朋友，他還真是幸運呀，現在像妳這樣照顧著男朋友口味的女生可不多了，現在不是流行野蠻女友嘛？」

「嗯，男朋友。」她笑了一下，「麻煩再給我一個吧。」

「其實除了妳，很少有人買這個，都嫌粗糙。」櫃檯小姐又俐落地包了一個，「請拿好。」

「謝謝妳，再見。」

茉伊拉沒有回巫馬大宅，而是直接去了中心商場。坐在街邊的露天茶座旁，她打開了一盒杏仁糖泥，慢慢地吃。

其實櫃檯小姐沒有說錯，這種糕點根本不能算是蛋糕，口感又膩又粗糙，一點都不好吃，可是為什麼他可以那樣幸福地說好吃？

大樓上巨鐘響了十二下，轉眼又是新的一天。

吃完了一整盒的杏仁糖泥，茉伊拉望著那巨鐘發呆，看著那秒針走過一輪又一輪，看著分針一格一格地往前挪……

一點、兩點、三點，街上漸漸開始有人……

四點、五點、六點……街上的人越來越多……

東方漸漸露出曙光。

茉伊拉有些焦躁起來，那巨鐘在她眼中彷彿成了一個可怕的怪獸，正張大了嘴巴要將什麼吞噬。

她低下頭，不敢再看。

時間不知道為什麼，過得那樣快，「噹，噹，噹，噹，噹，噹，噹，噹……」耳邊，鐘聲敲響了八次。

陽光已經暖洋洋地鋪到她的腳邊。

她不敢抬頭，不敢看。

可是有些事情，容不得她逃避。

「茉伊拉。」耳邊，有一個熟悉的聲音，用熟悉的語調，這樣喊她。他喊的是茉伊拉，不是巫馬雪加。他知道她恢復記憶了，他知道她是來殺他的，他知道他在赴一場必死之約，可是他還是來了……

茉伊拉緩緩抬頭，看向他銀灰色的眼睛，聲音抖得幾乎不能成句，「你……為什麼要來？」

「妳不知道我有多麼渴望這樣一場約會，在陽光下和妳一起散步，就像普通人一樣。」他臉上是毫不作假的開心。陽光灑落在他的身上，映襯得他銀灰色的眸子宛若透明，微風拂起他柔軟的短髮，令他看起來無比地耀眼。對面的大樓上貼著當紅偶像男星的海報，那號稱「亞洲第一美男」的男子在他面前也黯然失色。

可是他是邪眼沙利葉，是地獄七君之一的邪眼沙利葉。

可是他是她的賴加，他是她一直守護著的賴加啊……

「還有杏仁糖泥呀！」賴加在她身旁坐下，開心地打開了紙盒，嘗了一塊。

明明並不好吃的……

明明……

「真好吃。」他抬頭看她，笑著道。

在陽光下吃完了一整盒杏仁糖泥，他滿足地撫了撫肚子，「茉伊拉，人界有很多好玩的地方，妳想去哪兒？」

茉伊拉看著他，她察覺到他的力量在極速衰弱，如果不是他，換成任何一個普通的血族，這個時候可能已經灰飛煙滅了。

「我有沒有跟妳說過我愛妳？」他忽然笑了一下，道。

茉伊拉搖了搖頭。

她後悔了，她後悔了，她不要他死。

「真混蛋。」他抬手敲了一下自己的腦袋，然後雙手扶在她的肩上，「茉伊拉，我愛妳。」

茉伊拉垂著頭，雙手捏得死緊，突然，她「啪」的一下張開翅膀，替他擋住了致命的陽光。

賴加愣住，翅膀的光影中，他再一次看到了自己的守護天使。

那雙銀灰色的眼眸瞬間明亮，連最後一絲陰霾都消失不見。

這個城市陽光明媚，人來人往的街頭，有一個天使，伸展著巨大的白色羽翼，守護著一個身形比她高大許多的男子。

漸漸有人駐足觀看。

「他們在幹什麼？拍戲嗎？」

「也許又是什麼綜藝節目上街頭作弄群眾吧……」

「嗯對，說不定攝像機就在哪兒藏著呢。」

正當大家興致勃勃地討論著的時候，突然有特殊的警笛拉響，刺破了祥和的氣氛。幾輛黑色的轎車拉著警笛駛了過來，有警備人員將圍觀的人群疏散開來，車上走下一個氣質儒雅的中年男子。

正是巫馬文。

「雪加，妳在幹什麼？」他沉聲道。

茉伊拉愣了一下，回過頭，下意識地喚出聲，「爸爸……」

「妳不是應該殺了他嗎！」巫馬文看了一眼賴加，冷聲道，「不管妳是我的女兒巫馬雪加，還是殺戮天使茉伊拉，妳都應該殺了他，作為巫馬雪加，他參與了入侵宗教裁判所的行動，作為茉伊拉，淨化他正是妳的責任不是嗎？」他的聲音咄咄逼人，「火野已經入了魔道，妳殺了這個妖獸，妳將是新一任的所長，爸爸帶妳一起重建宗教裁判所。」

宗教裁判所由一個擁有強大力量的天使任所長，這是多麼令人嚮往的事情。

茉伊拉在巫馬文的眼睛裡看到了和巫馬火野一樣瘋狂的光芒，還有勃勃的野心。

「我是茉伊拉，不是殺戮天使茉伊拉，是守護天使茉伊拉，賴加的守護天使。」茉伊拉緩緩開口，聲音清晰無比。

她不會退讓。

巫馬文微微瞇起眼睛，然後他忽然揚了揚手，另外兩輛轎車的車頂忽然打開，一張白色的網張了開來。茉伊拉感覺到一股強大的吸力將她捲入了那張網中，牢牢捆住。

「這是什麼！」茉伊拉驚叫，「放開我！」

「前任所長有窺探前世的能力，從知道妳的來歷開始，我就開始製作這張網，想不到今天竟然真的派上了用場。」巫馬文微笑。

「賴加快跑！」茉伊拉怔了怔，便扭頭看向站在原地賴加，「你還杵在那裡做什麼！快跑呀！」

賴加沒有跑，他身形一動，掠上了車頂，試圖解開那張網，可是他的手一觸及那網面，便再也甩脫不開。

茉伊拉試圖幫他將手掙脫開來，卻是怎麼也不能。

越接近中午，陽光便越猛烈。

賴加的臉上出現了燒焦的痕跡……

茉伊拉從未像此刻這般驚慌失措過，她死命地拉扯著網繩，想替他掙脫開來。

「雪加，妳不要亂動，爸爸不會害妳，等那妖獸死了，我便放妳下來。」巫馬文揚聲道。

見茉伊拉死死咬著唇發狠的樣子，賴加嘆了一口氣，用纏在網繩中的那雙焦黑的手捧住她的臉。

「我還有話沒有跟妳講，妳安靜點聽我講完。」

「我不要聽，等出去再講！」茉伊拉掙扎著在網繩中亂衝亂撞，像一隻被關在籠中拚命想飛出去的小鳥一樣，折騰得遍體鱗傷，潔白的飛羽掉了一地。

「茉伊拉！」他抱住她，死死地將她摁在懷中，「不要這樣，不要這樣。」

小小的手揪住他的衣袖，她在顫抖。

「陽光，是我喜歡的，杏仁糖泥，是我喜歡的，茉伊拉，是我極喜歡的。」感覺到她安靜下來，他托起她的臉，輕吻她的唇，「我在陽光下吃完了一整盒的杏仁糖泥，沒有聞人霜那隻狐狸來搶，還有茉伊拉陪著我……」

聽到聞人霜，想起他搶東西吃的樣子，茉伊拉「噗哧」一下笑了起來，然後淚水無預警地掉了下來。

原來，天使也是有眼淚的。

「……所以，妳不要難過，我從未像現在這樣幸福過。」

焦黑的手輕輕撫過她臉上的淚，賴加在那雙澄澈的瞳仁中看到一個面孔焦黑難辨、醜陋不堪的自己。

「我現在是不是很難看？」

「不會。」

賴加淺笑，抱住了她，「趁我還沒有灰飛煙滅，殺了我吧。」

當時，他藉她之手逃出第五天。

此日，他註定會死於她之手。

一切，都是註定的。

可是，明知道這一場相遇是註定的悲劇，他仍然心存感激。

「我不要。」茉伊拉咬住脣。

「反正一樣是死，不如死在妳手裡，這樣，妳回天界也好交差不是嗎？」賴加輕聲說。

他看得那樣清楚，他明明看得那樣清楚……

當年，是她親手封印了他，後來，又是失去了記憶的她不小心放走了他……這是一場宿命，所以在他轉生後，她成了他的守護天使。

納斯加的出現也不是偶然，也許那時如果不是她那麼執拗地阻止，如果不是她寧可斷翼也要盜生命之水救他，那麼，這個故事在那個時候便已經戛然而止，也不會再有今日的糾纏。

她也好，賴加也好，納斯加也好，都是棋盤上的棋子。

她被斷翼之時，大天使說，可憐的茉伊拉，妳失去所有，去換取的，註定只能是一場悲劇。

他說，總有一天，妳會明白。

現在，她終於明白了。

「我後悔了，就算你註定要死，我也不要你死在我手裡。」茉伊拉搖頭。

隔著一張網，她只能眼睜睜看著他在陽光下一點一點死去。

可是即使這樣，她也不要親手殺了他。

因為……她是他的守護天使。

因為……她愛他。

中午十二點的鐘聲敲響，正午最猛烈的陽光曬化了賴加……

茉伊拉瞪大眼睛，看著他在她面前……灰飛……煙滅……

灰飛煙滅。

你，相信這個世界上有守護天使嗎？

每個人生來都會有屬於自己的守護天使，他們會日日夜夜，寸步不離地守護著你，使你免於受到傷害。

——直至，生命的盡頭。

也許，你會疑惑，既然如此，為什麼我還會受傷？

好吧，我們這樣講，如果你的手指割破了，也請不要懊惱，因為如果沒有守護天使，也許你會受到更大的傷害；如果你摔倒了，你也許該慶幸，幸好有守護天使，不然一定摔得更難看……

又也許，你會問，那他們在哪兒呢？嗯，我們看不到他們，不過嘛……凡事總有例外，或許有人可以看到呢。

守護天使的能力也有限制，在他們保護著人類的同時，也會確保自己的力量不被透支，所以被守護的人類有時候不可避免地會受到一些小小的傷害。呵呵，否則的話，就如聞人霜所說的，全世界都是超人了呀。

但凡事，總有例外，也有傻乎乎的天使一心只想守護人類，而弄得自己全身都是傷。

賴加是一個例外，在他十歲的生日時，他見到了一個長著雪白翅膀的女孩，她告訴他，她是他的守護天使，她叫……茉伊拉。

茉伊拉也是一個例外，因為她總是為了保護賴加而弄得自己傷痕累累。

故事到這裡，就結束了嗎？

也許，還沒有。

尾聲

天界第五重天的天使牢獄裡，幾個罪天使正閒得發慌。

「喂，那個聒噪的小天使今天遲到了，這個時間還不來……」黑洞洞的走廊深處，有一個聲音抱怨。

「嘿嘿，每次她來的時候，你不是嫌棄得最凶的那個嗎，怎麼，想她啦？」有聲音搭腔。

「放屁。」先前那個聲音罵了一句，然後又悻悻地道，「反正每天耳朵都要被她荼毒一番，一天不來，還有點不習慣。」

「你可別小看了那個聒噪的小天使，據說很久很久以前，邪眼沙利葉就是被她封印在第九道走廊的，她原先是殺戮天使啊！」有一個聲音加入了聊天。

「那麼厲害？那麼厲害幹什麼窩在這裡當一個小牢頭。」

「好像之前在封印邪眼沙利葉的過程中受了傷，不過後來我聽說她恢復了力量，只是不知道為什麼又回來當牢頭了……」

「喊，你們不知道吧？這得問我。」一個有些趾高氣揚的聲音。

「你又知道？」

「還記得上次那個成功逃獄的罪天使嗎？那是從第九道走廊逃出去的邪眼沙利葉！而且據說是失去記憶的茉伊拉不小心放走的，結果那個小天使被降了職，成了守護天使，據說守護的就是邪眼沙利葉轉生的人類。」

「哇……」

「真的啊……」

「這個消息好猛……」

「更猛的還在後面呢，那些掌權者最喜歡搞宿命那一套了，所以在他們設定的宿命中，茉伊拉會親手殺了那個轉生的人類，然後再重回天界，恢復殺戮天使的身分。」

「哇，好簡單的任務啊，明著是貶職了，其實是給她機會升職嘛，大天使還真是寵她啊……」

「可惜啊，她好像動了凡心，結果在那個人類死了之後，重回天界的小天使居然偷了生命之水去救他，結果被斷翼貶下了人界……」那個聲音嘆了一口氣，「不過人怎麼算得過天，聽聞那個邪眼沙利葉最後還是入了魔……」

「可是小天使怎麼又回來了？」有聲音提出疑問。

「據說，邪眼沙利葉還是死了，可惜不是小天使親手殺的，所以她只能回來繼續當個小牢頭囉——」

事實證明，強大的八卦之魂無所不在。

「對不起對不起我來遲啦——」一個溫柔而悅耳的聲音出現在廊道間，茉伊拉拍著翅膀飛了進來，「菲亞成功轉化為純淨體啦，我去送他，所以來遲了。」她抱歉地解釋。

沒人理她，剛剛還八卦得十分熱烈的聲音一個都沒有了。

「那麼，今天我們一起來唱讚美歌吧！」茉伊拉笑咪咪地提議。

「啊啊啊不要……」

「又來了！又來了！」

「滾出去！」

「呵呵，你們還是一如既往的熱情呀——」茉伊拉笑呵呵。

唱過讚美歌，被大家轟出去之後，茉伊拉像往常一樣獨自在第九道走廊裡待了一會兒。

魯那推門進來，便見她一個人坐在那裡發呆。

「果然在這裡。」魯那搖了搖頭，「又一個人在這裡幹什麼？」

「孵蛋呀。」茉伊拉指了指懷裡的蛋，比那個時候又大了些許，很有成就感。

「沙利葉大人在外面。」

「哦。」茉伊拉淡淡地應。

「他說找妳。」

「找我幹什麼？」茉伊拉提不起興致。

「咦，妳不是一直視他為偶像的嗎？」魯那驚了。

茉伊拉嘿嘿笑了一下，站起身走出去，也許……她只是不想見到那張和賴加一模一樣的臉。

一走出大殿，她便不可避免地撞入那雙銀灰色的眼眸，茉伊拉感覺自己的心微微顫了一下。

殿外有一棵桫欏樹，是茉伊拉用念力種植的，和伊里亞德家花園裡那棵一模一樣，連葉子上的紋路都沒有一絲不同。

此時，月之天使沙利葉正站在那棵桫欏樹下望著她。

熟悉的人，熟悉的景。

如果這裡不是天界……

「沙利葉大人。」她如往常那般中規中矩地走到離他五步的距離，低頭行禮。

沒有回應。

茉伊拉疑惑地抬頭，看入那雙銀灰色的眼睛，在對上那雙眼睛的時候，她再一次垂下頭，不敢直視。

再多看一刻，她都會覺得賴加正站在她面前。

可是……不是他……

「我也要飛。」耳邊，忽然響起一個聲音。

茉伊拉愣住，隨即傻乎乎地抬起頭看他。

沙利葉大剌剌地張開雙臂，脣邊帶著笑，「我也要飛。」

她瞪大眼睛，張了張嘴巴，許久，才找回自己的聲音：「賴……賴加？」

那天夜裡，在伊里亞德的花園，凱里要飛，她帶著凱里飛，然後他便是這樣跟她講的……

那麼……眼前這個是……

魯那走出大殿的時候，便看到了一副足以讓他下巴脫臼的場面。

「茉茉茉……茉伊拉……」他顫抖著道。

棉花糖一樣的雲朵間，小天使正抱著華麗的月之天使沙利葉在飛翔……

話說，是不是抱反了！啊喂！這樣的畫面很沒有美感很不協調啊！

〈全書完〉

番外 曙光

在A市商業區南邊，幸福街的盡頭處，有一間糖果屋，店主是一個極美的男子。他的手腕上，總戴著一隻有些陳舊的女式手錶，那隻手錶永遠都被調快半個小時。他說，他在等一個叫東方曉的女孩。

下午一點十分，錦繡糖果屋營業中，店主坐在櫃檯裡，正在看一本詩集。

我本可以容忍黑暗
如果我不曾見過太陽
然而陽光已使我的心荒涼
成為更新的荒涼

看到這裡，他的神情稍稍變了一下，這時，門口的風鈴響了一下，店主起身微笑，「歡迎光臨。」

一個穿著紅色T恤和牛仔短褲的女孩，笑嘻嘻地推門進來，「嗨，小霜，下午好呀，吃飯了嗎？」

聞人霜慢悠悠地坐回原位，有些頭疼，這個女孩住在臨街，從小就喜歡來這裡要吃要喝，一晃眼，又是十幾年過去了，當年那個拖著鼻涕哭著向他討糖吃的小女孩居然也到了亭亭玉立的年紀。

「今天也沒有等到你的東方曉嗎？」一點也不在意聞人霜的冷淡，那女孩湊到他身邊，黑黑亮亮的眼睛帶著三分狡黠。

「嗯。」

「還要等嗎？」

「嗯。」

「不會厭煩嗎？」

「嗯。」

「不如娶我吧？」

「嗯……嗯？」聞人霜愣了一下，抬頭看向那個眼睛亮亮的女孩，然後他輕輕笑了起來，「不要。」

雖然年紀大了點，他也不會老糊塗了。

「為什麼呀？」那女孩執著極了，一點也沒有氣餒的樣子，「娶我的好處可多了。」

「嗯，比如說？」許是漫長的歲月太過無聊，聞人霜好整以暇地換了個坐姿，然後看向她，眼睛裡帶著淡淡的戲謔。

女孩漲紅了臉，瞪著他，一時說不出來話來。

「比如說，妳會流著鼻涕向我要糖吃？比如說，妳奶奶來找妳的時候，妳會哭著躲在我身後不肯回家休息？比如說，妳考試不及格怕被爸爸責罰，把我這裡當避難所？」聞人霜一手撐在櫃檯上，慢悠悠地說，眼中的笑意越來越濃。

聞人霜笑起來的時候，很好看。

不是那種空茫的笑，而是實實在在的笑，那笑意從幽黑的眸中一絲一絲地滲透出來，比最甜美的糖果都香甜誘人。

女孩看得呆了，隨即又被他的話氣得跳起來，「我很早就已經不流鼻涕了！」鼓著腮幫子，她狠狠瞪了他許久，瞪得眼睛都酸了，那個可惡的傢伙還是一副悠哉的樣子。

聞人霜「噗哧」一下笑了，然後伸手揉了揉她的腦袋，像在安慰一隻被惹得豎起毛的小貓咪。

女孩有些委屈地癟了癟嘴，然後將他的手從自己的頭上拉了下來，抱在懷裡，「我會每天都黏著你貼著你，不會讓你寂寞不會讓你等待，我還會每天都講笑話給你聽……」

聞人霜有片刻的失神，然後他笑了起來，「聽起來很誘人。」

「是吧是吧。」女孩的眼睛亮亮的。

聞人霜沉默了一下，輕輕抽回自己的手，放在她的肩上，「妳看，我們不一樣，我的年紀比妳的曾曾曾曾曾曾祖父都要大，我已經老得記不清自己的年紀了。」

「藉口！」女孩揮開他的手，「為什麼要等東方曉？她也許根本不記得你了，她也許已經在你不知道的地方和心愛的人幸福地生活在一起了！也許她根本就不在乎你！」

被傷害的人啊，總是會無法控制地傷害著別人，彷彿這樣，她心裡的痛便會少些。

聞人霜在心底嘆息了一聲，面上卻依然在笑，只是那笑意又恢復了空茫，「可是有時候，等待也會成為一種習慣。」

女孩咬住唇，有些後悔自己出言傷他，跺了跺腳，轉身跑了出去。

跑出店門的時候，迎面撞上了一個人，抬頭一看，她愣住了，「小霜？」

那個穿著白襯衫的男子，有一張和小霜一模一樣的臉。

他禮貌地對她笑了一下，與她擦肩而過，走進店門。

女孩恍惚了一下，覺得自己可能在做夢，搖了搖頭離開了。

「嗨！」那男子走進店門，笑著打招呼。

聞人霜站起身，面色微變，「你……」

過去的他，現在的他，兩個自己，這個錯亂的時空。

「不記得我了嗎？當初可是你告了密，我才會被長老帶走的呢，現在看起來你過得也並不好嘛。」過去的聞人霜笑咪咪地吐槽。

聞人霜皺了皺眉，然後忽地笑開，「被自己吐槽的感覺，真不爽。」

「這店裡一點都沒有變呢，你花了大心思呀。」過去的聞人霜四下打量了一下。

「變了，這裡沒有東方曉。」聞人霜撇頭。

過去的聞人霜安靜了一下，又笑了起來，視線落在櫃檯上打開的詩集上，「什麼時候你開始看這些了。」在看清那一頁的內容之後，他笑了一下，「如果東方曉不曾出現，也許我就可以平靜安然地在黑暗中生活，可是她出現了，已經習慣了溫暖的自己，再也無法忍受沒有陽光的日子了呢。」

聞人霜沒有開口。

他們是同一個人，自然有著一樣的念頭。

「傻瓜。」過去的聞人霜笑了一下，在罵他，也在罵自己。

「你怎麼會來？」

「我來告訴你答案。」過去的聞人霜瞇了瞇眼睛，微笑，「現在的東方曉，很幸福，這樣，你放心了嗎？」

「她在哪裡？」聞人霜伸手，想握住他的肩膀。

「你無法觸及的時空。」

聞人霜愣了一下，然後頹然坐下。

放心？

那麼長久的等待，等到她幸福的答案。

竟然……會有不甘。

可是……他真的，放心了。

「我已經違反時空法則很多次了，要走了。」耳邊，另一個自己這樣說。

錦繡糖果屋外面掛上了「休業」的牌子，聞人霜一個人在店中獨坐，坐了很久很久，彷彿化成了一坐石像。

不知道什麼時候，店外一片嘈雜聲，有嬰兒的啼哭聲，人類的議論聲。

聞人霜終於起身，推開門，走了出去。

東方一片魚肚白，天還未亮，糖果屋的門口圍了幾個人，他們吵吵嚷嚷著，不知道在說些什麼。

「天啊，這個孩子臉上有惡魔的印跡……」

「好可怕，好可怕……」

七嘴八舌地，他們說著。

聞人霜分開行人，走了進去。

花圃裡，一個小小的襁褓，襁褓裡有一個小小的嬰孩，粉粉嫩嫩，煞是可愛，只是在嬰兒的額頭上，有一個奇特的胎記，看起來如咒印一般。

棄嬰嘛。

嬰孩在哭，眼睛閉得緊緊的，嘴巴張得大大的，成串成串的眼淚往下掉，看起來可憐極了。

無視周圍的議論聲，聞人霜蹲下身，用手指戳了戳他的臉，嬰孩停止了啼哭，睜開霧濛濛的眼睛，委委屈屈地看著他，像個受氣包。

「沒人要你嗎？」聞人霜問，然後笑了起來，「我也沒人要呢。」

周圍的人都以為他瘋了，跟一個詭異的、來歷不明的嬰孩講話。

「不如，我們作個伴吧。」聞人霜說著，伸手抱起那個襁褓，無視周圍驚異的眼神，走入店中。

東方，有一絲曙光從雲層中透出。

十分地漂亮。

後記

寫完稿子正文部分倒頭就睡了，到現在才開了 word 來寫後記。這本書應該是東方曉系列的最後一部了，其過程無比地糾結。八月的時候就跟小歪打賭說要結稿，十月的時候還在嚷嚷著月底要結稿，結果十一月還在寫…… 十一月又嚷嚷著月底要結稿，為表決心，還在部落格存了個證明，結果一直拖到十二月中才寫好 Orz，後來小歪跟我講說，我發現以後你這種事不能更新在部落格，掛那種罪證，你太丟自己的臉了……

在寫這本書的過程中還和蟲子建立了深厚的姦情，也是這娃一直陪著我糾結陪著我寫不出來。我原本打算在宗教裁判所被滅之後，讓茉伊拉對賴加的感情更加殘酷一點，讓她更決絕地約他出來在陽光下殺了他，結果把這個念頭跟蟲子一說，這女孩抓狂了…… 囧，她一直試圖說服我說服我說服我…… 說茉伊拉那麼善良又那麼喜歡賴加，不管賴加做錯了什麼她都不會恨他的！說那麼善良的女主不要在最後抹黑她哇！好吧…… 我被說服了，於是在寫結局的時候多了溫情少了虐…… 我很乖吧 o(∩_∩)o

剛剛在寫後記的時候，蟲子上線問我稿子結了沒，我很開心地告訴她結稿了—— 她講昨天我沒有上線，她惦記著，做夢都夢見我在殺人…… Orz，我在妳眼中就是一個殺人狂魔麼…… 不過把全稿給她看了之後，我就覺得安心了一些，在這裡謝謝蟲子—— 多虧妳在我寫到卡住時陪我了 XD。

關於最後的聞人霜番外，其實更準確來說，這個聞人霜番外是這個系列裡《奇妙糖果屋》的番外，沒有看過那本書的女孩可能會看不太懂，所以看不懂的女孩可以直接無視那個番外……

因為那個番外是某生答應了要寫的，為了安慰被聞人霜虐到的同學……

聞人霜：安慰？為了安慰我，讓我當奶爸？

某生：唔……不是挺好麼，這娃娃你可以從小調教嘛，調教到以你為天，多好的前景呀o(∩_∩)o…

聞人霜打飛某生……

某生堅強地爬起來繼續說，這個系列終於寫好了，謝謝大家支持！

夢三生　二〇一〇年一月卅日

荊棘天使

作　　者／夢三生
繪　　者／陳漢玲
發 行 人／黃鎮隆
經　　理／陳君平
總 編 輯／洪琇菁
執行編輯／詹貽婷
美術監製／沙雲佩
美術編輯／李政儀
企　　宣／邱小祐

出版／城邦文化事業股份有限公司　尖端出版
　台北市 104 中山區民生東路二段 141 號 10 樓
　電話：(02) 2500-7600　傳真：(02) 2500-2683
　E-mail：7novels@mail2.spp.com.tw
發行／英屬蓋曼群島商家庭傳媒股份有限公司城邦分公司
　尖端出版　行銷業務部
　台北市 104 中山區民生東路二段 141 號 10 樓
　電話：(02) 2500-7600　傳真：(02) 2500-1979
　讀者服務信箱：sandy@spp.com.tw

劃撥專線／(03) 312-4212
戶名／英屬蓋曼群島商家庭傳媒(股)公司城邦分公司　帳號／50003021
(劃撥金額未滿 500 元，請加付掛號郵資 50 元)

法律顧問／通律機構

■ 中彰投以北(含宜花東)經銷商／高見文化行銷股份有限公司
　電話／0800-055-365　傳真／(02) 2668-6220
■ 雲嘉以南經銷商／威信圖書有限公司
　嘉義公司
　電話／(05) 233-3852　客服專線／0800-028-028　傳真／(05) 233-3863
　高雄公司
　電話／(07) 373-0079　傳真／(07) 373-0087
■ 馬新經銷商／城邦(馬新)出版集團 Cite (M) Sdn Bhd (458372U)
　電話／603-9056-3833　傳真／603-9056-2833
　E-mail／citeckm@pd.jaring.my
■ 香港經銷商／城邦(香港)出版集團 Cite (H.K.) Publishing Group Limited
　電話／852-2508-6231　傳真／852-2578-9337
　E-mail／hkcite@biznetvigator.com

版次／2011 年 03 月初版一刷

※ 本書原名為《荊棘天使》作者：夢三生，由記憶坊授權台灣尖端出版社在台灣、香港、澳門、新加坡、馬來西亞地區獨家出版發行。

國家圖書館出版品預行編目資料

荊棘天使 / 夢三生作 . -- 初版 .-- 臺北市：尖端，
2011.03　　面；　公分

ISBN 978-957-10-4431-6

857.7　　99022135